リハビリテーションに役立つ
栄養学の基礎

栢下 淳　若林秀隆　編著

第3版

医歯薬出版株式会社

This book was originally published in Japanese
under the title of :

RIHABIRITÊSHON-NI YAKUDATSU EIYOGAKU-NO KISO

(Basic Nutritional Science for Rehabilitation)

Editors :

KAYASHITA, Jun
  Professor, Faculty of Human Culture and Science Department of Health Sciences,
  Prefectural University of Hiroshima

WAKABAYASHI, Hidetaka
  Professor, Department of Rehabilitation Medicine,
  Tokyo Women's Medical University Hospital

© 2014 1st ed.
  2018 2nd ed.
  2023 3rd ed.

ISHIYAKU PUBLISHERS, INC.
  7-10, Honkomagome 1 chome, Bunkyo-ku,
  Tokyo 113-8612, Japan

第3版の序文

「理学療法士，作業療法士，言語聴覚士，看護師などを目指す学生に栄養学の授業を担当した際に，ニーズに合った内容の教科書がない」ことに気づき，親しくさせていただいている若林秀隆先生に相談し，2013年12月に「リハビリテーションに役立つ栄養学の基礎」（第1版）を上梓しました．リハビリテーション栄養（リハ栄養）に関しては，新しい知見が次々と報告されていますので，これを受けて2018年に第2版を上梓しました．

さらに，厚生労働省の理学療法士・作業療法士学校養成施設カリキュラム等改善検討会では，理学療法士作業療法士学校養成施設指定規則で「栄養」を必修化することが示され，2020年の入学生からカリキュラムに「栄養」が入りました．つまり，リハにとって栄養は欠かせない知識であり，本書はそれに対応した内容となっています．この背景には，高齢者の増加，地域包括ケアシステムの構築などから，理学療法士，作業療法士，言語聴覚士，看護師などに求められる役割が多様化しています．その必要な知識の一つが，栄養と考えられます．

療法士の先生方は，リハを通じ患者を毎日懸命に支えているのですが，結果として低栄養状態にしてしまうことがあります．これは，リハによるエネルギー消費量が過小評価されたため，摂取するエネルギー量や栄養量の不足によって生じます．そのために，リハを行う際には，療法士の先生方が，「栄養」に配慮してもらえれば，より効率的なリハが実践できます．そのため，指定規則に「栄養」が必須になったものと考えられます．学生の皆さんは，日頃から運動をされている方や運動分野に関する知識の習得には熱心な方もみかけますが，リハ栄養とスポーツ栄養はとても近似しています．目標も持久力の向上や筋力アップなどで類似しています．継続的な運動すると食事量が増えるように，リハでも同じ現象が起こりますので，リハ栄養を学ぶことはスポーツ栄養にも通じると考えられます．

回復期リハ病棟では，管理栄養士が，リハ実施計画等の作成に参画することや，管理栄養士を含む医師，看護師その他医療従事者が計画に基づく栄養状態の定期的な評価や計画の見直しを行うこと等が必要になってきています．つまりリハにかかわる全職種に栄養学の基礎知識が必要になったといえます．

第2版を出版してから4年が経過し，その間にリハと栄養に関する知見が報告されました．それを踏まえ，第3版を作成いたしました．第2版から第3版の改訂の際には内容を最新の情報に書き換えましたので，頁数も7頁増えました．

本書の作成にあたり，医歯薬出版の小口真司さんには，大変お世話になりました．終始支えていただきましたことに，感謝いたします．

2022年11月　栢下　淳
若林秀隆

第2版の序文

「理学療法士，作業療法士，言語聴覚士，看護師などを目指す学生に栄養学の授業を担当した際に，ニーズに合った内容の教科書がない」ことに気づき，親しくさせていただいている若林秀隆先生に相談し，2014年1月に「リハビリテーションに役立つ栄養学の基礎」（第1版）を上梓しました．

「理学療法士・作業療法士学校養成施設カリキュラム等改善検討会報告書(2017年)」では，今後入学する学生のカリキュラムの中に「栄養」を必修化することが示されています．つまり，リハにとって栄養は欠かせない知識であり，本書はその求めに応ずるものであります．この背景には，高齢者の増加が著しく，医療需要の増大や地域包括ケアシステムの構築などから，理学療法士，作業療法士，言語聴覚士，看護師などに求められる役割の変化が考えられます．その1つが，リハ栄養と考えられます．療法士の先生方もリハを通じ患者を毎日懸命に支えてくださるのですが，結果として低栄養状態にしてしまうことがあります．これは，リハによるエネルギー消費と摂取するエネルギー量のアンバランスによって生じます．リハを行う際には，療法士の先生方が，「栄養」に配慮してもらえれば，リハによる栄養不良を防ぎ，より効率的なリハを行うことができます．そのため，理学療法士・作業療法士学校養成施設カリキュラムに「栄養」が必須になったものと考えられます．

2018年の診療報酬改定では，回復期リハ病棟入院料1の施設基準について，管理栄養士がリハ実施計画などの作成に参画することや，管理栄養士を含む医師，看護師その他医療従事者が計画に基づく栄養状態の定期的な評価や計画の見直しを行うことなどが要件とされました．具体的には，リハ実施計画書における栄養関連項目について記載が必須です．また，管理栄養士を含む医師，看護師その他医療従事者が，入棟時の患者の栄養状態の確認，当該患者の栄養状態の定期的な評価および計画の見直しを，共同して行います．さらに，栄養障害の状態にある患者，栄養管理をしなければ栄養障害の状態になることが見込まれる患者その他の重点的な栄養管理が必要な患者については，栄養状態に関する再評価を週1回以上行うことが必要です．これらはリハ栄養の考え方が反映されたものであり，リハにかかわる全職種に栄養学の基礎知識が必要な時代になったといえます．

第1版を出版してから4年が経過し，その間にリハと栄養に関する数多くの論文が出されました．それを踏まえ，第2版を作成いたしました．第1版からの追加項目として，「リハビリテーション栄養の実践例」「栄養ケアプロセス」「フレイル」の3項目，さらに，第1版に使用した内容も最新の情報に書き換えましたので，頁数は30頁以上増えました．

本書の作成にあたり，医歯薬出版の小口真司さんには大変お世話になりました．終始支えていただきましたことに感謝いたします．

2018年2月　栢下　淳
若林秀隆

序文

「理学療法士，作業療法士，言語聴覚士，看護師などを目指す学生を対象に，栄養学の講義を行う際，教えたい内容と合致した教科書がほとんどない」．このことが本書作成の最初のきっかけでした．以前より親しくさせていただいていた横浜市立大学附属市民総合医療センターの若林秀隆先生と協議を重ね，共同でコメディカルを目指す学生向けの栄養学の書籍を作る必要があるという結論に至りました．その際に確認したことは，コメディカルを目指す学生に必要な内容を網羅し，過度に専門的にならず，教科書として使用可能な書籍を作成するということでした．

栄養は，乳幼児から高齢者まですべての人に必要なものですが，各ライフステージにおいて必要なエネルギーや栄養素量は変わります．本書では，病院や施設に勤務することが予想される理学療法士，作業療法士，言語聴覚士，看護師などの方々が，臨床現場で接する機会の多い高齢者，疾病者および障害者に対する栄養療法の基礎が中心となっています．各疾病に対する栄養療法を学ぶ際に，栄養の基礎的な知識があれば，なぜそのような栄養療法が有用なのかを考えることができるようになります．

疾病者・障害者では，栄養状態が悪いとリハビリテーションの効率が悪いことや予後がよくないことが知られるようになってきました．そのため，栄養状態の回復に寄与するチーム医療 Nutrition Support Team (NST) を行う病院も増加しています．NST では，さまざまな職種の専門知識が要求されます．退院後の生活においても適切な栄養を摂取することが必要です．このため，理学療法士，作業療法士，言語聴覚士，看護師などの方々においても，治療やリハビリテーションを円滑に進めるうえで栄養の基礎的な知識があることが欠かせない状況になってきました．

本書でも紹介したリハビリテーション栄養を多職種で，考え，学び，実践していく研究会として，日本リハビリテーション栄養研究会があります(研究会ホームページ https://sites.google.com/site/rehabnutrition/)．2013 年 11 月時点での会員数は，約 3,000 人です．理学療法士，作業療法士，言語聴覚士，看護師などを目指す学生の入会も可能です．この書籍を読んでリハビリテーション栄養に関心をもった方は，ぜひ入会していただきたいと思います．入会方法は研究会のホームページを参照してください．

本書の出版に当たり，医歯薬出版の小口真司さんには，企画から出版に至るまで，大変お世話になりました．縁の下で終始支えていただきましたこと，心からお礼申し上げます．

2013 年 12 月　栢下　淳
若林秀隆

〈編者〉

栢下　淳　県立広島大学地域創生学部地域創生学科

若林　秀隆　東京女子医科大学病院リハビリテーション科

〈執筆者〉

栢下　淳　県立広島大学地域創生学部地域創生学科

若林　秀隆　東京女子医科大学病院リハビリテーション科

吉村　芳弘　熊本リハビリテーション病院サルコペニア・低栄養研究センター

鍛島　尚美　広島修道大学健康科学部健康栄養学科

山縣誉志江　県立広島大学

渡邉　光子　西広島リハビリテーション病院リハビリテーション部

影山　典子　西広島リハビリテーション病院栄養課

塩濱奈保子　京都済生会病院栄養科

園井　みか　ノートルダム清心女子大学人間生活学部食品栄養学科

助金　淳　信愛会日比野病院診療技術部リハビリテーション科

髙橋理美子　横浜市立大学附属市民総合医療センターリハビリテーション部

石川　淳　香川大学医学部附属病院リハビリテーション部

井上　達朗　新潟医療福祉大学リハビリテーション学部理学療法学科

山岸　誠　横浜市立大学附属病院リハビリテーション部

柴本　勇　聖隷クリストファー大学リハビリテーション学部言語聴覚学科

伊藤　淳子　横浜市立大学附属市民総合医療センターリハビリテーション部

鮎川　恵美　横浜市立大学附属市民総合医療センターリハビリテーション部

津戸佐季子　元横浜市立大学附属市民総合医療センターリハビリテーション部

栢下　淳子　広島修道大学健康科学部健康栄養学科

谷　律子　徳島赤十字病院医療技術部栄養課

長尾　晶子　広島大学病院栄養管理部

（執筆順）

目　次

序　章　リハビリテーションにおける栄養知識の重要性 ……… 1

1. 栄養面から ……… 2
1 高齢社会と栄養　2／2 栄養状態の評価判定　3／3 栄養と生命予後　3

2. リハビリテーション面から ……… 5
1 なぜ PT・OT・ST に栄養の知識が必要なのか　5／2 リハビリテーション栄養とは 6／3 リハビリテーション栄養ケアプロセス　6／4 ICF と栄養　8

3. リハビリテーション栄養の実践 ……… 10
1 なぜリハビリテーション栄養が必要なのか　10／2 低栄養はリハビリテーションの アウトカムへ負の影響を与える　10／3 リハビリテーションにおける栄養介入の効果 12／4 リハビリテーション栄養の実践　13

第1章　栄養の基礎 ……… 19

1. 栄養補給ルート ……… 20
1 栄養投与経路　20／2 経口摂取　20／3 経管栄養　21／4 経静脈栄養　22

2. エネルギー代謝 ……… 23
1 エネルギー消費量　23／2 基礎代謝量　23／3 身体活動レベル　24／4 健康づく りのための身体活動基準 2013　25

3. 栄養素の役割 ……… 28
1）たんぱく質 ……… 28
1 消化・吸収　28／2 代謝　29／3 アミノ酸　29／4 食品中の含量　30／5 必要 量の考え方　30／6 低栄養の判定　33

2）脂質 ……… 33
1 消化・吸収　35／2 代謝　35／3 リポたんぱく質　36／4 必要量の考え方　37／ 5 食品中の含量　37

3）炭水化物（糖質・食物繊維） ……… 38
1 糖質　39／2 食物繊維　43／3 アルコール　44

4）ビタミン ……… 44
1 ビタミンの代謝と働き　45／2 必要量の考え方　49

5）ミネラル ……… 49
1 多量ミネラル　50／2 微量ミネラル　53

4. 運動時の栄養 ……… 57
1 リハビリテーションを行う患者の必要栄養量　57／2 栄養素と必要量の考え方　58 ／3 リハビリテーションと栄養素の働き　59／4 レジスタントトレーニングと持久カト レーニング　62

vii

目 次

5. 栄養不良時の栄養 ……………………………………………………………………… 65
1 栄養不良の診断と分類　65 ／ 2 栄養不良時の代謝とリハビリテーションの留意点
67 ／ 3 栄養不良の評価指標　68 ／ 4 Refeeding 症候群の予防と栄養管理　70

6. 侵襲時の栄養 …………………………………………………………………………… 72
1 術前の栄養管理　72 ／ 2 術後の栄養管理　74

7. 栄養ケアプロセス ……………………………………………………………………… 78
1 栄養ケアプロセスとは　78 ／ 2 栄養ケアプロセスの概略 79 ／ 3 症例提示　82

第2章　主な病態の栄養療法 ……………………………………………………………… 85

1. 低栄養者の栄養管理 …………………………………………………………………… 86
1 臨床でのアミノ酸動態　86 ／ 2 低栄養　86 ／ 3 栄養療法　89

2. 摂食嚥下障害 …………………………………………………………………………… 92
1 摂食嚥下障害とは　92 ／ 2 器質的障害の病態生理　92 ／ 3 機能的障害の病態生理
92 ／ 4 心理的原因の病態生理　95 ／ 5 栄養評価のポイント　95 ／ 6 栄養療法　99
／ 7 摂食嚥下障害への対応　99

3. フレイル …………………………………………………………………………………105
1 身体的フレイル　105 ／ 2 身体的フレイルの病態生理　106 ／ 3 身体的フレイルの
診断基準　107 ／ 4 栄養評価のポイント　108 ／ 5 身体的フレイルの栄養療法　109
／ 6 認知的フレイル　111 ／ 7 社会的フレイル　111 ／ 8 オーラルフレイル　112

4. サルコペニア ……………………………………………………………………………115
1 サルコペニアとは　115 ／ 2 サルコペニアの原因　116 ／ 3 サルコペニアの診断
117 ／ 4 筋力評価　119 ／ 5 骨格筋量評価　119 ／ 6 身体機能評価　120 ／ 7 栄養評
価のポイント　120 ／ 8 サルコペニアの栄養療法　121 ／ 9 サルコペニアに対する栄
養療法とリハビリテーションの併用　122

5. ロコモティブシンドローム ……………………………………………………………124
1 ロコモティブシンドロームとは　124 ／ 2 ロコモティブシンドロームの病態生理
125 ／ 3 ロコモティブシンドロームの診断基準　125 ／ 4 栄養評価のポイント　127
／ 5 ロコモティブシンドロームの栄養療法　127 ／ 6 ロコモティブシンドロームのト
レーニング　128

6. メタボリックシンドローム ……………………………………………………………129
1 メタボリックシンドロームとは　129 ／ 2 日本のメタボリックシンドロームの診断
基準　129 ／ 3 メタボリックシンドロームの病態生理　130 ／ 4 栄養評価のポイント
134 ／ 5 メタボリックシンドロームの栄養療法　135

| 第3章 | 主な疾患の栄養療法 | 139 |

1. 脳卒中 ······139 140

1 病態生理と治療　140 ／ 2 脳卒中の種類　140 ／ 3 機能障害と機能訓練　141 ／ 4 栄養評価のポイント　141 ／ 5 栄養療法　142 ／ 6 栄養ケアプラン　143

2. 誤嚥性肺炎 ······145

1 病態生理と治療　145 ／ 2 機能障害と機能訓練　147 ／ 3 栄養評価のポイント　150 ／ 4 栄養療法　151

3. がん ······153

1 病態生理と治療　153 ／ 2 機能障害と機能訓練　153 ／ 3 栄養評価のポイント　155 ／ 4 栄養療法　156

4. 脊髄損傷 ······158

1 病態生理と治療　158 ／ 2 機能障害と機能訓練　158 ／ 3 栄養評価のポイント　159 ／ 4 栄養療法　160

5. 大腿骨近位部骨折 ······162

1 病態生理と治療　162 ／ 2 機能障害と機能訓練　163 ／ 3 栄養評価のポイント　165 ／ 4 栄養療法　166

6. 下肢切断 ······168

1 病態生理と治療　168 ／ 2 機能障害と機能訓練　168 ／ 3 栄養評価のポイント　169 ／ 4 栄養療法　170

7. 関節リウマチ ······171

1 病態生理と治療　171 ／ 2 機能障害と機能訓練　171 ／ 3 栄養評価のポイント　173 ／ 4 栄養療法　174

8. 慢性閉塞性肺疾患 ······175

1 病態生理と治療　175 ／ 2 機能障害と機能訓練　176 ／ 3 栄養評価のポイント　177 ／ 4 栄養療法　178

9. 慢性心不全 ······180

1 病態生理と治療　180 ／ 2 機能障害と機能訓練　181 ／ 3 栄養評価のポイント　182 ／ 4 栄養療法　183

10. 廃用症候群 ······185

1 病態生理と治療　185 ／ 2 機能障害と機能訓練　186 ／ 3 栄養評価のポイント　186 ／ 4 栄養療法　187

11. 褥瘡 ······188

1 病態生理と治療　188 ／ 2 機能障害と機能訓練　191 ／ 3 栄養評価のポイント　192 ／ 4 栄養療法　192

目 次

第4章　栄養関連事項 195

1.　NSTの実際 196
1 NSTの目的　196 ／ 2 NSTにおける各職種の役割　197 ／ 3 栄養評価の指標　198

2.　アルコールの影響 202
1 代謝　202 ／ 2 疾患との関連　202 ／ 3 含有量　206

3.　タバコによる影響 207
1 タバコに含まれる有害物質　208 ／ 2 タバコによる代謝の変化　209 ／ 3 タバコと疾患の関係　210 ／ 4 タバコと低栄養　211

索引 213

序　章

リハビリテーションにおける
栄養知識の重要性

1 栄養面から

1 高齢社会と栄養

わが国では，高齢者が急速に増加している．日本人の平均寿命は，1900年には44歳であったが，2000年には81歳と100年間で37歳も寿命が延びている．厚生労働省の報告では，健康寿命(2019年)は，男性72.68歳，女性75.38歳であるのに対し，平均寿命(2019年)は，男性81.41歳，女性87.45歳と，人生の最後の10年程度は健康でない期間がある．

また，高齢者では栄養状態不良の者も多い．その原因としては，歯の脱落や咀嚼筋力の低下により肉類などの栄養豊富な食材の摂取量が減少すること，塩味を中心とした味覚の低下により，おいしいと感じるものが減少するため食思不振に陥りやすいことなどが考えられる．また，不活発な生活からも食思不振に陥りやすく，経済的問題から栄養状態が悪化することもある．

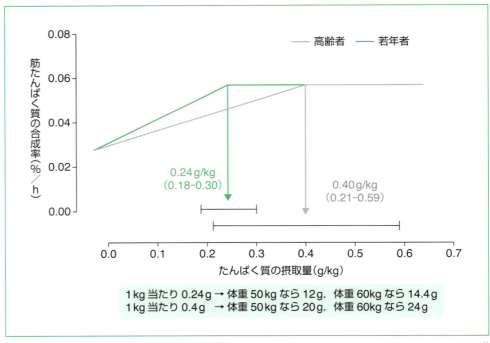

図1　たんぱく質の摂取量と筋たんぱく質の合成率　　　　　　　　　　　　（Moore et al, 2015）[2]

序章　リハビリテーションにおける栄養知識の重要性

体重が減少する場合は，消費エネルギーに比較して摂取するエネルギーが低いことが考えられ，また，食後(たんぱく質摂取後)に誘導される骨格筋でのたんぱく質合成能力は，成人に比較し高齢者は低下しているため[1]，体重維持に必要なエネルギー量を確保する．**図1**[2]は，若年者と高齢者の筋たんぱく質の合成率を比較したものである．若年者は1食当たり平均0.24 g/kgで平衡状態となっているが，高齢者では1食当たり平均0.4 g/kgと高いことがわかる．さらに，機能が低下している高齢者では，十分なたんぱく質量を確保してリハビリテーション(以下リハ)を行う必要がある．

2　栄養状態の評価判定

低栄養の分類として最近ではGLIM (Global Leadership Initiative on Malnutrition)を用いての分類が広がってきている．低栄養は，炎症の有無との関連を中心に4つに分類される．
①炎症を伴う慢性疾患関連低栄養
②炎症が少ないか伴わない慢性疾患関連低栄養
③重症炎症を伴う急性疾患・外傷関連低栄養
④社会経済的および環境的要因に起因する飢餓・食料不足を含む飢餓関連低栄養
リハにおいても，炎症がある場合(①，③の場合)は，適切な栄養管理と機能を維持するリハを行い，炎症が少ないか伴わない場合(②，④の場合)は，適切な栄養管理と機能を改善するリハを実施することが望ましい．つまり，対象者の栄養状態や炎症の有無に注意して，リハの内容を決めていくことが必要である．

3　栄養と生命予後

栄養状態は生命予後に大きく影響する．**図2**は，入院患者の栄養状態の判定にスクリーニングツールMini Nutritional Assessment® (MNA®)を用いて，栄養状態良好群，At risk(現時点では低栄養ではないが，今後低栄養の恐れがある)群，低栄養群に分類し，入院後約1,000日間の累積生存率を調査した結果である[3]．栄養状態良好群では，1,000日後に約8割の患者が生存していたが，低栄養群では，約2割しか生存していなかった．このことから栄養状態が生命予後にいかに大きな影響を与えるのかがわかる．

機能障害を有する患者にリハで機能回復を促すことは，患者にとって非常に有意義なことであるが，その前提としては，栄養状態が良好なことが必要である．リハとはエネルギーを使い，筋肉や筋力をつけることであるため，栄養状態が良好であればリハの効果が表れやすいが，栄養不良であればエネルギーを使用する際に身体の構成成分を分解してエネルギーを捻出するため，折角のリハの効果を得にくい．

つまり栄養不良の場合は，まず栄養状態の回復を優先すべきである．栄養不良かどうかは，質問票，身体測定，血液生化学検査などから推察できる．質問票としてはMNA®，MNA®-SFなど，身体計測では体重や上腕周囲長の測定などが用いられる．

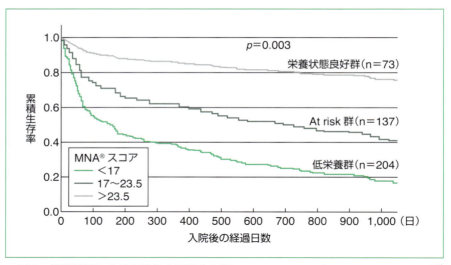

図2　栄養状態による入院後の累積生存率　　　　　（Kagansky et al, 2005）[3]

　血液生化学検査では血清アルブミン値やトランスサイレチン（プレアルブミン）値などが用いられる．血清アルブミン値は，検査時の2～3週間程度前の状態を反映し，トランスサイレチンは検査時の1～2日前の状態を反映する指標である．

　理学療法士（PT）・作業療法士（OT）・言語聴覚士（ST）はこれらの栄養に関するデータをカルテから読み取り，その患者の状態を把握したうえでリハを行えば，従来よりもリハの効果を感じると思われる．このことは，患者のメリットにもつながる．そのためには，栄養に関する基礎知識を習得することが必要である．本書では，PT・OT・STのリハスタッフおよびこれらの資格取得に励まれている方を対象にリハに必要な栄養の基礎知識をまとめた．

　　　　　　　　　　　　　　　　　　　　　　　　　　　　　　　　　（栢下　淳）

文献

1) Volpi E et al：The response of muscle protein anabolism to combined hyperaminoacidemia and glucose-induced hyperinsulinemia is impaired in the elderly. *J Clin Endocrinol Metab* 85：4481-4490, 2000.
2) Moore DR et al：Protein ingestion to stimulate myofibrillar protein synthesis requires greater relative protein intakes in healthy older versus younger men. *J Gerontol A Biol Sci Med Sci* 70（1）：57-62, 2015.
3) Kagansky N et al：Poor nutritional habits are predictors of poor outcome in very old hospitalized patients. *Am J Clin Nutr* 82：784-791, 2005.

序章　リハビリテーションにおける栄養知識の重要性

2　リハビリテーション面から

1　なぜPT・OT・STに栄養の知識が必要なのか

　PT・OT・STが機能訓練を行う際，患者の栄養状態は良好で，適切な栄養管理が行われていると無意識に想定していることが多い．たとえば若年の運動器疾患の患者では，栄養状態も栄養管理も良好なことが多く，栄養状態を意識しないで機能訓練を行っても十分な効果を期待できる．

　しかし実際には，リハを行っている患者の多くが低栄養状態である．施設別に低栄養の高齢者の割合を調査した報告では，病院38.7％，リハ施設50.5％とリハ施設で最も低栄養の割合が高かった（図1)[1]．リハ施設に入院している高齢者で，サルコペニアを認める割合も約50％である[2]．臨床現場でPT・OT・STによる機能訓練を行っている患者の多くが高齢者である．つまり，リハを行っているすべての患者に低栄養やサルコペニアおよび今後の低栄養やサルコペニアとなる可能性を疑うことが必要である．

　低栄養の場合，脳卒中，大腿骨近位部骨折，廃用症候群など多くの疾患でリハの予後が悪くなる．筋力や持久力が低下している患者に，栄養を考慮せずに機能改善を目的としたレジスタンストレーニングや持久力増強運動を行うと，かえって栄養状態が悪化して筋力や持久力は低下することがある．低栄養の患者の機能，日常生活活動（activities of daily living；ADL），生活の質（quality of life；QOL）をPT・OT・STで

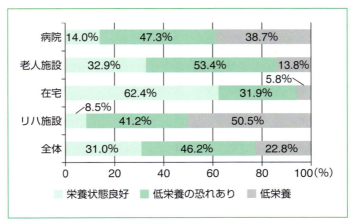

図1　施設別の高齢者低栄養の割合　　　　（Kaiser et al, 2010)[1]

最大限高めるためには，適切な栄養管理が必要である．つまり「栄養ケアなくしてリハなし」「栄養はリハのバイタルサイン」である．

2 リハビリテーション栄養とは

　リハ栄養とは，国際生活機能分類(International Classification of Functioning, Disability and Health；ICF)による全人的評価と栄養障害・サルコペニア・栄養摂取の過不足の有無と原因の評価，診断，ゴール設定を行ったうえで，障害者やフレイル高齢者の栄養状態・サルコペニア・栄養素摂取・フレイルを改善し，心身機能，活動・参加，QOLを最大限高める「リハからみた栄養管理」や「栄養からみたリハ」である[3]．栄養障害を認める患者では，PT・OT・STと栄養管理を併用することで，より機能改善を期待できる．

　リハ栄養はスポーツ栄養のリハ版ともいえる．スポーツ栄養では，スポーツ選手が試合のときに最高のパフォーマンスを発揮できるように栄養管理を行う．一方リハ栄養では，患者が日常生活や社会生活のなかで最高のパフォーマンスを発揮できるように栄養管理を行う．スポーツ栄養学や運動栄養学の知見をリハに応用することで，より機能を高めることができる．

　リハ栄養管理の主な内容は，低栄養や不適切な栄養管理下におけるリハのリスク管理，リハの時間と負荷が増加した状況での適切な栄養管理，筋力・持久力など生活機能とQOLのさらなる改善の3つである．

3 リハビリテーション栄養ケアプロセス

　リハ栄養ケアプロセスとは，障害者やフレイル高齢者の栄養状態・サルコペニア・栄養素摂取・フレイルに関連する問題に対して，質の高いリハ栄養ケアを行うための体系的な問題解決手法である[4]．リハ栄養ケアプロセスは，5段階で構成される(**図2**，**表1**)．

　リハ栄養診断の結果，今後の栄養状態が悪化すると予測される場合，体重，筋力，持久力は低下する可能性が高い．この状況で筋肉量増加を目的としたレジスタンストレーニングや持久力増強運動を行うと，かえって栄養状態が悪化して筋肉量や持久力が低下するので禁忌である．最悪の場合，PT・OT・STが精力的に機能訓練を行った結果，患者が餓死することがある．

　しかし，低栄養でも安静臥床を継続すれば廃用症候群が進行して，筋力や持久力が低下する．そのため，関節可動域訓練，座位・立位・病室内歩行訓練，レジスタンストレーニングを除いた呼吸リハ，長距離歩行と階段昇降を除いたADL訓練など，2〜3 METs以下の活動・運動に関しては廃用症候群を予防するため，栄養状態が悪化すると予測される場合にも行う．

　一方，今後の栄養状態は維持もしくは改善と予測される場合は，筋肉量増加を目的としたレジスタンストレーニングや持久力増強運動の適応となる．低栄養の脳卒中，

序章　リハビリテーションにおける栄養知識の重要性

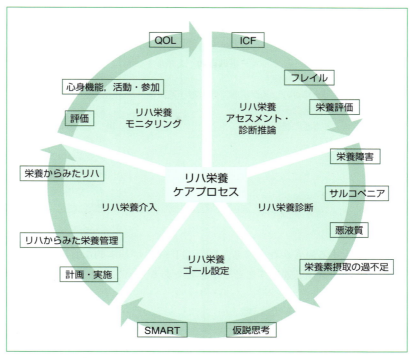

図2　リハビリテーション栄養ケアプロセス

表1　リハビリテーション栄養ケアプロセスの5段階

①リハビリテーション栄養アセスメント・診断推論
　ICFによる全人的評価，栄養障害・サルコペニア・栄養素摂取の評価・推論
②リハビリテーション栄養診断
　栄養障害・サルコペニア・栄養素摂取の過不足
③リハビリテーション栄養ゴール設定
　仮説思考でリハや栄養管理のSMART(Specific：具体的，Measurable：測定可能，Achievable：達成可能，Relevant：切実・重要，Time-bound：期限が明確)なゴール設定
④リハビリテーション栄養介入
　「リハからみた栄養管理」や「栄養からみたリハ」の計画・実施
⑤リハビリテーション栄養モニタリング
　リハ栄養の視点で栄養状態やICF，QOLの評価
　リハ栄養診断のドメインには，栄養障害，サルコペニア，栄養素摂取の過不足が含まれる(表2)．

　大腿骨近位部骨折，慢性閉塞性肺疾患などでは，リハに栄養管理を併用することで機能やADLがより改善する．機能改善を目標として適切な栄養管理を行いながら，より長時間で高負荷のPT・OT・STを実施する．
　回復期リハ病棟のように毎日3時間，PT・OT・STを実施できる環境の場合，機能訓練による1日エネルギー消費量が500 kcalを超えることがある．この場合，機能訓練によるエネルギー消費量を考慮した栄養管理を行わないと，栄養状態が悪化することになる．実際，回復期リハ病棟では常食を3食全量経口摂取していても，体重が減

表2　リハビリテーション栄養診断

I．栄養障害	II．サルコペニア
低栄養：飢餓，侵襲，悪液質 過栄養：エネルギー摂取過剰，エネルギー消費不足，疾患 栄養障害のリスク状態：低栄養・過栄養 栄養素の不足状態 栄養素の過剰状態 なし	あり：加齢，活動，栄養，疾患 筋肉量のみ低下：加齢，活動，栄養，疾患 筋力 and/or 身体機能のみ低下：加齢，活動，栄養，疾患 低下なし III．栄養素摂取の過不足 栄養素の摂取不足 栄養素の摂取過剰 栄養素摂取不足の予測 栄養素摂取過剰の予測 なし

少する患者が存在する．PT・OT・STが基本的な臨床栄養の知識をもったうえで，管理栄養士と連携することが必要である．

4　ICFと栄養

ICFの心身機能の第1レベルに消化器系・代謝系・内分泌系の機能がある．このなかには第2レベルとして，摂食機能，消化機能，同化機能，体重維持機能，全般的代謝機能，水分・ミネラル・電解質バランスの機能といった項目が含まれている（**図3，表3**）．つまり，栄養障害は機能障害の一つであり，片麻痺，高次脳機能障害，摂食嚥下障害，筋力低下，関節可動域制限など他の機能障害と同時に栄養障害を評価する必要がある．栄養障害も含めて機能障害を適切に評価しなければ，適切なPT・OT・STの実施は困難である．

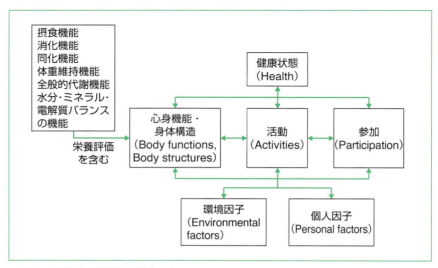

図3　国際生活機能分類（ICF）

表3 ICFの栄養関連の項目例

b510　摂食機能	b5152　栄養の吸収
b5100　吸引	b5153　食物への耐性
b5101　咬断	b520　同化機能
b5102　臼磨	b530　体重維持機能
b5103　口中での食物の処理	b540　全般的代謝機能
b5104　唾液分泌	b5400　基礎代謝率
b5105　嚥下	b5401　炭水化物代謝
b51050　口腔内嚥下	b5402　蛋白質代謝
b51051　咽頭内嚥下	b5403　脂肪代謝
b51052　食道期嚥下	b545　水分・ミネラル・電解質バランスの機能
b5106　逆流と嘔吐	b5450　水分バランス
b515　消化機能	b5451　ミネラルバランス
b5150　胃腸での食物の移動	b5452　電解質バランス
b5151　食物の破砕	

表4 ICFによる評価例

健康状態	脳梗塞，誤嚥性肺炎
機能障害	右片麻痺，高次脳機能障害，呼吸機能障害，摂食機能障害，体重維持機能障害（るいそう），同化機能障害
活動制限	食べること（制限），飲むこと（制限），話すこと（制限），歩行（制限）
参加制約	家庭復帰困難，レストラン（嚥下調整食なし）
個人因子	78歳の男性．内向的，食事が一番の楽しみ
環境因子	妻と2人暮らし，アパート1階に居住，横浜在住，身体障害者手帳1級，要介護4

　ICFによる患者の評価例を**表4**に示す．栄養関連の項目も含めて評価している．ICFの図からわかるように，心身機能である栄養関連の項目は，健康状態，活動，参加，個人因子，環境因子の5つの概念すべてと関連している．単に機能障害として栄養障害を評価するだけでなく，栄養が健康状態，活動，参加，個人因子，環境因子にどのような影響を与えたり受けたりしているかを考える．このように考えることで，より全人的な評価とPT・OT・STの実施が可能となる． **（若林秀隆）**

文献

1) Kaiser MJ et al：Frequency of malnutrition in older adults：a multinational perspective using the mini nutritional assessment. *J Am Geriatr Soc* **58**：1734-1738, 2010.

2) Sánchez-Rodríguez D et al：Sarcopenia in post-acute care and rehabilitation of older adults：a review. *Eur Geriatr Med* **7**：224-231, 2016.

3) Nagano A et al: Rehabilitation nutrition for iatrogenic sarcopenia and sarcopenic dysphagia. *J Nutr Health Aging* **23**：256-265, 2019.

4) 若林秀隆：PT・OT・STのための リハビリテーション栄養 第3版―基礎からリハ栄養ケアプロセスまで．医歯薬出版，2020.5）障害者福祉研究会：ICF国際生活機能分類―国際障害分類改定版，中央法規，2002，pp17，85-89.

3 リハビリテーション栄養の実践

1 なぜリハビリテーション栄養が必要なのか

　リハを行う高齢者には低栄養とサルコペニアの合併が多い．高齢リハ患者の低栄養とサルコペニアの有症率はそれぞれ 49 ～ 67%[1]，40 ～ 46.5%[2,3] と報告されている．低栄養とサルコペニアはいずれもリハの帰結や身体機能と負の関連がある[4,5]．高齢者のリハの対象となる身体障害の主な原因には，脳卒中，転倒による大腿骨近位部骨折，急性疾患治療後の廃用症候群などがあげられる．それゆえ，リハを行う高齢者に対しては全身管理と併存疾患のリスク管理を行いつつ，リハと栄養ケアを同時に行う「リハ栄養」のコンセプトが重要である．

　リハ栄養のコンセプトとは，ICF（国際生活機能分類）にそって栄養評価を行い，障害をもつ高齢リハ患者の身体機能を最大限に高めるために，リハと栄養ケアを組み合わせて介入することである[6]．高齢者リハに従事するすべての医療従事者にリハ栄養の知識とスキルが必要である．

2 低栄養はリハビリテーションのアウトカムへ負の影響を与える

　最近の系統的レビューによると，リハ病院に入院した高齢者の低栄養は，リハの効果としての機能回復や退院後の生活の質（quality of life；QOL）に対して負の効果を与えることが判明している[4]．また，リハ病院入院時に低栄養を認める高齢者は，急性転化や長期療養型病院への転院が多く，在宅復帰が少ない[7,8]．さらに，リハのアウトカムが低栄養の高齢者ではより低下することが脳卒中[9]，大腿骨近位部骨折[10]，廃用症候群[11]，およびその他のさまざまな疾患で示されている．

　わが国の回復期リハ病棟（9 施設，25 病棟）で 2012 年 2 月の 1 カ月間に退棟した 65 歳以上の高齢者 230 名を対象とした多施設横断調査によると，疾患別に入棟時の栄養状態を栄養スクリーニングツールである Geriatric Nutritional Risk Index（GNRI）を用いて評価したところ，全対象者のうち低栄養があると判断された患者は約 65% であり，特にくも膜下出血，骨粗鬆症関連疾患，廃用症候群でその頻度が高かった（表 1）[12]．また，低栄養の有無と ADL 帰結および転帰先について検討したところ，栄養良好の高齢者は入棟時 ADL，退棟時 ADL がいずれも高く，自宅退院の割合が高かった（図 1，2）[12]．

　回復期リハ病棟の患者に低栄養が多い原因としては，成人低栄養の分類[13]としてあ

表1 回復期リハビリテーション病棟における疾患別の低栄養の実態

疾患別	人数	年齢 (平均±SD)	GNRIによる栄養障害の判定(%)			
			重度 (GNRI<82)	中等度 (82<GNRI<92)	軽度 (92<GNRI<98)	栄養状態良好 (GNRI≧98)
全対象者	230	78.7±7.5	14.8%	28.7%	20.9%	35.7%
脳梗塞	85	78.4±7.3	14.1%	29.4%	11.8%	44.7%
脳出血	45	75.8±7.2	13.3%	20.0%	22.2%	44.4%
くも膜下出血	4	76.0±5.6	50.0%	50.0%	0%	0%
骨粗鬆症関連疾患(大腿骨骨折,胸・腰椎圧迫骨折)	47	82.8±8.0	31.9%	31.9%	27.7%	23.4%
廃用症候群	14	82.1±7.3	35.7%	35.7%	21.4%	7.1%
その他	35	76.7±5.5	2.9%	28.6%	34.3%	34.3%

(西岡・他, 2015)[12]

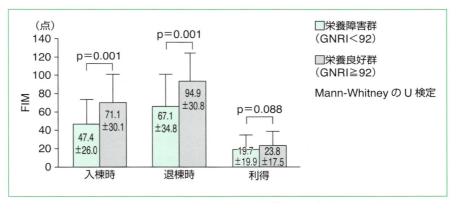

図1 回復期リハビリテーション病棟における栄養障害の有無とADL帰結

(西岡・他, 2015)[12]

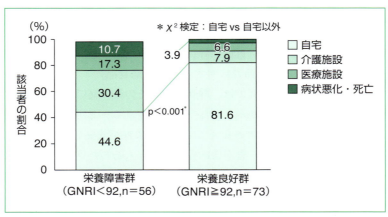

図2 回復期リハビリテーション病棟における栄養障害の有無と転帰先

(西岡・他, 2015)[12]

げられている飢餓，急性疾患，慢性疾患のいずれにも曝露しやすい集団であることがあげられる．つまり，回復期リハ病棟の患者は，急性疾患治療後の高齢者が中心であり，①病前からの低栄養や急性疾患治療の不適切な栄養管理，②慢性心不全や慢性呼吸不全などの慢性疾患の合併，③急性疾患や外傷，手術による侵襲，などの要因が複合して栄養状態が悪化しているものと考えられる．

3 リハビリテーションにおける栄養介入の効果

1．脳卒中

脳卒中のリハでは，訓練時間を多くすることで身体機能の改善や在宅復帰率の向上に寄与することが知られているが[14,15]，脳卒中患者では8.2～49.0％に栄養障害を認めており，リハが進み，身体活動量が増加するにつれて栄養障害が増加する[16]．栄養ケアを考慮せずに積極的なリハを行うことで，意図せぬ消費エネルギーの亢進により，患者の栄養状態がさらに悪化する可能性がある．また，BMIが18.5 kg/m^{2}以下の低体重の脳卒中患者はADLの改善効果が最も低かった[17]．

栄養介入は脳卒中リハのアウトカムを改善する．116人の低栄養の脳卒中リハ患者を対象としたRCTでは，積極的な栄養療法を行ったグループはルーチンの栄養療法を行ったグループに比べてADLがより改善した[18]．また，低栄養at riskの急性期脳卒中患者におけるRCTで，個別に栄養ケアを行うとルーチンケアに比べて体重減少がより制御され，QOLや握力がより改善した[19]．コクランレビューによると，急性期もしくは回復期の脳卒中患者で積極的な栄養ケアを行うと，褥瘡の発生頻度の減少や総エネルギー摂取量やたんぱく摂取量の増加を認めることが報告されている[20]．

2．大腿骨近位部骨折

大腿骨近位部骨折は他の整形外科疾患より身体障害や医療コスト，死亡率とより関連することが示されている[21]．また，世界的にみても，大腿骨近位部骨折の罹患患者は年々増加しており，2000年の160万人から2050年には630万人に上昇すると推察されている[21]．

栄養介入は大腿骨近位部骨折の予後を改善する．コクランレビューによると，大腿骨近位部骨折の高齢者に対する栄養補助食品のエビデンスが弱いながら示されている[22]．ある介入研究では，静脈栄養とその後の経口補助食品による栄養介入で，合併症が減少することが示された[22]．前向きコホート研究の先行研究によると，多職種による術後の栄養ケアの介入により，低栄養が減少しQOLが改善する[23]．栄養士による厳格なエネルギー管理を栄養ケアの介入としたランダム化介入研究では，栄養ケアの介入により術後の合併症が減少した[24]．わが国におけるランダム化介入研究では，リハにホエイたんぱく摂取を積極的に併用することで術後早期の筋力と活動レベルの改善効果を認めた[25]．これらの結果より，大腿骨近位部骨折患者に対する栄養サポートは，栄養状態の改善やリハのアウトカム改善に効果があるものと思われる．

序章　リハビリテーションにおける栄養知識の重要性

4　リハビリテーション栄養の実践

リハ栄養マネジメントの流れを図3に示す．入院ではすべての患者にリハ栄養スクリーニングを行い，低栄養とサルコペニアの評価をすべきである．外来ではすべての高齢者と障害者にリハ栄養スクリーニングを行うことが望ましい．

2014年6月～2015年10月に熊本リハビリテーション病院回復期リハ病棟に入院した65歳以上の高齢者637人を対象とした調査では，約50％の患者に低栄養やサルコペニアを認めた（図4）[26]．回復期リハ病棟でPT・OT・STによる機能訓練を行っている患者の多くが高齢者であり，リハを行

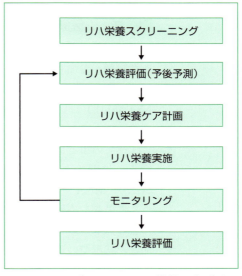

図3　リハビリテーション栄養マネジメントの流れ

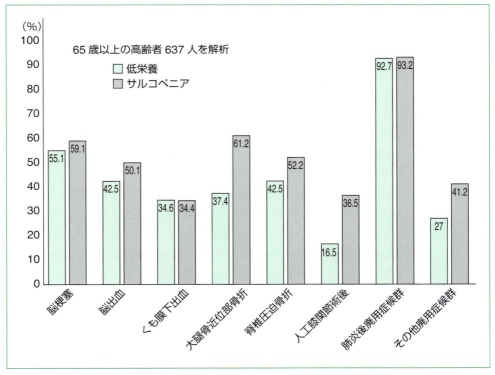

図4　熊本リハビリテーション病院回復期リハビリテーション病棟における疾患別の低栄養，サルコペニアの頻度

（吉村，2016）[26]

13

うすべての患者に低栄養および今後低栄養となる可能性を考慮する必要がある．つまり，回復期リハ病棟では ADL や QOL を最大限高めるためにリハ栄養管理が必須である．以下に，当院で行っているリハ栄養の取り組みの一部を紹介する．

1. チーム医療としての NST：多職種リハビリテーション栄養

多職種によるチーム医療はリハ栄養の根幹である．当院では PT・OT・ST を含めた多職種が参加した栄養サポートチーム（nutrition support team；NST）を組織している．NST が対象とするのは栄養スクリーニングで低栄養と判定された患者である．NST の目的は低栄養に起因する合併症を予防または軽減し，リハのアウトカムを促進することである．

すべての患者に対して入院直後に看護師や管理栄養士により栄養スクリーニングを行う．栄養スクリーニングは主観的包括的評価（Subjective Global Assessment；SGA）や MNA®–SF などのツールや，身体計測，血液データなどを用いて短時間に行う．低栄養や不適切な栄養管理下の患者に対して，適切な栄養管理を提案する．NST による低栄養のマネジメントと並行して，リハのリスク管理，リハの時間と負荷が増加した状況での適切な栄養管理，筋力や筋量・耐久性の改善を目指した栄養強化を行う．

栄養スクリーニングで低栄養と判定された患者には体組成計を用いて骨格筋量を測定している．骨格筋量減少とともに握力低下を認めた患者をサルコペニアと判定し，積極的な栄養強化や筋力増強訓練と同時に分岐鎖アミノ酸（branched chain amino acid；BCAA）を提供して，サルコペニアの改善を行っている（後述）．

2. 栄養強化の工夫

低栄養やサルコペニアを認める患者には，エネルギー蓄積量を考慮した積極的な栄養管理が有用である．最近の回復期リハ病棟の全国調査では，入院患者の 90％以上が経口摂取単独での栄養管理であり，他の病棟と比較して経口摂取の割合が高かった（図5）[27]．しかし，回復期リハ病棟における実際の食事摂取率の割合をみると，約75％の患者が 80％以上の提供食事量を摂取しているものの，なかには摂取率が 50％以下の例もあり，経口摂取単独では必要エネルギーを充足できていない症例が少なくない可能性がある（表2）[12]．不足するエネルギーを補充する方法の第一選択は経口摂取であり，少量高カロリーの栄養補助食品（サプリメント）の提供や，たんぱく質や中鎖脂肪酸などのパウダーやオイルによる補充で高エネルギー，高たんぱくの食事提供が可能である．これらの経口摂取の栄養管理だけでエネルギーたんぱくの摂取が不足する場合は，リハを妨げない範囲で経腸栄養や静脈栄養を考慮する必要がある．

当院では 2012 年より，たんぱく質と中鎖脂肪酸のパウダーとソースを軟飯に混ぜて「熊リハパワーライス®」として，経口摂取量が低下した患者の栄養強化を行っている[28]．レシピは，軟飯 150 g に中鎖脂肪酸オイル 12 g，中鎖脂肪酸パウダー 1.5 g，たんぱく質パウダー 3 g をそれぞれ混ぜるだけである．この熊リハパワーライス® を 3 食提供することで，1 日当たり熱量 400 kcal，中鎖脂肪酸 40.5 g，たんぱく質 9 g

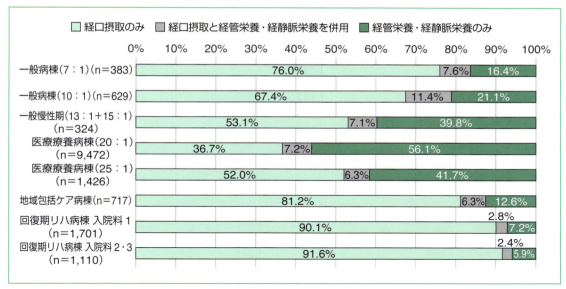

図5 回復期リハビリテーション病棟入院患者における栄養管理方法の実態 (日本慢性期医療協会，2015)[27]

が無理なく増量できる．また，物性や量・味にほとんど影響を与えないこと，エネルギーを糖質に頼らないこと，誰でも簡単につくれること，従来の栄養補助にありがちであった糖質供給過多による糖尿病や呼吸不全の増悪をきたさないこと，などの臨床的な有用性がある．高エネルギーの明太子風味やのり佃煮風味のソースなどを添加することで，患者の好みに応じてさらに栄養を強化することができる．

脳卒中後に嚥下障害を併発した患者を対象とした熊リハパワーライス®の臨床効果を図6[28]に示す．熊リハパワーライス®を提供することで，体重の増加，FIM効率の改善，入院期間の短縮，完全経口摂取までの日数の短縮，最終食形態が常食の割合の増加，などの改善効果が示された[28]．

表2 回復期リハビリテーション病棟入院患者(198人)における経口摂取可能な患者の食事摂取率の実態

食事摂取率の割合	
20%以下	2% (4人)
21〜40%	2.2% (5人)
41〜60%	7.4% (17人)
61〜80%	12.1% (24人)
81〜100%	74.7% (148人)

(西岡・他，2015)[12]

3. 分岐鎖アミノ酸(BCAA)とリハビリテーションの併用による筋肉量とADLの改善

たんぱく質は骨格筋合成の材料であり，リハを行うサルコペニアの患者に対しては高エネルギー高たんぱく食による骨格筋量の増大とADLの改善が期待される．近年，必須アミノ酸のなかでもBCAA摂取によるサルコペニア予防・治療の可能性が多数報告されている．特に加齢が原因のサルコペニアの場合，筋力増強訓練とBCAAを含む栄養剤摂取の併用は筋量増大に有用である．

当院の回復期リハ病棟で行ったランダム化介入研究では，骨格筋の減少した高齢患

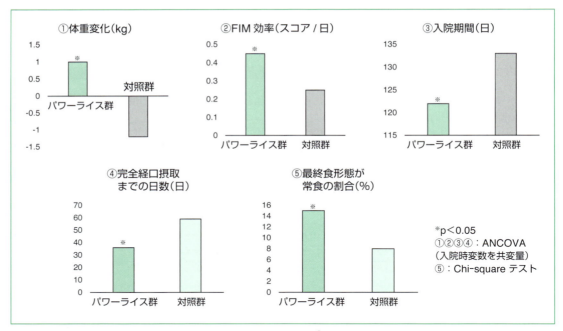

図6 脳卒中後嚥下障害患者に対する熊リハパワーライス® の臨床効果

BMI，FIM，Alb，年齢，性，発症からの日数などを傾向スコアを用いてマッチングしたパワーライス群 28 人と対照群 28 人を比較（2010 〜 2013 年，パワーライス群 45 人，対照群 141 人のデータを用いて解析）．入院時から退院時の変化を 2 群間で比較したところ，体重変化，FIM 効率（FIM 利得／入院日数），入院期間，完全経口摂取まで日数，最終食形態が常食の割合の項目で有意差を認めた．
（吉村，2016）[28]

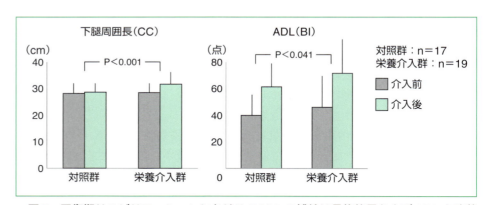

図7 回復期リハビリテーションにおける BCAA の補給は骨格筋量および ADL を改善する

回復期リハ病棟においてリハを実施している高齢者（65 歳以上）で，サルコペニアの患者を対象とし，リハと高 BCAA 含有の栄養補助食品の併用が，骨格筋量および栄養指標，ADL に及ぼす影響について検討した．
対照群（リハ単独群）と比較して栄養介入群（リハと高 BCAA 含有の栄養補助食品を併用）では骨格筋量と ADL に有意な改善を認めた（ANCOVA 法による検定）．

（Yoshimura et al，2016）[29]

者（65歳以上）に対して高 BCAA 含有の栄養補助食品（BCAA 2.5 g/日）の摂取とリハを併用することで，退院時の骨格筋量の増大と ADL の改善効果を認めた（**図 7**）[29]．BCAA やロイシンの代謝産物である HMB，ビタミン D などを高配合したリハ高齢者向けの栄養補助食品もいくつか商品化されており，サルコペニア高齢者のリハに対するこれらの栄養補助食品の併用は考慮に値すると思われる． **（吉村芳弘）**

文献

1) Strakowski MM et al：Malnutrition in rehabilitation. *Am J Phys Med Rehabil* 81 (1)：77-78, 2002.

2) Yaxley A et al：The complexity of treating wasting in ambulatory rehabilitation：Is it starvation, sarcopenia, cachexia or a combination of these conditions? *Asia Pac J Clin Nutr* 21 (3)：386-393, 2012.

3) Sánchez-Rodríguez D et al：Sarcopenia, physical rehabilitation and functional outcomes of patients in a subacute geriatric care unit. *Arch Gerontol Geriatr* 59 (1)：39-43, 2014.

4) Marshall S et al：The consequences of malnutrition following discharge from rehabilitation to the community：a systematic review of current evidence in older adults. *J Hum Nutr Diet* 27 (2)：133-141, 2014.

5) Cruz-Jentoft AJ et al：Sarcopenia：European consensus on definition and diagnosis：Report of the European Working Group on Sarcopenia in Older People. *Age Ageing* 39 (4)：412-423, 2010.

6) Wakabayashi H et al：Rehabilitation nutrition for sarcopenia with disability：a combination of both rehabilitation and nutrition care management. *J Cachexia Sarcopenia Muscle* 5 (4)：269-277, 2014.

7) Visvanathan R et al：Nutritional screening of older people in a sub-acute care facility in Australia and its relation to discharge outcomes. *Age Aging* 33 (3)：260-265, 2004.

8) Thomas DR et al：Malnutrition in subacute care. *Am J Clin Nutr* 75 (2)：308-313, 2002.

9) Davis JP et al：Impact of premorbid undernutrition on outcome in stroke patients. *Stroke* 35：1930-1934, 2004.

10) Anker SD et al：ESPEN guidelines on enteral nutrition：cardiology and pulmonology. *Clin Nutr* 20：311-318, 2006.

11) Wakabayashi H, Sashika H：Malnutrition is associated with poor rehabilitation outcome in elderly inpatients with hospital-associated deconditioning a prospective cohort study. *J Rehabil Med* 46：277-282, 2014.

12) 西岡心大・他：本邦回復期リハビリテーション病棟入棟患者における栄養障害の実態と高齢脳卒中患者における転帰，ADL 帰結との関連．日静脈経腸栄会誌 30：1145-1151, 2015.

13) Jensen GL et al：Adult starvation and disease-related malnutrition：a proposal for etiology-based diagnosis in the clinical practice setting from the international consensus guideline committee. *JPEN* 34 (2)：156-159, 2010.

14) Nagai S et al：Relationship between the intensity of stroke rehabilitation and outcome：A survey conducted by the Kaifukuki Rehabilitation Ward Association in Japan (second report). *Jpn J Compr Rehabil Sci* 2：77-81, 2011.

15) Tokunaga M et al：Relationship between hospital ranking based on Functional Independence Measure (FIM) efficiency and factors related to rehabilitation system for stroke patients-A study of three hospitals participating in Kumamoto Stroke Liaison Critical Pathway. *Jpn J Compr Rehabil Sci* 3：51-58, 2012.

16) Foley NC et al：A review of the relationship between dysphagia and malnutrition following stroke. *J Rehabil Med* 41 (9)：707-713, 2009.

17) Burke DT et al：Effect of body mass index on stroke rehabilitation. *Arch Phys Med Rehabil* 95 (6)：1055-1059, 2014.

18) Rabadi MH et al：Intensive nutritional supplements can improve outcomes in stroke rehabilitation. *Neurology* 71 (23)：1856-1861, 2008.

19) Ha L et al：Individual, nutritional support prevents undernutrition, increases muscle strength and improves QoL among elderly at nutritional risk hospitalized for acute stroke：a randomized, controlled trial. *Clin Nutr* **29**(5)：567-573, 2010.

20) Geeganage C et al：Interventions for dysphagia and nutritional support in acute and subacute stroke. *Cochrane Database Syst Rev* **10**：CD000323, 2012.

21) Ensrud KE：Epidemiology of fracture risk with advancing age. *J Gerontol A Biol Sci Med Sci* **68**：1236-1242, 2013.

22) Avenell A, Handoll HH：Nutritional supplementation for hip fracture aftercare in older people. *Cochrane Database Syst Rev* **1**, CD001880, 2010.

23) Hoekstra JC et al：Effectiveness of multidisciplinary nutritional care on nutritional intake, nutritional status and quality of life in patients with hip fractures：a controlled prospective cohort study. *Clin Nutr* **30**：455-461, 2011.

24) Anbar R et al：Tight calorie control in geriatric patients following hip fracture decreases complications：a randomized, controlled study. *Clin Nutr* **33**：23-28, 2014.

25) Niitsu M et al：Effects of combination of whey protein intake and rehabilitation on muscle strength and daily movements in patients with hip fracture in the early postoperative period. *Clin Nutr* pii：S0261-5614(15)00181-8, 2015.

26) 吉村芳弘：回復期のリハビリテーション栄養管理．日静脈経腸栄会誌 **31**(4)：959-966, 2016.

27) 日本慢性期医療協会：医療施設・介護施設の利用者に関する横断調査（平成 27 年 5 月 31 日）．https://jamcf.jp/enquete/2015/20150531oudan.pdf（2017 年 5 月 1 日アクセス）

28) 吉村芳弘：経腸栄養に用いられる製剤および食品．中鎖脂肪酸．PDN レクチャー．http://www.peg.or.jp/lecture/enteral_nutrition/04-07-03.html（2017 年 5 月 1 日アクセス）

29) Yoshimura Y et al：Effects of Nutritional Supplements on Muscle Mass and Activities of Daily Living in Elderly Rehabilitation Patients with Decreased Muscle Mass：A Randomized Controlled Trial. *J Nutr Health Aging* **20**(2)：185-191, 2016.

第1章

栄養の基礎

1 栄養補給ルート

　栄養補給ルートとしては，通常は口から摂取する（経口摂取）．しかし，嚥下機能の低下などで，経口摂取ができない場合もある．その際には，経腸や経静脈からの栄養補給を検討する．

1 栄養投与経路

　栄養投与経路としては，**表1**のように，経口からの栄養補給があり，経管栄養として鼻から胃または腸にチューブの先を留置し栄養補給する方法と，経静脈栄養として末梢静脈または中心静脈から栄養補給する方法がある．

2 経口摂取

　栄養補給ルートとしては，経口摂取が最も生理的な栄養摂取方法であり，まず，経口からの栄養補給を考える．経口摂取できる条件は，①食欲が存在すること，②咀嚼・嚥下が可能なこと，③上部消化管に閉塞性病変がないこと，④適当な小腸の運動と面積があること，である[1]．咀嚼機能や嚥下機能が低下している場合，食事形態を調整する（全粥，ペースト食など）必要があるのかを検討する．

　食事形態を調整する際には水分などを加えるため，通常の食事に比較すると単位重量当たりのエネルギー量，栄養素量は減少する（**表2，3**）[2,3]．このため，形態調整した食事で経口摂取を行った場合には，必要な栄養量が充足できていないこともあり注意を要する．必要な栄養量が充足できていない場合には，エネルギーやたんぱく質を豊富に含む栄養剤やゼリー類などで補給を考える．食思不振などで長期間に渡り，栄養摂取量が不足する場合には，経管栄養の併用を行うこともある．

　また，形態調整を行った食事を摂取する場合には，お茶や水などの液体が気管に入りむせる人も多い．このような人は，自発的に水分の摂取を控えている場合も多く，脱水症状（口渇・口唇の乾燥・尿量の減少・頭痛・全身倦怠感・食思不振・めまい・嘔気・嘔吐などが）が起こりやすい．高齢者では，体内の水分量が少ないこと，感覚機能

表1　栄養投与経路

経口摂取		
経管栄養	経鼻	経鼻胃
		経鼻十二指腸
		経鼻空腸
	胃瘻	PEG
	腸瘻	空腸瘻
経静脈栄養	末梢静脈栄養	
	中心静脈栄養	

第1章　栄養の基礎

表2　ごはん（100g）を形態調整した場合

形態	ごはん	全粥
エネルギー（kcal）	156	65
たんぱく質（g）	2.0	0.9

（日本食品標準成分表2020年版（八訂））[2]

表3　ハンバーグ（100g）を形態調整した場合

形態	常食	ペースト状	ムース状
エネルギー（kcal）	198	146	99
たんぱく質（g）	10.6	7.8	5.3

（栢下，2013）[3]

の低下によりのどの渇きを感じにくくなることなどで脱水になりやすい．特に夏場は，発汗量も多いため注意を要する．

水分でむせる場合には，市販のとろみ調整食品を用い水分が気管に入るのを防ぐことができる場合も多い．とろみ調整食品を使用する場合には，とろみをつけすぎると飲水量が減り，脱水のリスクとなるので注意する．

3　経管栄養

経口摂取で十分な栄養量が摂取できない場合や全く摂取できない場合は，経管栄養の適応を考える．経管栄養の適応は，胃や小腸などの消化管機能が維持されていることが前提となる（図）．経管栄養では，経管の先端を胃に留置するほうが，十二指腸や空腸に留置するよりは生理的であるので，まず胃からの栄養補給を検討する．短期間で経口摂取に移行できると判断されると経鼻経管での栄養補給が選択されるが，この場合，管による違和感や苦痛などが大きいため，長期（4週間以上）に経管栄養を行う場合は，胃瘻の適応も検討する．胃切除した場合や胃からの逆流が多い場合には，管の留置先を十二指腸や空腸とする．

経管栄養から検討するのは，免疫機能をつかさどる腸管を使用することを考えるためである．腸管免疫系を構成しているのは，①パイエル板，②小腸上皮細胞とそこに存在する腸管固有リンパ球，③粘膜固有層とそこに存在する粘膜固有リンパ球である．栄養補給で腸を使用している場合には上記の免疫機能は維持しやすいが，経静脈栄養の場合には，栄養素が腸を通過しないため，小腸絨毛細胞が萎縮し細菌感染が起こりやすい．経管栄養の適応となるのは，①上部消化管の通過障害患者（嚥下障害，食道疾患，胃の疾患など），②手術後患者，③意識障害患者，④化学療法，放射線療法の患者，⑤食思不振患者などが多い．

経管栄養の際には，経腸栄養剤を用いるのが一般的である．経腸栄養剤は，食品もしくは医薬品に分類される．たんぱく質の形態が，アミノ酸で構成されている成分栄養剤，たんぱく質が含有された半消化態栄養剤，自然食品を流動的に加工したものなどさまざまなものが存在している．肝疾患，腎疾患，肺疾患，糖代謝異常などに対応

21

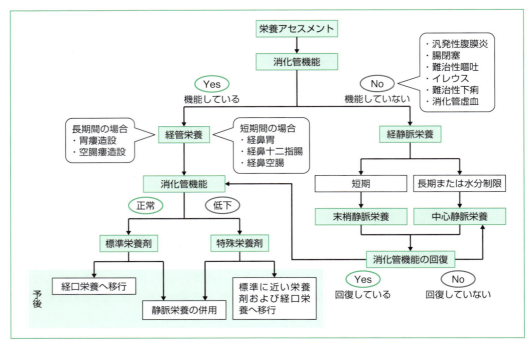

図　栄養補給ルートについて

した病態別経腸栄養剤が販売され，さらに免疫増強成分としてグルタミンやn-3系脂肪酸などを豊富に含む免疫増強経腸栄養剤も販売されている．

　胃瘻の場合には，上述の経腸栄養剤のいずれも使用は可能である．さらに胃瘻の場合は，管が経鼻経管で使用に比べて太いため，半固形化経腸栄養剤の使用も可能である．半固形化経腸栄養剤は，下痢や逆流の防止に有効なものが多い．

　腸瘻は，胃瘻に比べ逆流のリスクは小さくなるが，下痢を起こしやすい．

4　経静脈栄養

　経静脈栄養には，末梢の血管から栄養を入れる末梢静脈栄養法と鎖骨下静脈から栄養を入れる中心静脈栄養法がある．末梢静脈の血管径は細いため，投与量には制限がある．一方，中心静脈栄養は，太い血管に栄養剤を入れるため，必要とする栄養量を入れることができる．末梢静脈からの栄養剤投与は，2週間程度でこの栄養法から離脱可能な患者に適応される．

　中心静脈栄養では，カテーテルから細菌感染するカテーテル敗血症に注意をする必要がある．また，長期に腸管を使用しないため腸管粘膜の萎縮が起こる．　　　（栢下　淳）

文献
1) 馬場忠雄，山城雄一郎：新臨床栄養学，第2版，医学書院，2012，pp250-256．
2) 文部科学省：「日本食品標準成分表2020年版(八訂)アミノ酸成分表編」，2020．
3) 栢下　淳：嚥下食ピラミッドによるペースト・ムース食レシピ230，医歯薬出版，2013．

第1章　栄養の基礎

2 エネルギー代謝

　一般的に成人では，消費量に等しいエネルギー量を摂取すると体重の増減は起こらないと考えられる．このため，エネルギー投与量を考える際に，その対象者のエネルギー消費量を基に考える必要がある．

1 エネルギー消費量

　エネルギー消費量は，「基礎代謝量＋身体活動に伴うエネルギー消費量（活動代謝量）＋食事の摂取による産熱（食事誘発性熱産生）」から構成される．基礎代謝量とは，安静空腹時に仰臥位で測定したエネルギー消費量で，体温，呼吸など生命維持のために要するエネルギー量のことである．身体活動に伴うエネルギー消費量では，歩行などの動きのある活動のほか，座るなどの静かな活動でも身体活動エネルギーが必要である．食事誘発性熱産生は，食事から摂取した栄養素を消化・吸収する際に体熱が生じる（産熱）ことであり，産熱量は，たんぱく質では，摂取エネルギーの約30%，糖質では約6%，脂質では約4%である．通常の食事は，たんぱく質，糖質，脂質の混合なので約10%程度である．噛む必要の少ない軟らかい食事や経管栄養の場合，通常の食事に比べ食事誘発性熱産生は少なくなる．

2 基礎代謝量

　健常成人では，エネルギー消費量の50〜70%程度は基礎代謝量が占める．健常者に比べ活動範囲が狭い疾病者では，エネルギー消費量のなかで基礎代謝量の占める割合が高い．対象者の正確なエネルギー消費量を求めるには，呼吸を機器分析することが必要である．しかしながら，個々の患者の呼吸を機器分析することが困難なため，基礎代謝を推定する推定式が用いられることが多い．数多くの推定式があるが，ここでは3つの推定式を紹介する．

① Harris-Benedict の式

男性：$66.47＋13.75\,W＋5.00\,H－6.76A$　女性：$655.1＋9.56\,W＋1.85\,H－4.68A$

W：体重(kg)，H：身長(cm)，A 年齢(歳)．

②基礎代謝基準値［日本人の食事摂取基準（2020 年版）］

基礎代謝基準値(kcal/kg 体重 /日)×W

　W：体重(kg)．基礎代謝基準値：65 〜 74 歳の男性　21.6 kcal/kg 体重/日，75 歳以上の男性　21.5 kcal/kg 体重/日，65 歳以上の女性　20.7 kcal/kg 体重/日．

③国立健康・栄養研究所の式（Ganpule の式）

男性：$(0.0481W + 0.0234H - 0.0138Y - 0.4235) \times 1000/4.186$

女性：$(0.0481W + 0.0234H - 0.0138Y - 0.9708) \times 1000/4.186$

W：体重（kg），H：身長（cm），Y：年齢（歳）．

①は日本人以外を被験者に作成された推定式であり，②，③は日本人を対象に作成された推定式である．年齢70歳，身長160 cm，体重50 kgを例として，推定式から算定される値は，

①男性 1,080 kcal，女性 1,112 kcal

②男性 1,080 kcal，女性 1,035 kcal

③男性 1,137 kcal，女性 1,006 kcal

と推定式によって異なる．

臨床現場においては，①のHarris-Benedictの式を使用することが多いが，日本人365人で実測した値と各推定値を比較した研究では，②や③に比べ誤差が大きいことが報告されている[1]．この報告では，③の国立健康・栄養研究所の式が平均値で最も誤差が少ない結果であった．しかしながら，いずれの推定式を用いたとしても個人を対象とした場合には，誤差が生じる可能性のあることには留意する必要がある．

疾病者の場合は，推定エネルギー必要量を「基礎代謝量×活動係数×ストレス係数」として考えることが多い．活動係数は表1，ストレス係数は表2に示す[2]．

このように，エネルギー必要量は，基礎代謝量を基に推定を行うことが多い．推定式を使用する場合には，誤差が生じる可能性が高いので目安と考え，体重の増減などをモニタリングしながら調整する必要がある．また，リハを行っている場合は，リハの内容によっては，1日500 kcal以上の消費エネルギーに相当することもあるので，栄養補給量もそれに合わせる必要がある．

表1　活動係数

活動因子	活動係数（AI）
寝たきり（意識低下状態）	1.0
寝たきり（覚醒状態）	1.1
ベッド上安静	1.2
ベッド外活動	1.3〜1.4
一般職業従事者	1.5〜1.7

（日本静脈経腸栄養学会，2011）[2]

表2　ストレス因子とストレス係数

ストレス因子	ストレス係数
飢餓状態	0.6〜0.9
術後（合併症なし）	1.0
小手術	1.2
中等度手術	1.2〜1.4
大手術	1.3〜1.5
長管骨骨折	1.1〜1.3
多発外傷	1.4
腹膜炎・肺血症	1.2〜1.4
重症感染症	1.5〜1.6
熱傷	1.2〜2.0
60%熱傷	2.0
発熱（1℃ごと）	＋0.1

（日本静脈経腸栄養学会，2011）[2]

3 ▶ 身体活動レベル

健常成人の場合，「基礎代謝量×身体活動レベル」で推定エネルギー必要量を算定する．「日本人の食事摂取基準（2020年版）」[3]では，身体活動レベル（physical activity level；PAL）は，「エネルギー消費量÷基礎代謝量」と定義されている．「日本人の食事摂取基準（2020年版）」に示されている身体活動レベルおよび各身体活動レベルに該

表3 身体活動レベル別にみた活動内容と活動時間の代表例

身体活動レベル[※1]	低い（Ⅰ） 1.50 （1.40〜1.60）	ふつう（Ⅱ） 1.75 （1.60〜1.90）	高い（Ⅲ） 2.00 （1.90〜2.20）
日常生活の内容[※2]	生活の大部分が座位で，静的な活動が中心の場合	座位中心の仕事だが，職場内での移動や立位での作業・接客等，あるいは通勤・買い物・家事，軽いスポーツ等のいずれかを含む場合	移動や立位の多い仕事への従事者，あるいは，スポーツ等余暇における活発な運動習慣を持っている場合
中程度の強度（3.0〜5.9METs）の身体活動の1日当たりの合計時間（時間／日）	1.65	2.06	2.53
仕事での1日当たりの合計歩行時間（時間／日）	0.25	0.54	1.00

[※1] 代表値．（ ）内はおよその範囲．
[※2] 身体活動レベル（PAL）に及ぼす職業の影響が大きいことを考慮して作成．　　　　　　　　（厚生労働省）[3]を改変

当する日常生活の例を**表3**に示す[3]．個々人の活動レベルは異なるが，1.40〜1.60に該当する場合は1.50，1.60〜1.90に該当する場合は1.75，1.90〜2.20に該当する場合は2.00を用いて算定している．

健康づくりのための身体活動基準2013

　日常の身体活動量を増やすことで，メタボリックシンドロームを含めた循環器疾患・糖尿病・がんといった生活習慣病の発症およびこれらを原因とした死亡に至るリスクや，加齢に伴う生活機能低下（ロコモティブシンドロームおよび認知症など）をきたすリスクを下げることができることが知られている．このような観点から，厚生労働省は，「健康づくりのための身体活動基準2013」を作成した[4]．

　国民啓発のメッセージとして，健康づくりのための身体活動指針（アクティブガイド）では「今より毎日10分多くからだを動かす」ことをベースに「プラス・テン（＋10）」を掲げ，「①気づく！：からだを動かす機会や環境は身の回りにたくさんあります．それが『いつなのか？』『どこなのか？』ご自身の生活や環境を振り返ってみましょう」「②始める！：今より少しでも長く，少しでも元気にからだを動かすことが健康への第一歩です．＋10（1日10分増やす，歩く時は少し早くなど）から始めましょう」「③達成する！：（からだを動かす）目標（基準）は，1日60分（≒8000歩）です．高齢の方は1日合計40分が目標です」「④つながる！：一人でも多くの家族や仲間と＋10を共有しましょう．一緒に行うと楽しさや喜びが一層増します」の4つを目標としている．

　指針では，身体活動レベルの強さを「METs（メッツ，metabolic equivalents）」で表している．また，基準はエビデンスに基づき，ライフステージに応じた健康づくりを推進している．以下に「健康づくりのための身体活動基準2013」から抜粋したものを提示する．なお，概要を**表4**に示す[4]．

表4　健康づくりのための身体活動基準 2013

血糖・血圧・脂質に関する状況		身体活動（生活活動・運動）※1			運動		体力（うち全身持久力）
健診結果が基準範囲内	65歳以上	強度を問わず，身体活動を毎日40分（＝10 METs・時/週）	（例えば10分多く歩く）※4 今より少しでも増やす	（30分以上・週2日以上）※4 運動習慣をもつようにする	—	—	—
	18〜64歳	3 METs以上の強度の身体活動※2を毎日60分（＝23 METs・時/週）			3 METs以上の強度の運動※3を毎週60分（＝4 METs・時/週）		性・年代別に示した強度での運動を約3分間継続可能
	18歳未満	—			—		—
血糖・血圧・脂質のいずれかが保健指導レベルの者		医療機関にかかっておらず，「身体活動のリスクに関するスクリーニングシート」でリスクがないことを確認できれば，対象者が運動開始前・実施中に自ら体調確認ができるよう支援した上で，保健指導の一環としての運動指導を積極的に行う．					
リスク重複者またはすぐ受診を要する者		生活習慣病患者が積極的に運動をする際には，安全面での配慮がより特に重要になるので，まずかかりつけの医師に相談する．					

※1 「身体活動」は，「生活活動」と「運動」に分けられる．このうち，生活活動とは，日常生活における労働，家事，通勤・通学などの身体活動を指す．また，運動とは，スポーツなどの，特に体力の維持・向上を目的として計画的・意図的に実施し，継続性のある身体活動を指す．
※2 「3 METs以上の強度の身体活動」とは，歩行またはそれと同等以上の身体活動．
※3 「3 METs以上の強度の運動」とは，息が弾み汗をかく程度の運動．
※4 年齢別の基準とは別に，世代共通の方向性として示したもの．　　　　　　　　　　　　　　　　（厚生労働省）4)

1. 18〜64歳の基準

1) 身体活動（生活活動・運動）の基準

　強度3 METs以上の身体活動を23 METs・時/週行う．具体的には，歩行またはそれと同等以上の強度の身体活動を毎日60分行う．ここで用いられている単位の「METs・時/週」とは，1週間に3 METsの身体活動を5時間行った場合，15 METs・時/週となる．

● 3 METs以上の身体活動（歩行またはそれと同等以上の働き）の例

- ・普通歩行（3.0 METs）
- ・犬の散歩をする（3.0 METs）
- ・そうじをする（3.3 METs）
- ・自転車に乗る（3.5〜6.8 METs）
- ・早歩きをする（4.3〜5.0 METs）
- ・子どもと活発に遊ぶ（5.8 METs）
- ・農作業をする（7.8 METs）
- ・階段を早く上る（8.8 METs）

2) 運動の基準

　強度3 METs以上の運動を4 METs・時/週行う．具体的には息が弾み汗をかく程度の運動を毎週60分行う．

● 3 METs以上の運動（息が弾み汗をかく程度の運動）の例

- ・ボウリング，社交ダンス（3.0 METs）
- ・自体重を使った軽い筋力トレーニング（3.5 METs）
- ・ゴルフ（3.5〜4.3 METs）
- ・ラジオ体操第一（4.0 METs）
- ・バドミントン（5.5 METs）
- ・バーベルやマシーンを使った強い筋力トレーニング（6.0 METs）
- ・ゆっくりとしたジョギング（6.0 METs）

- 卓球(4.0 METs)
- ウォーキング(4.3 METs)
- 野球(5.0 METs)
- ゆっくりとした平泳ぎ(5.3 METs)
- ハイキング(6.5 METs)
- サッカー，スキー，スケート(7.0 METs)
- テニスのシングルス(7.3 METs)

3）体力（全身持久量）の基準

以下に示す強度で運動を3分以上継続できた場合，基準を満たすと評価できる.

	18〜39歳	40〜59歳	60〜69歳
男性	11.0 METs	10.0 METs	9.0 METs
女性	9.5 METs	8.5 METs	7.5 METs

2．65歳以上の基準

65歳以上の身体活動（生活活動・運動）の基準は，強度を問わず，身体活動を10 METs・時/週行う．具体的には，横になったままや座ったままにならなければどんな動きでもよいので，身体活動を毎日40分行う.

● 3 METs未満の身体活動（生活習慣・運動）の例

- 皿洗いをする(1.8 METs)
- 立って食事の支度をする(2.0 METs)
- 洗濯をする(2.0 METs)
- 子どもと軽く遊ぶ(2.2 METs)
- 時々立ち止まりながら買い物や散歩をする(2.0〜3.0 METs)
- ストレッチングをする(2.3 METs)
- ガーデニングや水やりをする(2.3 METs)
- 動物の世話をする(2.3 METs)
- 座ってラジオ体操をする(2.8 METs)
- ゆっくりと平地を歩く(2.8 METs)

*十分な体力を有する高齢者は，3 METs以上の身体活動を行うことが望ましい.

本書では，代表的な身体活動のMETsを示したが，1,000近い項目が国立健康栄養研究所のホームページ(https://www.nibiohn.go.jp/eiken/info/undo.html)に掲載されている.

(栢下　淳)

文献

1) Miyake R et al：Validity of predictive equations for basal metabolic rate in Japanese adults. *J Nutr Sci Vitaminol*（*Tokyo*）**57**：224−232, 2011.
2) 日本静脈経腸栄養学会：静脈経腸栄養ハンドブック，南江堂，2011.
3) 厚生労働省：日本人の食事摂取基準(2020年版).
4) 厚生労働省：健康づくりのための身体活動基準2013.

3 栄養素の役割

1 たんぱく質

たんぱく質は，体内に体重の15％程度存在する．つまり，60 kgの人では約9 kgとなる．体内のたんぱく質はその7割近くが骨格筋に存在し，そのほかに血球や脳などに分布し，組織の構成，代謝，輸送，ホルモン成分にかかわる．

1 消化・吸収

たんぱく質の構成成分はアミノ酸であり，このアミノ酸が数十〜数千つながりたんぱく質を構成している．食事から摂取したたんぱく質は，胃で胃液に含まれるペプシンにより分解され，さらに十二指腸で膵液に含まれるトリプシン，キモトリプシン，カルボキシペプチターゼにより分解され，最後に小腸微絨毛膜に存在するアミノペプチターゼ，カルボキシペプチターゼ，ジペプチターゼにより分解され吸収される（**図1**）[1]．食事から摂取したたんぱく質のほとんど（90〜95％程度）は消化された後，体内に吸収される．

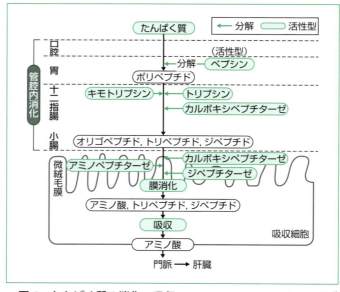

図1　たんぱく質の消化・吸収　　　　　　　　　（川端，2012）[1]

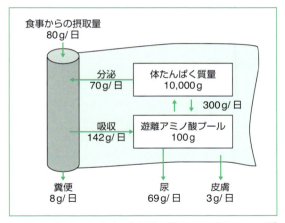

図2 体内でのたんぱく質の動き　（岸，2004）[2]

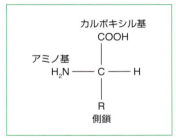

図3 アミノ酸の構造

2 代謝

　小腸から吸収されたアミノ酸は，体内で身体が必要とするたんぱく質に作り替えられる．体内で合成されるたんぱく質源は食事由来のものだけでなく，身体を構成しているたんぱく質からも再利用される（**図2**）[2]．成人では，通常食事から摂取した同量のたんぱく質が排泄され窒素平衡が保たれる．たんぱく質は，そのままの形で排泄されるのではなく，たんぱく質が肝臓で分解され毒性の強いアンモニア（NH_3）を経て，比較的毒性の低い尿素［$CO(NH_2)_2$］となり，腎臓から尿として排泄される．

3 アミノ酸

　体内に存在するアミノ酸は20種類である（**図3**，**表1**）[3]．アミノ酸の分子量は100～200程度であり，また特徴は，N（窒素）を含有することである．体内で合成できない（または合成速度が非常に遅い）ため，食事から摂取する必要のあるアミノ酸を必須アミノ酸とよぶ．必須アミノ酸には，トリプトファン，リシン，メチオニン，フェニルアラニン，スレオニン，バリン，ロイシン，イソロイシン，ヒスチジンの9種類が該当する．

　アミノ酸バランスがよい食品とは，上記の9種類の必須アミノ酸を身体が必要とする割合で含まれている食品である．このバランスをアミノ酸スコアとして表すことができ，理想的な割合を含む場合は，アミノ酸スコアは100となる．アミノ酸スコアは，一般的に植物性食品に比べ動物性食品で高い．アミノ酸スコアの例として，牛肉（アミノ酸スコア100），豚肉（100），卵（100），大豆（86），精白米（65），コラーゲン（ゼラチン）（0）などである．

　また，アミノ酸のなかでバリン，ロイシン，イソロイシンは分岐鎖アミノ酸（branched chain amino acid；BCAA）とよばれ，筋肉のエネルギー源となるアミノ酸である．鶏肉，

表1 アミノ酸の種類

アミノ酸		略号		構造式	pI
中性アミノ酸	グリシン	Gly	G	$CH_2(NH_2)COOH$	6.0
	アラニン	Ala	A	$CH_3-CH(NH_2)COOH$	6.0
	バリン	Val	V	$(CH_3)_2CH-CH(NH_2)COOH$	6.0
	ロイシン	Leu	L	$(CH_3)_2CH_2-CH(NH_2)COOH$	6.0
	イソロイシン	Ile	I	$CH_3(C_2H_5)-CHCH(NH_2)COOH$	6.0
	セリン	Ser	S	$HO-CH_2-CH(NH_2)COOH$	5.7
	スレオニン	Thr	T	$CH_3CH(OH)-CH(NH_2)COOH$	6.2
酸性アミノ酸	アスパラギン酸	Asp	D	$HOOC-CH_2-CH(NH_2)COOH$	2.8
	グルタミン酸	Glu	E	$HOOC-CH_2CH_2-CH(NH_2)COOH$	3.2
塩基性アミノ酸	リシン	Lys	K	$H_2N-(CH_2)4-CH(NH_2)COOH$	9.7
	アルギニン	Arg	R	$HN=C(NH_2)NH(CH_2)_3-CH(NH_2)COOH$	10.8
芳香性アミノ酸	フェニルアラニン	Phe	F	⬡$-CH_2-CH(NH_2)COOH$	5.5
	チロシン	Tyr	Y	$HO-$⬡$-CH_2-CH(NH_2)COOH$	5.7
	トリプトファン	Trp	W	$-CH_2-CH(NH_2)COOH$	5.9
環状性アミノ酸	ヒスチジン	His	H	$-CH_2-CH(NH_2)COOH$	7.6
	プロリン	Pro	P	$-COOH$	6.2
含硫アミノ酸	システイン	Cys	C	$HS-CH_2-CH(NH_2)COOH$	5.1
	メチオニン	Met	M	$CH_3-S(CH_2)_2-CH(NH_2)COOH$	5.7
酸アミドアミノ酸	アスパラギン	Asn	N	$H_2N-CO-CH_2-CH(NH_2)COOH$	5.4
	グルタミン	Gln	Q	$H_2N-CO-CH_2CH_2-CH(NH_2)COOH$	5.7

▨ 必須アミノ酸

(中屋, 2009)[3]

卵，まぐろなどに多く含まれている．BCAA のなかでも肉類や乳製品に多く含まれるロイシンは特に筋肉合成作用が強いことが報告されている[4]．リハを行う場合には，BCAA，特にロイシンが多い食品を摂取することで筋肉の回復が促進される可能性がある．

4 食品中の含量

可食部 100 g あたりの食品例を**表 2**[5]に示す．BCAA は，バリン，ロイシン，イソロイシンの総計である．BCAA のなかで，その 40～50% はロイシンが占める．

5 必要量の考え方

健康の維持・増進，生活習慣病の予防を目的に作成された厚生労働省「日本人の食事摂取基準(2020 年版)」では，1 日に必要なたんぱく質量(推奨量)を 65 歳以上男性で 60 g，65 歳以上女性で 50 g と定めている．この算定課程は次のとおりである．人

第1章　栄養の基礎

表2　たんぱく質の多い食品（可食部 100 g）

食品名	エネルギー(kcal)	たんぱく質(g)	BCAA(mg)	ロイシン(mg)
牛肉（サーロイン）	422	12.9	3,260	1,500
豚肉（ロース脂なし）	203	20.6	3,800	1,700
鶏肉（もも皮なし）	113	19.0	3,350	1,500
うずら卵	157	12.6	2,760	1,200
生乳	61	3.3	700	320
ヨーグルト	56	3.6	790	350
くろまぐろ（赤身）	115	26.4	4,600	2,000

（文部科学省，2020）[5]

を用いた実験から半数の人が不足しない量（推定平均必要量）として，窒素平衡維持量 0.66 g/kg/日が求められた．この値を基に，たんぱく質の消化率 90％で除して，そこに個人差変動（推奨量算定係数）1.25 を乗じて体重 1 kg 当たりの必要量（推奨量）が求められた．つまり，0.66÷0.90×1.25＝0.92（g/kg/日）となる．さらに，この値に国民栄養調査の中央値を参照体重とし，この値を乗じて食事摂取基準値が定められている．参照体重は，男性 65〜74 歳で 65.0 kg，75 歳以上で 59.6 kg，女性 65〜74 歳で 52.1 kg，75 歳以上で 48.8 kg である．つまり，65〜74 歳の男性では 0.92（g/kg/日）×65.0（kg）＝59.8（g/日）となり，値を丸めて 60 g としている．

　たんぱく質の必要量を考える際に，もう 1 つ重要な点がある．たんぱく質の役割は身体の構成成分になることと，4 kcal/g のエネルギーを有することである．「日本人の食事摂取基準（2020 年版）」で算定されているたんぱく質の必要量は，消費エネルギーと摂取エネルギーがほぼ等しい場合の結果である．図4 は，エネルギーバランス 0，つまり，「摂取エネルギー量」−「消費エネルギー量」＝0 のときの窒素平衡（「体内から排出される窒素［たんぱく質］の量」−「食事から摂取する窒素［たんぱく質］の量」）との関係を示している[6]．エネルギーバランス 0 のとき，150 mgN/kg の窒素投与量で窒素平衡が 0 となる．150 mgN/kg とは，たんぱく質に換算すると 0.9 g/kg に相当する．しかし，エネルギーバランスが負になった場合は，窒素投与量が 150 mgN/kg では窒素平衡が負になっている．「窒素平衡が負」とは，体内から窒素（たんぱく質）が出ていくことを意味し，骨格筋が分解されている可能性が高いことを示している．つまり，食思不振などで継続的に食事量が低下した場合には，たんぱく質をエネルギーとして使用する量が増加するため，身体が必要とするたんぱく質量が増加する．

　高齢者では腎機能が低下していることも多く，腎機能が著しく低下している場合には，たんぱく質の代謝産物である尿素が排泄されにくくなり，結果として血液中の尿素濃度が上昇する．一定以上に尿素濃度が上昇すると尿毒症となり，疲れやすい，だるい，思考力の低下，むくみ（浮腫），筋肉の痙攣，食欲低下，嘔吐などの症状が起こる．このようなことから，腎機能が一定以上低下した場合には，たんぱく質の摂取制限を行う必要がある．なお，たんぱく質の摂取制限を行う場合には，十分なエネルギー量を供給する．

　高齢者の増加に伴い，サルコペニアを合併した腎機能が低下した者（chronic kid-

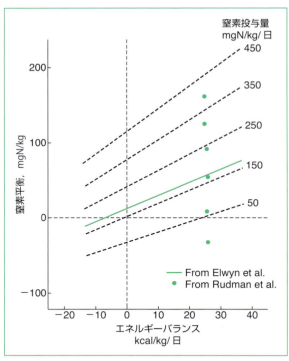

図4 種々の窒素投与量における窒素平衡とエネルギー平衡　　　　　　　　(Elwyn, 1991)[6]を改変

表3 サルコペニアを合併したCKDの食事療法におけるたんぱく質の考え方と目安

CKDステージ（GFR）	たんぱく質（g/kgBW/日）	サルコペニアを合併したCKDにおけるたんぱく質の考え方（上限の目安）
G1（GFR≧90）	過剰な摂取を避ける	過剰な摂取を避ける（1.5 g/kgBW/日）
G2（GFR60〜89）		
G3a（GFR45〜59）	0.8〜1.0	G3には、たんぱく質制限を緩和するCKDと、優先するCKDが混在する（緩和するCKD：1.3 g/kgBW/日、優先するCKD：該当ステージ推奨量の上限）
G3b（GFR30〜44）		
G4（GFR15〜29）	0.6〜0.8	たんぱく質制限を優先するが病態により緩和する（緩和する場合：0.8 g/kgBW/日）
G5（GFR＜15）		

注）緩和するCKDは、GFRと尿蛋白質だけではなく、腎機能低下速度や末期腎不全の絶対リスク、死亡リスクやサルコペニアの程度から総合的に判断する．　　　　　　（慢性腎臓病に対する食事療法基準2014年版の補足）
　　　　　　　　　　　　　　　（サルコペニア・フレイルを合併したCKDの食事療法検討ワーキンググループ，2019）[7]

ney disease；CKD）が増加している．その場合の食事療法におけるたんぱく質の考え方と目安が提案されている[7]．腎機能の低下度合い（GFR：糸球体濾過量）より、段階的にたんぱく質制限を行うことが一般的である（**表3**）が、サルコペニアを合併したCKDの場合、たんぱく質量の考え方は**表3**に記載したように、たんぱく質の制限の程度が緩和されている．サルコペニアを合併したCKDでは、たんぱく質制限を優先

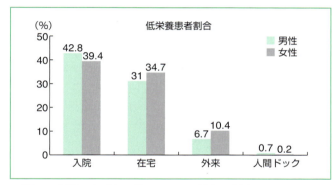

図5　血清アルブミン値 3.5 g/dL 以下の割合

(松田・他, 1997−1999)[9]

するか緩和するかの判断には，GFR と尿蛋白量だけではなく，腎機能低下速度や末期腎不全の絶対リスク，死亡リスクやサルコペニアの程度を考慮する必要がある．また，運動療法と併用する際には，十分なエネルギー摂取量の確保を徹底することが重要である．

6 低栄養の判定

　栄養状態の判定は血清中に存在するたんぱく質であるアルブミンにより行うことがある．アルブミンは血清たんぱく質の約6割を占め，分子量は約 66,000 である．体内に存在するアルブミンの半分量が入れ替わる半減期が約3週間のため，検査前の約2週間の状態を反映する．血清アルブミンが低下する症状としては食思不振，嚥下障害，継続した下痢などが知られている[8]．血清アルブミンが 3.5 g/dL を下回ると低栄養を疑う．厚生省老人保健事業推進等補助金研究班の調査結果では，65歳以上の高齢者における入院患者の4割が低栄養と報告されている(図5)[9]．

　また，序章でも述べたが低栄養状態は，生存日数にも影響する．質問紙を用いて栄養状態の判定を入院時に行い，1,000日後の生存率を調査した報告では，栄養状態に問題のない患者では8割残存していたが，低栄養と判断された患者では2割しか残存していなかったとの結果が報告されている．そのため栄養状態の評価は，どのようなリハを行うのかを考えるうえで重要である．低栄養状態の患者に対しリハを行った場合，筋合成に使用できる摂取たんぱく質が少ないと効率が悪い．

(栢下　淳)

2 脂質

　脂質は，水にほとんど溶けず，エーテルやクロロホルムなどの有機溶媒に溶ける物質の総称である．食事から摂取する脂質の 90〜95% は中性脂肪であり，その他はリン脂質，コレステロールなどである(図6)．中性脂肪は，1分子のグリセロールに

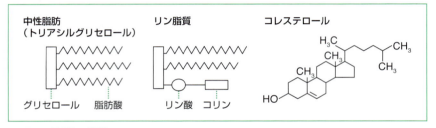

図6　脂質の構造

図7　トリアシルグリセロールの構造

3分子の脂肪酸がエステル結合して構成されているため，トリアシルグリセロール（トリグリセリド）とよばれる（**図7**）．

脂肪酸は，炭素，水素，酸素から構成され，炭素数が4以下のものを短鎖脂肪酸，8〜10を中鎖脂肪酸，12以上を長鎖脂肪酸とよぶ．食品に含まれる脂肪酸は，その大部分が長鎖脂肪酸である．脂肪酸は，炭素の結合様式によって飽和脂肪酸と不飽和脂肪酸に分類される．飽和脂肪酸は炭素同士の結合がすべて一重結合である．二重結合の数が1つの場合には一価不飽和脂肪酸，2つ以上の場合には多価不飽和脂肪酸という．不飽和脂肪酸は，脂肪酸のメチル基（CH3）側から数えて最初の二重結合をもつ炭素の位置によって，n-3系，n-6系などに分類される（**図7**）．リン脂質は，リン酸や糖を含む脂質であり，細胞膜の主要な構成成分である．コレステロールは，リン脂質とともに細胞膜を構成しており，胆汁酸および副腎皮質ホルモンや性ホルモンなどのステロイドホルモンの生成材料である．

第 1 章 栄養の基礎

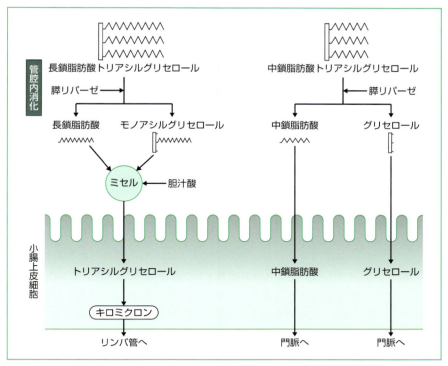

図8　脂質の消化と吸収

1　消化・吸収

　トリアシルグリセロールの消化・吸収形態は，構成する脂肪酸の長さによって異なる．長鎖脂肪酸から成るトリアシルグリセロールは，胃粘膜から分泌される胃リパーゼによって消化が始まり，小腸管腔内で膵リパーゼにより脂肪酸とモノアシルグリセロールまで分解され，胆汁酸の作用によりミセルを形成し，小腸上皮細胞表面の微絨毛膜から吸収される（図8）．吸収された後，小腸上皮細胞内でトリアシルグリセロールに再合成される．トリアシルグリセロールは水に溶けないため，アポたんぱく質，リン脂質，コレステロールとともにキロミクロンとよばれる粒子を形成し，リンパ管へ放出される．

　中鎖脂肪酸から成るトリアシルグリセロールは，膵リパーゼによって大部分が小腸管腔内で脂肪酸とグリセロールに分解され，たんぱく質や糖質と同じように小腸上皮細胞から門脈へ吸収される．

2　代謝

　リンパ管に放出されたキロミクロンは，鎖骨下静脈から心臓を経て全身へ送られる．骨格筋，心筋，および脂肪組織などの毛細血管では，キロミクロン中のトリアシルグ

35

リセロールがリポたんぱく質リパーゼの作用により分解され，末梢組織に脂肪酸を供給する．この脂肪酸はエネルギー源として利用される．食後に上昇するインスリンはリポたんぱく質リパーゼを活性化させることによって，脂肪組織への脂肪酸の取り込みを促進する．

食間期(空腹期)は，脂肪細胞に貯蔵されていたトリアシルグリセロールがホルモン感受性リパーゼの作用により分解されて，グリセロールと脂肪酸となり，血中へ放出される．これらは肝臓，腎臓，筋肉などの組織に輸送される．脂肪酸は肝臓で代謝を受けてアセチルCoAとなり(β−酸化)，糖質の代謝経路と同様にTCAサイクルを経て，エネルギーが産生される．

3 リポたんぱく質

水に不溶の脂質は，血液中でたんぱく質と結合した状態で運搬されている．トリアシルグリセロール・リン脂質・コレステロールはアポリポたんぱく質と結合しており，このような脂質とたんぱく質の複合体を総称してリポたんぱく質という．リポたんぱく質は，密度や大きさ，脂質組成などからキロミクロン(CM)，超低比重リポたんぱく質(VLDL)，低比重リポたんぱく質(LDL)，高比重リポたんぱく質(HDL)の4つに分類される(**表4**)．

CMは，上述のように食事由来のトリアシルグリセロールの担体となる．一方，VLDLは肝臓で合成された内因性のトリアシルグリセロールを搬出する．LDLとHDLは主としてコレステロールを運ぶ．ただし，LDLはコレステロールを肝臓から末梢組織へ運び，HDLはコレステロールを末梢組織から肝臓へ運ぶ点で役割が異なる．LDL，HDLに運ばれるコレステロールをそれぞれLDLコレステロール，HDLコレステロールとよぶ．LDLコレステロールの増加は，末梢組織へ運ばれるコレステロールが増えることを意味し，動脈硬化を促進する方向に傾くため，LDLコレステロールは「悪玉コレステロール」とよばれる．逆に，HDLコレステロールは，末梢組織の余分なコレステロールを肝臓に運ぶため，「善玉コレステロール」とよばれる．

表4　血漿中のリポたんぱく質の種類と組成

	キロミクロン (CM)	超低比重リポたんぱく質 (VLDL)	低比重リポたんぱく質 (LDL)	高比重リポたんぱく質 (HDL)
密度(g/m*l*)	<0.95	0.95～1.006	1.019～1.063	1.063～1.210
直径(nm)	>70	30～90	22～28	5～12
組成比(重量%)				
トリアシルグリセロール	83～88	50～60	8～13	4～16
リン脂質	3～8	8～20	20～28	30～48
コレステロール	3～7	13～23	40～60	17～30
たんぱく質	1～2	7～13	20～25	33～57

第1章　栄養の基礎

表5　脂質を多く含む食品（可食部100g当たり）

食品名	エネルギー (kcal)	たんぱく質 (g)	脂質 (g)	炭水化物 (g)
牛ばら肉	472	11.0	50.0	0.1
豚ばら肉	366	14.4	35.4	0.1
ベーコン	400	12.9	39.1	0.3
卵黄	336	16.5	34.3	0.2
クリームチーズ	313	8.2	33.0	2.3

（日本食品標準成分表2020年版（八訂））[5]

4 必要量の考え方

　脂質はエネルギー産生の主要な基質であり，「日本人の食事摂取基準（2020年版）」では，脂質の目標量（生活習慣病の発症予防のために現在の日本人が当面の目標とすべき摂取量）を，総エネルギー摂取量に占める脂質エネルギーの割合（脂肪エネルギー比率）で示している．わが国では，1歳以上の脂質の目標量は，総エネルギー摂取量の20〜30％とされている．脂肪エネルギー比率のほかに，「日本人の食事摂取基準（2020年版）」では，飽和脂肪酸の目標量，必須脂肪酸であるn–6系脂肪酸，n–3系脂肪酸の目安量（摂取不足の回避を目的とした摂取量）が設定されている．飽和脂肪酸の目標量は，動脈硬化性疾患，特に心筋梗塞の発症・重症化予防の観点から，18歳以上において，総エネルギー摂取量の7％以下とされている．n–6系脂肪酸，n–3系脂肪酸の目安量は，総エネルギー摂取量の影響を受けない絶対量（g/日）で示されている．上記の脂肪エネルギー比率目標量（20〜30％）の上の値は，飽和脂肪酸の目標量を考慮して設定されている．一方，下の値は，n–6系脂肪酸，n–3系脂肪酸の目安量を考慮して設定されている．

　脂質1g当たりのエネルギー産生量は9kcalであり，炭水化物およびたんぱく質1g当たりのエネルギー産生量4kcalの2倍以上である．脂質はエネルギー密度が高いため，摂取量が少ないとエネルギー摂取不足になりやすいほか，脂溶性ビタミン（ビタミンA，D，E，K）やカロテノイドの吸収が低下する可能性がある．脂質含量の多い食品は，一定のたんぱく質を含むため，脂質の摂取量低下に伴い，たんぱく質摂取量が低下する場合がある（表5）[5]．エネルギーやたんぱく質の摂取量確保が重要な高齢者にとって，脂質の摂取量には十分な配慮が必要である．一方，脂肪エネルギー比率が高くなると，エネルギー摂取量が大きくなり，肥満，メタボリックシンドローム，さらには心臓病のリスクを増加させる．

5 食品中の含量

　表6[10]に脂肪酸の分類とそれぞれの脂肪酸を多く含む食品の例を示した．食品中の脂質は主にトリアシルグリセロールであり，その構成成分である脂肪酸は種類によっ

表6　脂肪酸の分類と主な脂肪酸をおよび主な脂肪酸を多く含む食品（可食部 100 g 中）

分類			主な脂肪酸	主な脂肪酸を多く含む食品	(g)
飽和脂肪酸			パルミチン酸	パーム油	41.0
				ショートニング	31.0
				食塩不使用バター	24.0
				ラード	23.0
不飽和脂肪酸	一価不飽和脂肪酸		オレイン酸	オリーブ油	73.0
				なたね油	58.0
	多価不飽和脂肪酸	n-6系脂肪酸	リノール酸	綿実油	54.0
				とうもろこし油	51.0
				大豆油	50.0
		n-3系脂肪酸	α-リノレン酸	えごま油	58.0
				あまに油	57.0
			ドコサヘキサエン酸	まぐろ脂身	3.2
				さば	2.6
				さんま	2.2
				ぶり	1.7
			イコサペンタエン酸	すじこ	2.1
				さば	1.8
				まぐろ脂身	1.4

（日本食品標準成分表 2020 年版（八訂））[10]

て機能が異なる．そのため，脂質は過不足なく摂取するだけでなく，脂肪酸の摂取バランスが重要である．「動脈硬化性疾患予防ガイドライン（2017 年版）」[11]では，n-3系多価不飽和脂肪酸の摂取を増やすことが推奨されている．また，同ガイドラインでは，コレステロール摂取量を 1 日 200 mg/日未満に抑えることとされている．コレステロールは卵黄，肉・魚の内臓類などに多く含まれる（**表7**）[5]．魚類は n-3 系多価不飽和脂肪酸の摂取に有効であるが，魚卵や内臓はコレステロールも多いので注意が必要である．

表7　コレステロールを多く含む食品

食品名（1 食あたりの目安量）	含量(mg)
卵黄(20 g)	240
うなぎ・かば焼き(100 g)	230
鶏肝臓(50 g)	185
まだら・白子(50 g)	180
すじこ(25 g)	128
豚肝臓(50 g)	125

（日本食品標準成分表 2020 年版（八訂））[5]

（鍛島尚美）

3　炭水化物（糖質・食物繊維）

炭水化物は，消化されてエネルギー源となる糖質と，消化されない食物繊維に分けられる．糖質は，私たちが食事から摂取するエネルギーのうち，50〜65％を占める

第1章　栄養の基礎

ことが理想とされる大変重要な栄養素であり，1g当たり4kcalのエネルギーを産生する．食物繊維とは，ヒトの消化酵素により分解されない難消化性成分の総称であり，糖質のようにエネルギー源としての役割はほとんどないが，便秘改善などの生理的機能が注目されている．

1 糖質

1．消化・吸収

消化・吸収とは，口から食べた食物を身体が利用できるよう消化管においてその形を変化させ，血管内に取り込む過程をいう．糖質の形状は，それ以上分解されない単糖を最小単位とし，単糖が2つ結合した二糖類，多数結合した多糖類などがある（**表8**）．食事から摂取した糖質は，多糖類や二糖類などのままでは吸収されないが，これらはすべて体内で消化酵素による分解を受け，単糖となって小腸で吸収される（**図9**）．でんぷんは，唾液や膵液に含まれる α-アミラーゼによりマルトースなどまで分解され，さらに小腸上皮細胞でマルターゼによりグルコース（ブドウ糖）2分子に分解される．果物中のスクロースや乳製品中のラクトースは，アミラーゼでは分解されず，小腸上皮細胞でスクラーゼおよびラクターゼにより単糖まで分解される．吸収された単糖は門脈を通り，肝臓に運ばれる．フルクトースやガラクトースは，肝臓で大部分がグルコースに変換される．

2．代謝—エネルギー産生

吸収された糖質はどのようにしてエネルギーとなるのであろうか．グルコースは生体内で代謝され，エネルギーの元となるATP（アデノシン三リン酸）を産生する．その過程を**図10**に示した．まず，肝臓の細胞質基質においてグルコースが解糖系とよばれる経路によりピルビン酸まで代謝される．その後，ピルビン酸はミトコンドリアへ送られ，ビタミン B_1 を補酵素とする酵素反応によりアセチルCoAに変換され，TCAサイクル（クエン酸回路）で多量の電子を産生する．これらがNADHやFADH$_2$としてミトコンドリア内膜の電子伝達系に送られ，ATPをつくり出す．最終的に，解糖系から電子伝達系までの反応で，1分子のグルコースから38分子のATPを産生する．利用されなかったグルコースは，血中に放出され，筋肉などの各組織で代謝を受ける．腎臓や心臓では肝臓と同様，解糖により38分子のATPを得るが，筋肉や脳

表8　糖質の種類

単糖類	グルコース（ブドウ糖），ガラクトース，フルクトース（果糖）
二糖類	マルトース（麦芽糖）：グルコース＋グルコース スクロース（ショ糖）：グルコース＋フルクトース ラクトース（乳糖）：グルコース＋ガラクトース
多糖類	でんぷん：グルコースが多数結合．アミロース（直鎖状構造）とアミロペクチン（枝分かれ構造）がある． デキストリン：でんぷんの加水分解により得られる． グリコーゲン：グルコースが多数結合．構造はアミロペクチンと類似している．動物のエネルギー源貯蔵体．

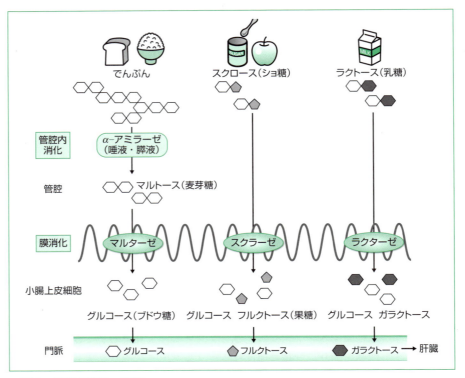

図9 糖質の消化・吸収

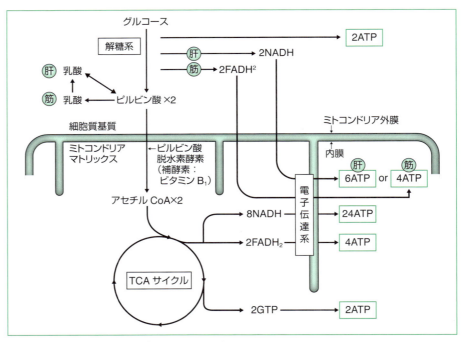

図10 細胞内におけるグルコースの代謝
1分子のグルコースから，肝臓や腎臓などでは合計38分子のATPが産生される．筋肉や脳では解糖系で生じる電子が電子伝達系で4分子のTAPを得るため，合計36分子のATPが産生される．
GTP：グアノシン三リン酸．

第1章 栄養の基礎

では36分子のATPを産生する．解糖系は酸素を必要としない反応経路である一方，TCAサイクルは酸素を必要とする反応経路である．骨格筋では，激しい運動下で，筋肉のATP消費に酸素供給が追いつかない場合，TCAサイクルが回らないため，ピルビン酸から乳酸を生じる．生じた乳酸の大部分は肝臓に送られ，グルコースに再生される．有酸素運動はTCAサイクルを円滑に進行させるため，効率的にエネルギーを使用できる．

3. 血糖値の調整

食事から糖質を摂取すると，血液中のグルコースの量(血糖値)が増加する．それに伴い膵臓よりインスリンというホルモンが分泌され，血糖値が下がる．これは，インスリンの働きにより，すぐに使われないグルコースがグリコーゲンに合成され，肝臓や筋肉などに貯蔵されるためである．肝臓や筋肉に貯蔵されるグリコーゲン以上の糖質を摂取すると，グルコースは脂肪細胞に取り込まれ，脂肪酸が合成され，体脂肪として蓄積される．

空腹時でも血糖値は，肝臓に蓄積されているグリコーゲンを分解することにより一定の範囲に維持されている．血糖値が低下すると，グルカゴンやアドレナリンが分泌されてグリコーゲンの分解を促進し，血中にグルコースが放出され，血糖値を上昇させる．一方，筋肉で蓄積されているグリコーゲンは血糖値の維持には利用されず，筋収縮のエネルギー源として利用される．

空腹時は肝臓のグリコーゲンにより血糖の調整が行われるが，糖質を摂取しない状況が続くと，肝臓のグリコーゲンは約1日で消費される．このような場合でも，肝細胞にはさらに血糖値を維持し続けるための機能が備わっており，アミノ酸やグリセロールなどの糖質以外の物質からグルコースが生成される(糖新生)．この場合，骨格筋たんぱくの分解により血中に放出されたアミノ酸が糖新生の材料となる．糖新生が亢進しないように適切な糖質の摂取が必要である．

サルコペニアでは，血糖を取り込む主要組織である筋肉が大きく減少し，筋肉へのグルコースの取り込み能力が低下する．そのため，肝臓に取り込まれるグルコースが増加し，余剰のグルコースは脂肪酸へと合成され，体脂肪として蓄積される．体脂肪の蓄積が進み，肥満状態になると，インスリンが効きにくい状態(インスリン抵抗性)となり，グルコースの取り込み機構がインスリンに依存している筋肉ではますます糖が取り込めなくなり，悪循環となる．このように，筋肉が減少しているにもかかわらず，脂肪細胞が増大するというサルコペニア肥満の状態に陥る．サルコペニア肥満では，体幹に脂肪が多く，下肢の筋肉量が減少している患者がしばしばみられ，転倒や骨折のリスクが高い．サルコペニアでは，十分なエネルギーとたんぱく質の摂取，リハによる骨格筋の増加が重要となる．

4. 必要量の考え方

脳や神経細胞，血球細胞はエネルギー源のほとんどをグルコースに依存しているため，糖質が不足すると意識不明や神経細胞障害の恐れがある．そのため，糖質の適切

な量の摂取が重要となる．また，十分に糖質や脂質を摂取することで，たんぱく質がエネルギー源として利用されてしまうのを防ぐことができる（たんぱく質節約効果）．しかしながら，先にも述べたように，余剰なグルコースは体脂肪として蓄積されるため，適量の摂取が望まれる．

「日本人の食事摂取基準（2020年版）」では，エネルギー産生栄養素バランスを定めるには，たんぱく質の量を初めに定め，次に脂質の量を定め，その残余を炭水化物（アルコールを含む）とするのが適切であると考えられると述べている．つまり，適切なたんぱく質量および脂質量を摂取したうえで，残りの必要なエネルギーを炭水化物から摂取すべきであるとされており，食事摂取基準においてこの範囲（目標量）は，すべての年齢および性別において50％エネルギー以上65％エネルギー未満の範囲とされている．

では，安静時にはどのくらいの量の糖質が必要だろうか．安静時代謝量＝基礎代謝量×1.2と考えると，たとえば，75歳，体重60 kgの男性の場合の基礎代謝量は，

基礎代謝基準値（kcal/kg体重/日）（p88表）×体重（kg）＝21.5×60＝1,290（kcal）
安静時代謝量＝1,290×1.2≒1,550

このうち，糖質の目標量はエネルギーの50～65％なので，

1,550（kcal）×50/100～65/100≒775～1,008（kcal）

のエネルギーを糖質から摂取すればよく，これを糖質重量に換算すると，糖質1 gは4 kcalなので，

775～1,008（kcal）÷4（kcal）≒194～252（g）

となる．糖質量のみで考えると，茶わん1杯（180 g）のごはんの糖質は約69 gなので，安静にしていても，毎日およそ茶わん3～4杯前後のごはんに含まれる糖質が必要となる．基礎代謝基準値に関してはエネルギー代謝の項（p23～）を参照されたい．

さらに，リハによりエネルギー消費量が増えると，さらに糖質が必要となる．レジスタンストレーニングでは，3.5 METs程度のエネルギー消費がみられる[12]．2時間のレジスタンストレーニングを行う場合，METsを用いたエネルギー消費量の算出は以下のようになる．

エネルギー消費量（kcal）＝体重（kg）×METs×時間（h）
＝60（kg）×3.5（METs）×2（h）
≒420（kcal）

420 kcalの50～65％を糖質に換算すると53～68 gとなるので，リハではさらに茶わん1杯程度のごはんを糖質として追加する必要がある．ただし，これらは糖質源としてごはん以外に何も摂取しない場合の糖質摂取量の目安である．

5．食品中の含量

表9に，糖質含有量の多い食品の例を示した．糖質の多い食品としては，ごはん，パン，めんなどの主食となる穀物類のほか，芋類，菓子類などがあげられる．

糖尿病患者の食事指導には，これまで食品交換表により摂取エネルギーをコントロールする方法が用いられてきた．近年，カーボカウントという食事中の炭水化物の量

第1章　栄養の基礎

表9　糖質含有量の多い食品（可食部100 g当たり）

食品名	エネルギー (kcal)	たんぱく質 (g)	脂質 (g)	炭水化物 (g)	食物繊維 (g)
ごはん	156	2.0	0.2	38.1	1.5
食パン	248	7.4	3.7	48.2	4.2
さつまいも	127	0.8	0.1	31.0	2.8
バナナ	93	0.7	0.1	21.1	1.1
しょうゆせんべい	368	6.3	0.9	88.4	0.6
ミルクチョコレート	550	5.8	32.8	59.3	3.9

たんぱく質は「アミノ酸組成によるたんぱく質」，脂質は「脂肪酸のトリアシルグリセロール当量」，炭水化物は「利用可能炭水化物（単糖当量）」または「差引き法による利用可能炭水化物」のうち，エネルギー算出に用いられている量を示した．食物繊維は，本表の『食物繊維総量』に掲載されている量を示した．

（日本食品標準成分表2020年版（八訂））[5]

を計算する方法が注目されており，糖尿病患者の糖質摂取量のコントロール，インスリン量の調節などに用いられている．

　一方，糖質の量のみでなく，質を評価する方法として，グリセミックインデックス（glycemic index；GI）という考え方がある．これは，食品が血糖値を上昇させる程度の指標となっており，グルコース50 gを負荷したときの2時間後までの血糖上昇曲線下面積を100としたときの，その他の食品における面積をパーセント表示したものである．つまり，GIの値が高いほど血糖値を上昇させやすい食品であると評価される．しかし，食品は単品で摂ることが少ないことや，組み合わせによりGI値が変化するといった使用上の難点もある．このような問題を解消するため，ごはん食を基準食とした食べ合わせをGI表示する研究もみられる（第2章6，p135参照）[13]．

2　食物繊維

　食物繊維は，でんぷんと同様多糖類の構造をもつが，ヒトの消化酵素では分解できず，小腸で吸収されずに大腸に到達する．一部は大腸で腸内細菌によって嫌気的に分解され，短鎖脂肪酸となり，吸収されてエネルギー源となる．

　食物繊維の機能としては，消化管の動きを活発にする，便の容積を増加させる，食べ物の消化管通過時間を短縮させる，食事成分の消化・吸収を低下させる，食後の血糖値の上昇を抑制する，コレステロールなどの血清脂質を低下させる，腸内細菌叢・腸内環境を良好に維持するなど多数あげられ，生活習慣病の発症に関連するという報告が多い．また，静脈栄養のみで腸管の絨毛上皮が萎縮した場合などに，食物繊維の摂取が腸管機能の回復に有効である．

1．必要量の考え方

　「日本人の食事摂取基準（2020年版）」において，食物繊維の目標量は，18〜64歳で男性21 g以上，女性18 g以上，65歳以上で男性20 g以上，女性17 g以上とされている．これは，心筋梗塞等の生活習慣病による発症率や死亡率との関連および国民

表10　食物繊維含有量の多い食品（可食部 100 g 当たり）

食品名	エネルギー (kcal)	たんぱく質 (g)	脂質 (g)	炭水化物 (g)	食物繊維		
					水溶性(g)	不溶性(g)	総量(g)
ごぼう	58	1.1	0.1	10.4	2.3	3.4	5.7
おから	88	5.4	3.4	3.2	0.4	11.1	11.5
えのきだけ	34	1.6	0.1	4.8	0.4	3.5	3.9
わかめ	24	1.4	0.1	2.6	—	—	3.6
こんにゃく	8	—	—	0.3	微量	3.0	3.0
乾燥プルーン	211	1.6	0.2	42.2	3.4	3.8	7.1

たんぱく質は「アミノ酸組成によるたんぱく質」，脂質は「脂肪酸のトリアシルグリセロール当量」，炭水化物は「利用可能炭水化物（単糖当量）」または「差引き法による利用可能炭水化物」のうち，エネルギー算出に用いられている量を示した．

（日本食品標準成分表 2020 年版（八訂））[5]

の摂取状況等を考慮し決定されている．「令和元年国民健康・栄養調査」の結果によると，男女ともに 20 歳以上の食物繊維摂取量は 19 g 程度となっている．主な生活習慣病の発症予防のためには，目標量よりさらに多く（理想的には 24 g/日以上，できれば 14 g/1,000 kcal 以上）の積極的な食物繊維の摂取が望まれる．

2. 食品中の含量

表 10 に，食物繊維含有量の多い食品の例を示した．食物繊維の多い食品としては，根菜類をはじめとする野菜類，果物類，きのこ類や海藻類があげられる．食物繊維は，水溶性食物繊維と不溶性食物繊維に分類され，水溶性食物繊維は成熟した果物など，不溶性食物繊維は野菜や豆類などに含まれている．

3 アルコール

アルコールは炭水化物ではないが，化学的には炭化水素の水素原子をヒドロキシ基で置換した構造であり，日本酒やビールなどのアルコール飲料は穀物を発酵させて製造する．アルコールは，粘膜から自然に細胞内に吸収されるため，小腸だけでなく胃からも吸収される．吸収されたアルコール（エタノール）は，完全に分解され，身体の成分にはならないが，1 g あたり約 7 kcal のエネルギー源となる．「日本人の食事摂取基準（2020 年版）」では，人にとって必須の栄養素ではないとし，指標は示されていない．アルコールを摂取する場合はエネルギー源となることを考慮し，炭水化物の摂取量を減らす必要がある（第 4 章 2，p202 〜参照）．　　　　　（山縣誉志江）

4　ビタミン

ビタミンは，生体の生理機能，代謝を円滑にし，健康を保つために重要な役割を果たす栄養素である．ビタミンの必要量は，μg や mg 程度と極めて微量であるが，体

第1章　栄養の基礎

内で合成できない，あるいは合成できるが必要量に満たないため，食物から摂取する必要がある．ビタミンは，脂溶性ビタミンと水溶性ビタミンに分類される．脂溶性ビタミンは，ビタミンA，ビタミンD，ビタミンE，ビタミンKの4種類，水溶性ビタミンは，ビタミンB_1，ビタミンB_2，ビタミンB_6，ビタミンB_{12}，ナイアシン，パントテン酸，葉酸，ビオチン，ビタミンCの9種類がある（**表11**）．

1　ビタミンの代謝と働き

　脂溶性ビタミンは，胆汁の働きにより脂質とともにミセルを形成し，小腸上皮細胞から吸収される．脂質の摂取量が少ないとミセルの形成ができないため，脂溶性ビタミンの吸収が低下する．吸収された脂溶性ビタミンは，リポたんぱく質やそれぞれのビタミンに特異的なたんぱく質と結合し，血液中を運搬される．ビタミンAはレチノール結合たんぱく質と，ビタミンDはビタミンD結合たんぱく質と結合して血液中を運搬され，ビタミンEやビタミンKは，リポたんぱく質に取り込まれ，リンパ管を経て各臓器に供給される．

　水溶性ビタミンは，胃酸や消化酵素によって遊離型に分解された後，小腸上皮細胞から吸収され，門脈を経て全身に供給される．ビタミンB_{12}は胃酸や消化酵素による分解後，胃壁細胞より分泌される糖たんぱく質（内因子）と結合し，回腸で吸収される．ビタミンCは食品中で遊離型として存在しており，そのまま小腸から吸収される．

1．エネルギー代謝とビタミン

　糖質，脂質，たんぱく質からのエネルギー産生には，ビタミンB_1，ビタミンB_2，ナイアシン，パントテン酸，ビオチンなどのビタミンB群が補酵素として酵素反応に関与している（**図11**）．身体活動量の増加によりエネルギー消費量が増加している際には，これらのビタミンB群の補給が重要になる．

1）ビタミンB_1

　ビタミンB_1は，補酵素として糖質の代謝に関与している．ビタミンB_1が欠乏すると，エネルギー代謝が停滞し，ピルビン酸や乳酸が増加する．欠乏症には脚気やウェルニッケ・コルサコフ症候群などがある．

2）ビタミンB_2

　ビタミンB_2は，小腸から吸収された後，補酵素型であるフラビンモノヌクレオチド（FMN）やフラビンアデニンジヌクレオチド（FAD）に変換される．FMNやFADはTCAサイクル，電子伝達系，脂肪酸のβ-酸化における酸化還元反応の補酵素として，エネルギー代謝に広く関与している．

3）ナイアシン

　ナイアシンは，ニコチンアミドアデニンジヌクレオチド（NAD）とニコチンアミドアデニンジヌクレオチドリン酸（NADP）の構成成分である．NADやNADPは，糖質代謝，脂質代謝，アミノ酸代謝における酸化還元反応に広く関与する補酵素である．

表 11　ビタミンの種類と化学名，主な働き，欠乏症，主な供給源，推奨量

	名称	化学名	主な働き	欠乏症	主な供給源	推奨量[1] 男性/女性
脂溶性ビタミン	ビタミン A	レチノール	明暗順応，上皮組織保護	夜盲症，角膜乾燥症，皮膚の乾燥・肥厚・角質化	うなぎ，レバー，卵黄	65〜74歳：850/700 75歳以上：800/650 （μgRE/日）
	ビタミン D	エルゴカルシフェロール コレカルシフェロール	カルシウムの吸収促進	くる病(小児)，骨軟化症(成人)	魚類，キノコ類，酵母	65〜74歳：8.5/8.5 75歳以上：8.5/8.5 （μg/日)[2]
	ビタミン E	トコフェロール	抗酸化作用	溶血性貧血(未熟児)	植物油，種実類，魚類，かぼちゃ	65〜74歳：7.0/6.5 75歳以上：6.5/6.5 （mg/日)[2]
	ビタミン K	フィロキノン，メナキノン	血液凝固	血液凝固障害	あしたば，ほうれん草，納豆	65〜74歳：150/150 75歳以上：150/150 （μg/日)[2]
水溶性ビタミン / ビタミン B 群	ビタミン B$_1$	チアミン	糖質代謝の補酵素	脚気，ウェルニッケ・コルサコフ症候群	胚芽，落花生，ごま，レバー，豚肉	65〜74歳：1.3/1.1 75歳以上：1.2/0.9 （mg/日）
	ビタミン B$_2$	リボフラビン	糖質，脂質代謝の補酵素	口内炎，口角炎，舌炎，脂漏性皮膚炎	胚芽，レバー，乳製品，卵，肉，魚，アーモンド，乾シイタケ，くだもの	65〜74歳：1.5/1.2 75歳以上：1.3/1.0 （mg/日）
	ビタミン B$_6$	ピリドキシン ピリドキサミン ピリドキサール	アミノ酸代謝の補酵素	脂漏性皮膚炎	カツオ，マグロ，レバー，クルミ	65〜74歳：1.4/1.1 75歳以上：1.4/1.1 （mg/日）
	ビタミン B$_{12}$	コバラミン	アミノ酸代謝の補酵素，赤血球産生に関与	巨赤芽球性貧血，末梢神経障害	サンマ，カキ，アサリ，レバー	65〜74歳：2.4/2.4 75歳以上：2.4/2.4 （μg/日）
	ナイアシン	ニコチン酸 ニコチンアミド	酸化還元反応の補酵素	ペラグラ(皮膚炎，下痢，精神神経症状を呈する)	かつお節，魚類，レバー，肉類	65〜74歳：14/11 75歳以上：13/10 （mgNE/日）
	パントテン酸	パントテン酸	糖質，脂質代謝の補酵素 副腎皮質ホルモン合成	頭痛，疲労，食思不振	レバー，魚類，肉類，納豆	65〜74歳：6/5 75歳以上：6/5 （mg/日)[2]
	葉酸	プテロイルグルタミン酸	核酸代謝，赤血球産生に関与	巨赤芽球性貧血	レバー，緑黄色野菜，豆類	65〜74歳：240/240 75歳以上：240/240 （μg/日）
	ビオチン	ビオチン	糖質，脂質，たんぱく質代謝に関与	皮膚炎，食思不振	レバー，卵黄，魚介類，豆類	65〜74歳：50/50 75歳以上：50/50 （μg/日)[2]
水溶性ビタミン	ビタミン C	アスコルビン酸	抗酸化作用，鉄の吸収促進	壊血病	果実類，いも類，緑黄色野菜	65〜74歳：100/100 75歳以上：100/100 （mg/日）

[1]　日本人の食事摂取基準(2020年版)より.
[2]　目安量.

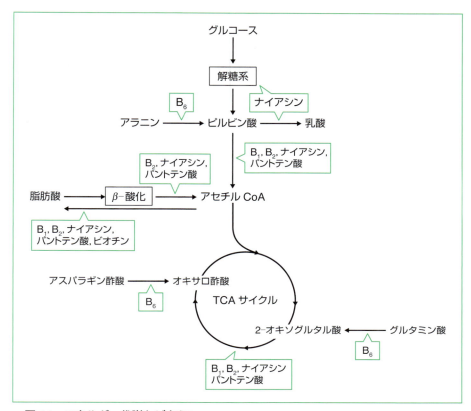

図11　エネルギー代謝とビタミン

4）パントテン酸

パントテン酸は，コエンザイムA（CoA）の構成成分であり，体内でアセチルCoAやアシルCoAとして存在する．アセチルCoAはTCAサイクルの基質で，エネルギー代謝における重要な中間代謝産物である．パントテン酸は，多くの動物性食品に含まれ，腸内細菌からも合成されるため，通常の食生活から不足することは稀である．

5）ビオチン

ビオチンは，脂肪酸合成の補酵素として働く．食品中に広く含まれており，腸内細菌からも合成されるため，欠乏症は起こりにくい．

2. からだづくりとビタミン

ビタミンB_6，ビタミンB_{12}，葉酸は，主としてたんぱく質代謝や核酸（DNA，RNA）の合成に関与する．ビタミンAは，視覚機能，皮膚や粘膜の正常化，成長促進作用をもち，ビタミンD，ビタミンKは骨吸収や骨形成作用に影響を与える．いずれも健康なからだづくりに欠かせないビタミンである．

1）ビタミンB_6

ビタミンB_6は，アミノ基転移反応，アミノ酸の脱炭酸反応などアミノ酸代謝に広く関与している．ビタミンB_6は腸内細菌によって合成されるため，通常不足するこ

とはない.

2）ビタミンB₁₂

ビタミンB₁₂は，葉酸とともに造血に関係しているビタミンである．欠乏すると，DNA合成障害により，造血幹細胞からつくられる赤血球の分化が妨げられ，巨赤芽球性貧血となる．ビタミンB₁₂欠乏により生じる巨赤芽球性貧血は，手足のしびれや感覚低下，運動機能障害などの神経症状を伴うため，悪性貧血ともよばれる．

3）葉酸

葉酸は，生体内で還元され，補酵素型のテトラヒドロ葉酸(THF)となり，アミノ酸代謝と核酸の合成において重要な役割を担っている．葉酸は，食品中に広く含まれており，腸内細菌からも合成されるため欠乏症は起こりにくいが，不足した場合には巨赤芽球性貧血を起こす．

4）ビタミンA

ビタミンAは，アルコール型のレチノール，アルデヒド型のレチナール，カルボン酸型のレチノイン酸がある．成長促進，視覚機能，皮膚や粘膜の形成を正常に保ち，神経や骨の発達にも不可欠である．欠乏症には，暗順応の反応性低下による夜盲症，角膜乾燥症，免疫能の低下などがある．

5）ビタミンD

植物性食品や高等動物の皮膚に存在するビタミンD前駆体(プロビタミンD)が紫外線を浴び，肝臓と腎臓で水酸化を受けることによって活性型のビタミンDとなる．活性型ビタミンDは，小腸からのカルシウムとリンの吸収を促し，骨形成に関与する．欠乏症には，小児期ではくる病，成人では骨軟化症，骨粗鬆症がある．特に高齢者においては，ビタミンD不足の状態が長期にわたって続くと，血中副甲状腺ホルモン濃度が上昇し，骨密度が低下する．したがって，適切な量のビタミンDを摂取することが，骨折や骨粗鬆症などの予防の観点から重要と考えられる．

6）ビタミンK

ビタミンKは，骨に存在するたんぱく質(オステオカルシン)を活性化し，骨形成を促進する．また，肝臓でつくられる血液凝固因子(プロトロンビン)を活性化し，血液凝固を促進する．ビタミンKは，腸内細菌からも合成されるため，成人での欠乏症はまれであるが，長期間にわたる抗生物質の服用により腸内細菌が減少すると，ビタミンK欠乏が起こりやすいので注意が必要である．

3．抗酸化ビタミン

生体内で生じた活性酸素は，生体を構成する脂質，たんぱく質，核酸などを酸化する．その結果生じた過酸化脂質により，血管壁が障害され動脈硬化を引き起こす．ビタミンE，ビタミンCは，この活性酸素を除去し，生体成分の酸化による変性を防ぐ抗酸化作用をもっている．

1）ビタミンE

ビタミンEは，細胞膜などを構成している多価不飽和脂肪酸や膜たんぱく質の酸化を防ぎ，膜の安定性を維持している．ビタミンEには8種類の同族体があるが，

生体内では約90%をα-トコフェロールが占めており，最も生理活性が強い．ビタミンE欠乏症は，未熟児における溶血性貧血や神経障害などがみられている．

2）ビタミンC

ビタミンCは，還元型のアスコルビン酸から酸化型のデヒドロアスコルビン酸へと酸化されることによって還元力を発揮し，活性酸素を除去している．還元型と酸化型のビタミンCは可逆的に反応し，再利用されている．また，酸化されたビタミンEは，ビタミンCによって還元され，抗酸化作用を再生する．

2 必要量の考え方

ビタミンは，糖質や脂質と異なりエネルギー産生の基質にはならないが，生体内の生理機能を円滑に進行させ，生命活動を維持するために重要な栄養素である．必要量は微量であるが，不足するとそれぞれのビタミン特有の欠乏症が現れる（**表11**）．「日本人の食事摂取基準（2020年版）」では，ビタミンA，ビタミンB_1，ビタミンB_2，ビタミンB_6，ビタミンB_{12}，葉酸，ナイアシン，ビタミンCは推奨量が，ビタミンD，ビタミンE，ビタミンK，パントテン酸，ビオチンは目安量が策定されている（**表11**）．現在のわが国においては，肉，魚，卵，牛乳などの動物性食品と緑黄色野菜を偏りなく摂取していれば，ビタミン欠乏症になることはほとんどない．ただし，萎縮性胃炎や胃の全摘により，胃壁細胞から分泌される内因子が減少するとビタミンB_{12}の吸収不良が生じる．

脂溶性ビタミンは，必要以上に摂取すると，肝臓に貯蔵されて過剰症を引き起こすことがあるため，ビタミンA，ビタミンD，ビタミンEについては，耐容上限量が策定されている．水溶性ビタミンは，必要量を超えると尿中に排泄されるため，通常過剰症は起こらない．ただし，ナイアシン，ビタミンB_6，葉酸については過剰症が報告されており，耐容上限量が策定されている． （鍛島尚美）

5 ミネラル

人体の約96%は，炭素（C），酸素（O），水素（H），窒素（N）の4つの元素で構成されており，残りの約4%の元素を栄養学ではミネラル（無機質）とよぶ．ミネラルが高熱でも分解されにくい無機化合物であるのに対し，たんぱく質，脂質，炭水化物，ビタミンは有機化合物であり，炭素骨格を基本とした加熱により分解されやすい物質である．

ミネラルの働きとしては，骨などの身体の構成成分となること，体液として浸透圧を調節すること，神経・筋肉の興奮を調整することなどがあげられる．ミネラルは体内で合成することができないため，食物から摂取する必要があるが，摂り過ぎは過剰症，不足では欠乏症が生じる．栄養素として不可欠な必須ミネラルとして，カルシウム，リン，カリウム，硫黄，ナトリウム，塩素，マグネシウム，鉄，亜鉛，銅，ヨウ

表 12　人体の構成元素（必須ミネラルの種類とはたらき）

分類	種類	元素記号	人体の存在量(g) (体重 70 kg として)	主な働き
多量ミネラル	カルシウム	Ca	1,000	骨や歯を形成，神経の興奮を抑える
	リン	P	780	骨や歯を形成，リン脂質や核酸の成分 糖質の代謝をサポート
	カリウム	K	140	細胞内液の浸透圧の維持， 心臓や筋肉の機能を調節
	硫黄	S	140	皮膚や髪，爪を形成，酵素の活性化
	ナトリウム	Na	100	細胞外液の浸透圧の維持， 筋肉や神経の興奮を抑える
	塩素	Cl	95	胃液の成分，殺菌
	マグネシウム	Mg	19	酵素の活性化，神経の興奮を抑制
微量ミネラル	鉄	Fe	4.2	赤血球のヘモグロビンの成分
	亜鉛	Zn	2.3	たんぱく質の合成に関与
	銅	Cu	0.072	赤血球のヘモグロビンの合成に関与
	ヨウ素	I	0.013	発育を促進，基礎代謝の促進
	セレン	Se		抗酸化作用，がん予防
	マンガン	Mn	0.012	糖質や脂質の代謝に関与， 骨形成に関与
	モリブデン	Mo	0.0093 未満	尿酸をつくり出す代謝に関与
	クロム	Cr	0.0018 未満	糖質や脂質の代謝に関与
	コバルト	Co	0.0015	ビタミン B_{12} の成分，造血作用に不可欠

（中村, 2005）[14]

素，セレン，マンガン，モリブデン，クロム，コバルトがある．体内貯蔵量が多いものを多量ミネラル，鉄よりも少ない（鉄を含む）ものを微量ミネラルとして分類する（**表12**）[14]．本項では，これらのうち，高齢者の栄養管理に重要なミネラルの役割について述べる．

1　多量ミネラル

1．カルシウム

　カルシウムは，ヒトの体内に最も多く含まれているミネラルであり，約 1 kg 存在する．このうち 99% は骨や歯，1% は細胞内に含まれる．

　骨はカルシウムの貯蔵庫であり，血清中のカルシウム濃度が低下すると，骨のカルシウムを溶かして維持しようとする（骨吸収）．血清カルシウム濃度を一定に保つための調節機構を**図12**に示す．血清カルシウム濃度の低下により，副甲状腺ホルモン（PTH：パラソルモン）が分泌され，骨吸収と腎尿細管からのカルシウムの再吸収を促進し，ビタミン D を活性型に変換する．ビタミン D には，食事から摂取したものと皮膚で紫外線から合成されたものがある．活性型ビタミン D は，腸管からのカルシウムの吸収を促進し，骨吸収と腎尿細管からのカルシウムの再吸収を促進し，血液中のカル

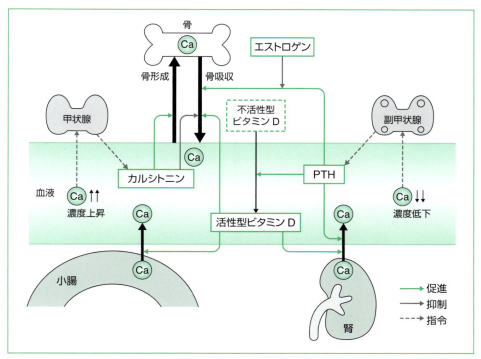

図12 血清カルシウム濃度の調節機構

シウム濃度が上昇する．血清カルシウム濃度が上昇すると，甲状腺からカルシトニンが分泌され，骨へのカルシウムの吸収（骨形成）が促進，骨吸収が抑制される．このように，血液中のカルシウム濃度は常に一定に保たれる．

PTHによる骨吸収を抑制しているホルモンの一つに，エストロゲンがある．閉経によりエストロゲンの分泌が低下すると，骨吸収が抑制されなくなり，骨粗鬆症に陥りやすくなる．

体内に存在する残りの1％のカルシウムは，血液や筋肉などの細胞に分布している．これらは筋収縮や神経伝達を正常に保つために重要な役割を果たしている．

「日本人の食事摂取基準（2020年版）」において，65歳以上のカルシウムの推奨量は，男性で750 mg/日，女性で650 mg/日とされている．しかし，「令和元年国民健康・栄養調査」の結果では，カルシウムの摂取量は男女ともに500 mg/日程度であった．カルシウムの不足は骨粗鬆症や骨折を引き起こし，大腿骨骨折などでは寝たきりとなる可能性が高くなるため，不足しないよう摂取する必要がある．骨を強くするという観点からみると，カルシウムを摂取する以外に運動により骨に負荷をかけることが重要である．寝たきりで骨に負荷がかからない場合，骨吸収が優位になり，骨がもろくなる[3]．

カルシウムは，牛乳などの乳製品，野菜，大豆製品，小魚などに多く含まれる．吸収率の低い栄養素であるため，ビタミンDを多く含む魚類やきのこ類と一緒に摂るなど，さまざまな食品をバランスよく取り入れながら摂取するのが理想的である．吸

収率は食品によって異なり，牛乳で約40％，小魚は約33％，青菜は約19％である[15].

2．ナトリウム

　ヒトの体内には，血清ナトリウム濃度を一定に保とうとする機構が存在する．食事から食塩(塩化ナトリウム)を摂取すると，血清ナトリウム濃度が上昇する．これを受けた脳は，口渇感を誘発させる指令を送り，飲水行動を起こさせる．さらに，バソプレッシン(抗利尿ホルモン)を分泌し，尿量を減らす．これらにより，体内の水分量(体液量)が多くなり，心拍出量が増加し，血圧が上昇する．塩分を摂り過ぎると血圧が上がるのはこのためである．高血圧は，脳卒中(主に脳出血)の原因となる．

　降圧剤として，アンジオテンシン受容体拮抗薬，アンジオテンシン変換酵素阻害薬，抗アルドステロン薬などがある．これらは，レニン・アンジオテンシン・アルドステロン系とよばれる体液調節機構のうちの特定の反応等を阻害し，ナトリウムの体外への排泄を促進する薬である．活性型アンジオテンシンとアルドステロンは，腎臓の尿細管に働き，ナトリウムの再吸収を促進する．このナトリウムの再吸収機構により，1日に摂取した量とほぼ同量のナトリウムが排泄されるよう調節されている．

　ナトリウムの多くは，食塩として食事から摂取される．食品成分表では，ナトリウム量(g)に2.54(NaCl/Na)を乗じた値が食塩相当量(g)として示されている．

　例)　梅干し1個　　ナトリウム0.696(g)×2.54≒食塩相当量1.8(g)

　「令和元年国民健康・栄養調査」の結果では，65歳以上の食塩摂取量は，男性で11g程度，女性で9〜10g程度であった．同調査の結果から，20歳以上の日本人の平均食塩摂取量は年々減少している．しかしながら，同様にエネルギー摂取量も減少しており，エネルギー当たりに換算すると，日本人がこの30年間食べてきた食事には，1,000 kcal中6gの食塩が含まれており，薄味となっているわけではない[16].「日本人の食事摂取基準(2020年版)」で定められている目標量は，高血圧の予防を目的として，男性7.5g未満，女性6.5g未満とされており，摂り過ぎには注意が必要である．特に漬物やハムなどの加工食品には保存性を高める目的で多くの食塩が使われているため，利用する際は気をつけたい．

3．カリウム

　体内のナトリウム(体重の約0.15％)は体内の水分中や骨に含まれ，約50％が細胞外液(血漿と細胞間液)中に，約10％が細胞内液中に存在している．これとは逆に，カリウム(体重の約0.2％)は98％が細胞内液中に，2％が細胞外液中に存在する．カリウムは，ナトリウムとともに細胞の浸透圧を調節している．

　「日本人の食事摂取基準(2020年版)」における目安量(食事摂取基準における摂取不足の回避のための指標のひとつ)は，65歳以上の男性で2,500 mg/日，女性で2,000 mg/日とされている．さらに，カリウムを多く摂取することで，血圧低下や脳卒中予防にもつながることが動物実験や疫学調査から示唆されており，高血圧を中心とした生活習慣病の発症予防の観点から定められた目標量(食事摂取基準における生活習慣

第1章　栄養の基礎

病の発症予防を目的とした指標)は，男性で 3,000 mg/日，女性で 2,600 mg/日とされている．「令和元年国民健康・栄養調査」の結果から，65 歳以上の男性では 2,700 mg/日程度，女性では 2,500 mg/日程度が摂取されており，健常者の通常の食事では欠乏症や過剰症の心配はほとんどない．カリウムは，果物や野菜，芋類に多く含まれる．

腎機能に障害がみられる場合，カリウムを排泄する機能が低下し，高カリウム血症となることがある．血漿のカリウムが高値となると，四肢の痺れ，脱力感，不整脈などがみられ，著しい場合には心肺停止に至ることがある．腎不全用の経腸栄養剤では，カリウム含有量が抑えてある．カリウムの欠乏では，全身倦怠感，代謝性アルカローシスなどがみられる．

4. マグネシウム

マグネシウムは体内に約 20〜25 g 存在しており，約 60％が骨，約 25％が筋肉，残りがその他の組織中に含まれている．カルシウムとともに骨を構成する重要な成分であり，筋肉ではカルシウムと拮抗して筋収縮を調節している．また，多種の酵素反応の補因子としてエネルギー産生などの代謝に寄与している．

慢性の下痢などでは，低マグネシウム血症が起こり，筋肉の振戦，痙攣，テタニーなどがみられる．逆に，脱水や腎機能に障害がある場合などでは高マグネシウム血症が起こり，筋緊張の低下，低血圧などがみられる．通常の食事では過剰症の心配はないが，サプリメントとして摂取している場合などには過剰による下痢がみられることがあり，注意が必要となる．

マグネシウムの推奨量は，65〜74 歳の男性では 350 mg/日，女性では 280 mg/日，75 歳以上の男性では 320 mg/日，女性では 260 mg/日とされている．マグネシウムは種実類，豆類に多く含まれる．

5. その他の多量ミネラル

リンはカルシウムやマグネシウムと結合し，骨や歯を形成している．リンを摂り過ぎるとカルシウムの骨吸収が促進されてしまうため，過剰摂取は避けるべきである．カルシウムと 1：1 で摂取することが望ましい．リンの目安量は，男性 1,000 mg/日，女性 800 mg/日である．乳製品，魚類，加工食品に多く含まれる．その他，硫黄は皮膚や爪，髪を形成し，塩素(Cl)は酸-塩基平衡の維持，胃酸の構成成分として重要な役割を果たす．

2　微量ミネラル

1. 鉄

鉄は体内に 3〜4 g 程度存在し，ヒトの体内では 3 分の 2 がヘモグロビン(赤血球に含まれるたんぱく質)のなかに存在する．少量はミオグロビン(筋肉に含まれるたんぱく質)の構成元素となったり，トランスフェリンと結合して血清中に存在している．これらは機能鉄とよばれ，酸素運搬などを担っている．一方，貯蔵鉄とよばれる鉄に

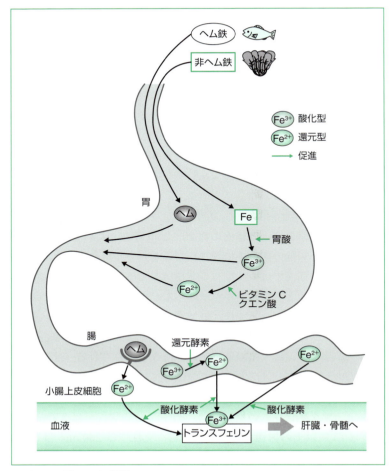

図13　鉄の吸収機構

はフェリチンやヘモシデリンがあり，肝臓，脾臓，骨髄に貯蔵されている．貯蔵鉄は必要に応じて血清鉄となる．

　鉄の吸収機構を図13に示す．食品中に含まれる鉄には，赤身の肉類や魚類などの動物性食品に多く含まれるヘム鉄と，野菜や穀類などの植物性食品に多く含まれる非ヘム鉄がある．ヘム鉄は，ポルフィリンというたんぱく質のなかに存在する鉄原子を指し，この化合物のことをヘムという．小腸には，ヘム受容体が存在するため，ヘム鉄は腸管からの吸収率がよい．一方，食事から摂取した非ヘム鉄は胃酸でイオン化されるが，鉄イオンには酸化型と還元型が存在し，酸化型の状態では吸収率が悪い．これらは小腸粘膜の還元酵素により，吸収されやすい還元型の鉄イオンとなり吸収される．このとき，還元剤として働くビタミンCやクエン酸を同時に摂取すると，鉄イオンを還元して吸収が促進される．ほうれんそうやココアに含まれるシュウ酸，穀物に含まれるフィチン酸，お茶に含まれるタンニンなどは，鉄イオンと結合して吸収を阻害する．吸収された鉄は，トランスフェリンと結合し，肝臓などに運ばれて貯蔵されるか，骨髄に運ばれて赤血球となる．

第1章　栄養の基礎

65歳以上の鉄の推奨量は，男性で7.5mg/日，女性で6.0mg/日である．食事から摂取した鉄のうち，1〜2mg程度が吸収され，それと同程度の1mgが消化管中に出されて便として排泄される．体内に3〜4gの鉄が存在することを考慮すると，1日に入れ替わっている鉄の量はわずかであることがわかる．これは，破壊された赤血球が新しく合成される赤血球の材料となるため，ほとんどの鉄が再利用されて排泄されないためである．

鉄が欠乏して貯蔵鉄や血清鉄が減少しても，ヘモグロビンの合成は優先される．さらに鉄が不足すると，ヘモグロビンをつくる材料がなくなり，鉄欠乏性貧血に陥る．貧血では，酸素を十分に組織まで運ぶことができなくなり，疲労しやすい，頭痛，動悸，食思不振などの症状がみられる．思春期や妊娠中には鉄の需要量が増加し，鉄欠乏性貧血に陥りやすい．

2．亜鉛

亜鉛は体内に2〜4g程度存在し，85〜90％が骨と筋肉に存在する．亜鉛の多くは酵素の成分であり，たんぱく質やDNAの合成に関与している．

亜鉛は，新陳代謝の活発な味蕾の形成に必要であるため，不足すると味覚障害が生じる．その他，欠乏症としては皮膚炎，口内炎・舌炎や脱毛，重症例では免疫・精神系の障害が現れる．亜鉛の欠乏症は，微量ミネラルのなかでは最も多く，高齢者や下痢症状のある患者，血液透析患者では注意が必要である．また，中心静脈栄養施行中の微量元素欠乏では，亜鉛の欠乏症の発症は，他の微量ミネラルと比較して短期間に出現する傾向がある．

男性の65〜74歳の亜鉛の推奨量は11mg/日，75歳以上で10mg/日，65歳以上の女性で8mg/日である．亜鉛を多く含む食品には，魚介類や肉類，豆類などがある．加工食品に含まれる添加物であるポリリン酸は亜鉛の吸収を妨げるため，加工食品などを頻繁に利用する人には味覚障害がみられることがあり，注意が必要である．

3．その他の微量ミネラル

魚介類や豆類に多く含まれる銅は，さまざまな酵素に含まれ，化学反応を触媒する．海藻類に多く含まれるヨウ素は，甲状腺ホルモンの原料となる．魚介類に多く含まれるセレンは，抗酸化作用を示す酵素の構成成分となる．野菜類や豆類に多いマンガンは，骨形成と骨吸収に関与する．レバーや豆類に多く含まれるモリブデンは，尿酸の産生にかかわる酵素の補因子となっている．肉類や魚介類に多く含まれるクロムは，糖質や脂質の代謝をサポートする．その他，肉類，魚介類に多く含まれるコバルトは，造血作用に不可欠なミネラルである．

（山縣誉志江）

....

文献

1）川端輝江：オールカラー　しっかり学べる！栄養学，ナツメ社，2012．
2）岸　恭一：タンパク質．静脈経腸栄養 **19**：9-15，2004．
3）中屋　豊：よくわかる栄養学の基本としくみ，秀和システム，2009．

55

4) Anthony JC et al：Signaling pathways involved in translational control of protein synthesis in skeletal muscle by leucine. *J Nutr* **131**：856S−860S, 2001.

5) 文部科学省：科学技術・学術審議会 資源調査分科会報告「日本食品標準成分表 2020 年版（八訂）」, 2020.

6) Elwyn DH：Energy and nitrogen metabolism：scientific basis for clinical practice. In：Problems in General Surgery, Vol8, No.1, pp14−22. Lippincott, Philadelphia, PA, 1991.

7) サルコペニア・フレイルを合併した CKD の食事療法検討ワーキンググループ：日本腎臓学会 サルコペニア・フレイルを合併した保存期 CKD の食事療法の提言．日腎会誌 **61**（5）：525−556, 2019.

8) 栢下淳子・他：質問票による低栄養状態のリスク判定に関する研究．日病態栄会誌 **9**：191−197, 2006.

9) 松田 朗・他：厚生省老人保健事業推進等補助金事業「高齢者の栄養管理サービスに関する研究：報告書」, 1997−1999.

10) 文部科学省：科学技術・学術審議会 資源調査分科会報告「日本食品標準成分表 2020 年版（八訂）脂肪酸成分表編」, 2020.

11) 日本動脈硬化学会編：動脈硬化性疾患予防ガイドライン 2017 年版, 2017.

12) Ainsworth BE et al：2011 Compendium of Physical Activities：a second update of codes and MET values. *Med Sci Sports Exer* **43**：1575−1581, 2011.

13) 杉山みち子・他：ごはん食と Glycemic Index に関する研究．日健栄システム会誌 **3**：1−15, 2003.

14) 中村丁次：栄養の基本がわかる図解事典, 成美堂出版, 2005, pp104−105.

15) 上西一弘・他：日本人若年成人女性における牛乳, 小魚（ワカサギ, イワシ）, 野菜（コマツナ, モロヘイヤ, オカヒジキ）のカルシウム吸収率．日栄・食糧会誌 **51**：259−266, 1998.

16) 佐々木敏：食事摂取基準入門 そのこころを読む, 同文書院, 2010, pp17−47.

第 1 章　栄養の基礎

4　運動時の栄養

　　高齢社会を迎え，さまざまな疾病により身体に障害をもつ人が増加している．その
ため，障害からの回復や，よりよい生活を送るために，リハの必要性が増している．
リハの種類は，障害の原因によってさまざまであるが，主に身体活動向上のための筋
力や運動機能の向上，ADL 能力の獲得，摂食嚥下機能の改善，コミュニケーション
能力の改善があげられる．特に筋力や運動機能の改善を目指す運動療法では，患者の
栄養状態を視野に入れてリハを進めていくことが大切である．疾患の影響による廃用
や低栄養が身体機能の改善の妨げになることが考えられ，患者の栄養状態に対する配
慮は重要である．

1 リハビリテーションを行う患者の必要栄養量

　　日常生活活動に加えてリハを行う場合，それだけエネルギー消費量は増す．リハで
どの程度のエネルギーが消費されたかを考慮し，必要なエネルギー量を提供する．

1．全エネルギー消費量（TEE）

　　基礎代謝エネルギー量（basal energy expenditure；BEE，kcal/ 日）は Harris-
Benedict の式（第 1 章 2，p23 参照）が用いられることが多い．リハにおいては基礎代
謝エネルギー量に加えて活動係数（activity factor；AF），ストレス係数（stress factor；
SF）を補足することが必要である．リハ患者は，疾患による炎症や回復時の消費エネ
ルギーが増加していたり，リハによる活動エネルギーが増加していたりするため，エ
ネルギー消費量も増加していることが多いからである．
　　リハ時の全エネルギー消費量（total energy expenditure；TEE）は，BEE を用いて
以下のような式で推計することができる．
　　TEE＝BEE×活動係数×ストレス係数
　　活動係数とストレス係数の例は第 1 章 2（表 1，2，p24）を参照されたい．

2．METs

　　エネルギー消費量は METs を用いて評価する．METs とは運動や身体活動の強度
の単位である．安静時と比較し，何倍に相当するエネルギーを消費するかで活動の強
度を表す．静かに座ってテレビや音楽鑑賞をする場合は 1 MET，健常人の普通歩行
（4.0 km/ 時）はおよそ 3 METs である．主な身体活動の METs は pp26〜27 を参照さ
れたい[1]．ベッドサイドのリハは 1.0〜1.5 METs，機能訓練室でのリハは 1.5〜

57

6 METs 程度のことが多い[2].

　個人の体重や，運動を行う時間により，身体活動量に相当するエネルギー消費量は異なる．個々のエネルギー消費量は以下の式で計算することができる．

エネルギー消費量(kcal)＝体重(kg)×METs×時間(h)

　たとえば，ある患者(体重 50 kg)が合計 3 時間のリハを行った場合のエネルギー消費量は以下のとおりである．

理学療法	ストレッチ 30 分	50(kg)×2.5(METs)×0.5(時間)＝62.5 kcal	
	階段昇降 30 分	50(kg)×3.5(METs)×0.25(時間)≒43.8 kcal	
		50(kg)×8.8(METs)×0.25(時間)＝110 kcal	
作業療法	更衣訓練 30 分	50(kg)×2.0(METs)×0.5(時間)＝50 kcal	
	上肢筋トレ 30 分	50(kg)×3.5(METs)×0.5(時間)＝87.5 kcal	
言語療法	会話訓練 60 分	50(kg)×1.5(METs)×1(時間)＝75 kcal	
総消費エネルギー量≒428.8 kcal			

　このリハ内容によって約 430 kcal を消費したことが導き出された．患者にリハを行う際は，エネルギー摂取量を考慮し，負荷量を検討する必要がある．

2 栄養素と必要量の考え方

　消費量に見合ったエネルギー摂取となるように栄養素量やエネルギー比率を考えることが重要である．エネルギー源となる栄養素は糖質(炭水化物)・脂質・たんぱく質であり，エネルギー産生栄養素とよばれる．各栄養素については第 1 章 3 を参照されたい(p28〜)．

栄養素の摂り方

　ある患者におけるベッド上安静時(1 日のエネルギー必要量が 1,400 kcal)と，リハを実施した場合(1 日のエネルギー必要量が 1,800 kcal)を比較してみる．糖質 60%，脂質 25%，たんぱく質 15%のエネルギー比の割合でそれぞれの栄養素量の摂取量を計算すると以下のような割合となる．

ベッド上安静(非リハ実施) (エネルギー必要量 1,400 kcal)

糖質の摂取量	840(kcal)÷4(kcal)＝210(g)
脂質の摂取量	350(kcal)÷9(kcal)≒38.9(g)
たんぱく質の摂取量	210(kcal)÷4(kcal)＝52.5(g)

リハ実施(エネルギー必要量 1,800 kcal)

糖質の摂取量	1,080(kcal)÷4(kcal)＝270(g)
脂質の摂取量	450(kcal)÷9(kcal)＝50(g)

第1章　栄養の基礎

| たんぱく質の摂取量 | 270（kcal）÷4（kcal）＝67.5（g） |

　非リハ実施時の1食は約470 kcal　（糖質70 g，脂質13 g，たんぱく質17.5 g）であり，食事例を以下に示す（E：エネルギー量，P：たんぱく質）．
　　・ごはん（150 g）　　　　：E 235 kcal　P 4.0 g
　　・みそ汁　　　　　　　　：E 26 kcal　P 2.3 g
　　・目玉焼き（55 g）　　　：E 102 kcal　P 6.8 g
　　・ごぼうのきんぴら　　　：E 92 kcal　P 1.6 g
　　・ほうれん草のおひたし：E 23 kcal　P 2.8 g

計：エネルギー量478 kcal，たんぱく質量17.5 g

　また，リハ実施時の1食は600 kcal（糖質90 g，脂質16.7 g，たんぱく質22.5 g）であり，非リハ時の食事に130 kcal追加するには，以下の①または②のような変更が必要である．
　　①みそ汁（E 26 kcal，P 2.3 g）→豚汁（E 170 kcal，P 6.3 g）
　　②目玉焼き（E 102 kcal，P 6.8 g）→ハムエッグ（E 217 kcal，P 13.4 g）
　このようにリハを実施する場合には，食事内容にも工夫が必要である．また，高齢者では食事量が多くないため，栄養補助食品を利用し，効率よくエネルギーや栄養素を補給することも重要である．

3　リハビリテーションと栄養素の働き

1．たんぱく質

　筋肉は大きなたんぱく質のプールである．筋肉は約75％の水分を含む．飢餓状態や侵襲がある場合，筋肉組織が分解されエネルギー源として使用される．また，筋肉をつくり，持久力をつけるには身体に必要なアミノ酸をバランスよく含むたんぱく質を摂取することが必要である[3]．

1）運動時の分岐鎖アミノ酸の働き

　必須アミノ酸である分岐鎖アミノ酸（BCAA）は，ロイシン，イソロイシン，バリンからなる．特にロイシンは，筋肉たんぱく質の合成を促進する働きと筋肉たんぱく質の分解を抑制する効果がある．分岐鎖アミノ酸は植物性たんぱく質より動物性たんぱく質に多く含まれている．**表1**に主な食品の可食部100 g当たりのエネルギー，たんぱく質，ロイシン，BCAA，脂質，糖質の含有量および目安量を示した[4]．

2）たんぱく質の摂取のタイミング

　運動ではたんぱく質分解が亢進すると同時に，たんぱく質合成が抑制される．運動後には，筋肉たんぱく質の合成が亢進し，たんぱく質分解が抑制される．そのため，運動直後に積極的にたんぱく質を摂取することが筋肉づくりには有用である．しかしながら，高齢者では運動直後にたんぱく質を摂取しても，筋肉のたんぱく質合成に寄与することが難しいことも知られている[5]．近年では，改めて3食の栄養バランスを整えることや，均等なたんぱく質を摂取することが重要であるといわれている[6]．

表1　食品の可食部 100 g 当たりのエネルギー，たんぱく質，ロイシン，BCAA，脂質，糖質の含有量および目安量

食品名	エネルギー (kcal)	たんぱく質量 (g)	ロイシン (mg)	BCAA (mg)	脂質 (g)	糖質 (g)	目安量
豆腐(木綿)	73	7.0	600	1,310	4.9	1.5	半丁：150 g 程度
納豆	190	16.5	1,300	2,940	10.0	12.1	1パック：80 g
あじ	112	19.7	1,500	3,360	4.5	0.1	中一尾：130 g
いわし	156	19.2	1,500	3,410	9.2	0.2	一尾：80 g
さけ	124	22.3	1,700	3,900	4.1	0.1	1切れ：80 g
さば	211	20.6	1,600	3,660	16.8	0.3	半身：150 g
たら	72	17.6	1,300	2,810	0.2	0.1	1切れ：100 g
まぐろ	102	24.3	1,800	4,100	1.0	Tr	刺身1切れ：10 g
あさり	27	6.0	380	850	0.3	0.4	10個：90 g
たらこ	131	24.0	2,200	5,000	4.7	0.4	1本：30 g
しらす干し	113	24.5	1,900	4,100	2.1	0.1	大さじ一杯：6 g
鶏卵	142	12.2	1,100	2,580	10.2	0.4	中一個：70 g
牛乳	61	3.3	320	700	3.8	4.8	コップ一杯：200 cc
プロセスチーズ	313	22.7	2,300	5,200	26.0	1.3	一枚：20 g
ヨーグルト(プレーン)	56	3.6	350	790	3.0	4.9	
牛肉	112〜514	9.7〜22	760〜1,800	1,680〜3,900	3.0〜56.5	0.1〜0.7	厚 1cm 一枚：150 g
鶏肉	98〜234	16.6〜24.6	1,300〜2,000	2,850〜4,400	0.8〜19.1	0〜0.1	もも肉一枚(皮なし)：200 g
豚肉	105〜398	13.4〜22.9	1,000〜1,800	2,230〜4,100	1.7〜40.1	0〜0.3	薄切り一枚：30 g
食パン	248	8.9	590	1,260	4.1	46.4	一斤6枚きり一枚：60 g
うどん(生)	249	6.1	410	880	0.6	56.8	1玉：200 g
中華麺(生)	249	8.6	670	1,440	1.2	55.7	1玉：120 g
めし(精白米)	156	2.5	190	423	0.3	37.1	お茶碗一杯：140 g
ジャガイモ	51	1.8	92	242	0.1	15.9	中1個：150〜200 g

(樋口，2009)[4]を改変

3）過剰摂取による弊害

必要量以上に過剰摂取したたんぱく質は，カルシウム再吸収が抑制され，骨粗鬆症などのリスクが高まることも報告されている[7]．

2．糖質

糖質はグリコーゲンとして筋肉(筋グリコーゲン)と肝臓(肝グリコーゲン)に貯蔵されている．筋グリコーゲンは筋収縮のために必要なエネルギーとして供給されており，運動時の大切なエネルギー源である．また，運動の持続力や疲労回復にも筋グリコーゲンは関係し，運動強度が増すほど筋肉が必要とするグリコーゲン量は増加する．

1）運動時の筋グリコーゲンと肝グリコーゲンの働き

運動を始めると，まず筋グリコーゲンが分解され，エネルギーとして利用される．高強度の運動や長時間運動では，次第に筋グリコーゲンが減少し，肝グリコーゲンが分解して，グルコースとなり血中に供給され，エネルギーとして利用される．筋グリコーゲンの増大により，運動持続時間が長くなり，持久力が向上する．

2）糖質の摂取のタイミング
①運動中の糖質補給

グルコース（ブドウ糖）を摂取した場合，グリコーゲン回復には効果的であるが，脂肪酸の利用を阻害する可能性がある．しかし，フルクトース（果糖）を摂取した場合は，脂肪の分解を妨げないことが検証されている[8]．つまり，運動中は脂肪からのエネルギー供給を容易にし，同時にグリコーゲンを回復することができるため，運動中の糖質補給はフルクトースが有用であることが示唆されている[8]．

②運動後の糖質補給

消費した筋グリコーゲンと肝グリコーゲンをできるだけ早く合成することは持久力向上のために重要であり，疲労からの早期回復にもつながる．糖質摂取のタイミングは運動終了後できるだけ早期に摂取するのがよい．30分以内が理想で，遅くとも1時間以内に行いたい．

柑橘類に含まれているクエン酸を糖質類と同時に摂取することにより，糖質がグリコーゲン合成に効率よく利用され，グリコーゲンの回復が早くなる効果がある[9]．また，併せて糖質とたんぱく質を摂取することで，消耗した筋グリコーゲンや肝グリコーゲンの回復が進み，アミノ酸からのエネルギー利用が抑制される．

3. 脂質

血液中の脂質には，遊離脂肪酸，トリグリセリド（中性脂肪），コレステロール，リン脂質の4種類がある．有酸素運動により，筋グリコーゲンと肝グリコーゲンがエネルギー源として利用され，一定時間を経過するとグリコーゲンの消費を抑えるためにトリグリセリドが第二のエネルギー源として利用される．この場合，筋肉内のトリグリセリドが分解され，同時に内臓脂肪や皮下脂肪などの脂肪細胞内のトリグリセリドも分解され利用される．

また，安静時における脂肪からのエネルギーの利用は少ないが，最大酸素摂取量の40〜70％に相当する中強度の全身持久性運動（20〜60分程度）の場合，エネルギー源は糖質と脂質で利用される．脂質の利用は，酸素の供給が十分な場合に利用されるのが特徴である．また，運動時間が長くなればなるほど，脂質からのエネルギー供給が重要になる．

4. ビタミン

ビタミンは，脂溶性ビタミンと水溶性ビタミンに大別される．脂溶性ビタミンは主に生理機能を正常に維持するために働き，水溶性ビタミンは体内で補酵素として主にエネルギー代謝に欠かせない働きをする．エネルギーの産生にはビタミンB群が関係している．運動時は糖質を代謝し，エネルギー源とする際に関係している．このため，ビタミンB群が不足することにより運動能力が低下する．ビタミンB_6は多くが筋肉に存在し，グリコーゲンからのエネルギー産生に関与している．**図1**にエネルギー代謝におけるビタミンの関与を示した[10]．

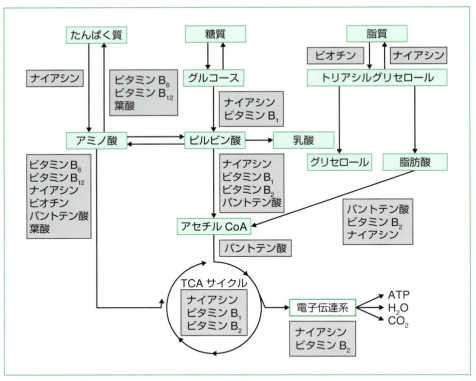

図1 エネルギー代謝におけるビタミンの関与 （加藤・他，2007）[10]

表2 水分必要量の算出

現体重1 kg 当たり	成人 30～50 mℓ/kg
	小児 100～150 mℓ/kg

（足立, 2010）[11]

5. 水分

　運動時の発汗によって，脱水状態となることを防ぐため，リハ時に水分をこまめに摂取することが必要である．特に高齢者は喉の渇きを感じにくい，体内の水分含有量が少ない，頻尿のため水分摂取を控えることなどがあり，脱水を引き起こす可能性があるので注意したい．水分必要量の計算式を**表2**[11]に示す．なお，この表に示す水分量は食事由来の水分も含む．

4 レジスタンストレーニングと持久性トレーニング

　レジスタンストレーニングには筋力増強や骨格筋量増加効果，持久性トレーニングには抗炎症作用，インスリン抵抗性の改善，骨格筋のミトコンドリア増加といった効果がある[12]．そのため，サルコペニアの予防に有用な可能性があるといわれている．両トレーニングとも，リハの対象となる高齢者の場合，対象者の疾患や生活環境，栄

養状態などに合わせて適切な負荷量を指導し，運動を継続できることが重要になる．

1．レジスタンストレーニング

　レジスタンストレーニングとは，筋肉に負荷をかける動きを繰り返し行うことをいう．レジスタンストレーニング実施時には 1 repetition（1 RM）の 70～80％程度の高負荷・低頻度で実施するものが基本であるが，近年では低負荷（1 RM の 40％程度）にても筋力増強効果が認められている[13]．したがって高齢者にレジスタンストレーニングを導入する場合には，まず 20～30％1 RM 程度で 8～12 回を 1 セットとし，3 セット程度の負荷から始め，徐々に負荷を上げていく．また，ダンベルやゴム製チューブを使用したり，レッグプレスなどのマシーンを使ったトレーニングにこだわらず，対象者の意向や生活環境に応じて，椅子からの立ち上がり運動や，階段昇降など，実際のADL 動作や自身の体重を負荷として行う運動も含めて処方するとよい．

2．持久性トレーニング

　持久性トレーニングでは，平地歩行や自転車エルゴメータなどが一般的であるが，

入院 ———————————————————————————————— 退院					
身体の様子		車椅子で移動	ベッドと車椅子の乗り移りが可能	両杖と両下肢装具を使用した平地歩行が可能	階段昇降が可能	装具なしでの平地の杖歩行が可能
レジスタンストレーニング・持久性トレーニング	自主トレーニング	•ベッド上にて等尺性収縮や自重での等張性収縮での筋力増強運動を最大強度に対する 40～50％を 30 秒程度で実施	•座位での自主トレを追加	•セラバイタルレッグプレス •歩行訓練 •運動負荷量を 2 週間ごとに見直す	•1 日 1 km の歩行訓練	
	理学療法	•装具を装着した歩行訓練 500 m 程度	•立ち上がり 50 回 •セラバイタルレッグプレス 15 RM	•歩行距離などの運動負荷量を 2 週間ごとに増加していく		
栄養介入		•朝，夕に高たんぱくエネルギーゼリーを摂取 •食事の摂取量が少ないため栄養について患者指導を行う	•運動量に合わせて提供カロリーをアップさせる			•夕食前に立ち上がり訓練 100 回実施
体重 /BMI		43.9 kg 19.5 kg/m²	43.8 kg 19.4 kg/m²	46.0 kg 20.4 kg/m²	48.7 kg 20.3 kg/m²	47.3 kg 21.0 kg/m²
体細胞量		17.8 kg				21.4 kg

図 2　症例の経過

高齢者の場合，身体活動としてとらえ，対象者の好む身体活動を継続するよう考慮してもよい．運動強度は基本的に Karvonen の式を用いて目標とする心拍数を提示するが，不整脈を有する場合は Borg scale などの自覚的運動強度を利用して，運動強度の目安を提示するとわかりやすい．

3. 運動療法と栄養投与に配慮したリハの一例[14]

〈症例〉40 歳代女性，くも膜下出血，脳梗塞，頸髄損傷．身長：150 cm，体重 43.9 kg，BMI 19.5 kg/m^2．歩行困難で回復期リハ病棟に入院．

〈経過〉**図 2** に示す．

本症例は入院時より，自主トレや歩行訓練を行い，運動量を確保し，身体機能の向上に合わせ運動内容や負荷量を変更した．また，食事前に高負荷の自主トレを行うなど運動実施時間を配慮したことで，体細胞量の増加や，活動能力が向上した．

（渡邉光子，影山典子）

文献

1) Ainsworth BE et al：2011 Compendium of physical activities：a second update of codes and MET values. *Med Sci Sports Exerc* **43**：1575-1581, 2011.
2) 若林秀隆：PT・OT・ST のためのリハビリテーション栄養？ 栄養ケアがリハを変える，医歯薬出版，2010，pp40-41．
3) 下村吉治：スポーツと健康の栄養学，第3版，ナップ，2011，p13．
4) 樋口 満：新版 コンディショニングのスポーツ栄養学，市村出版，2009，p64．
5) 山田 実：「サルコペニア診療ガイドライン 2017」を踏まえた高齢者診療．日老医誌 **56**（3）：217-226，2019．
6) 藤田 聡：筋トレの栄養学：サルコペニアとアミノ酸摂取．臨床リハ **29**(2)：131-138，2020．
7) Metges CC, Barth CA：Metabolic consequences of a high density — protein intake in adulthood：assessment of the available evidence. *J Nutr* **130**：886-889, 2000.
8) Saitoh S, Suzuki S：Nutritional design for repletion of liver and muscle glycogen during endurance exrcise without inhibiting lipolysis. *J Nutr Sci Vitaminol* **32**：343-353, 1986.
9) Saitoh S et al：Enhanced glycogen repletion in liver and skeletal muscle with citrate orally fed after exhaustive treadmill running and swimming. *J Nutr Sci Vitaminol* **29**：45-52, 1983.
10) 加藤秀夫，中坊幸弘：スポーツ・運動栄養学，講談社，2007，p48．
11) 足立香代子：足立香代子の実践栄養管理パーフェクトマスター，学研メディカル秀潤社，2010，p80．
12) 若林秀隆：サルコペニアに対する運動療法の実際．医事新報 **4677**：32-36，2013．
13) Agergaard J et al：Light-load resistance exercise increases muscle protein synthesis and hypertrophy signaling in elderly men. *Am J Physiol Endocrinol Metab* **312**(4)：E326-E338, 2017.
14) 中臺久恵：脳梗塞，脊髄損傷により四肢麻痺を呈し入院時体細胞量が減少していた患者に対し栄養介入と積極的運動療法にて改善が得られた一例．日本リハビリテーション病院施設協会，リハビリテーション・ケア合同研究大会 米子，2018．

第 1 章　栄養の基礎

5　栄養不良時の栄養

1　栄養不良の診断と分類

　栄養不良(undernutrition)の診断について，2018 年，欧州臨床栄養代謝学会(ESPEN)，米国静脈経腸栄養学会(ASPEN)，南米栄養治療・臨床栄養代謝学会(FELANPE)，アジア静脈経腸栄養学会(PENSA)による The Global Leadership Initiative on Malnutrition (GLIM)から GLIM criteria が発表された[1]．これは，妥当性が検証されているスクリーニングツールを用いてスクリーニングを実施し，アセスメント，低栄養を診断するツールである．スクリーニングツールとしては，Mini Nutritional Assessment–Short Form (MNA®–SF)，Nutritional Risk Screening (NRS)–2002，Malnutrition Universal Screening Tool (MUST)などが挙げられる．

　スクリーニングで，低栄養のリスクがあると判断された場合，低栄養の診断へと移る．アセスメントは，現症と病因で評価する(**図 1**)．低 BMI と筋肉量評価は，アジア人のための基準が示されている．現症と病因のそれぞれ 1 項目以上が該当する場合に低栄養と診断する．GLIM criteria では，低栄養と炎症に関連する病因を 4 つに分類している．①炎症を伴う慢性疾患関連低栄養，②最低限の炎症を伴う，または炎症のない慢性疾患関連低栄養(上部消化器閉塞，脳卒中，パーキンソン病，筋萎縮性側索硬化症または認知症/認知機能障害などの神経障害に起因する嚥下障害を含む)，③重症炎症を伴う急性疾患または外傷関連低栄養，④社会経済的/環境要因に関連する飢饉や食糧不足を含む，飢餓関連低栄養の 4 分類である(**図 2**)．

　炎症を伴う慢性疾患関連低栄養は，疾患によって誘発される食欲不振や組織崩壊を含む炎症反応を特徴とする異化状態が低栄養の原因とされる．飢餓関連低栄養は，貧困や社会的不平等，ケアの不足などの困難な状況の間に現れる可能性がある．問題は，エネルギー摂取量だけでなく，食物摂取の質にも影響を及ぼすことである．GLIM criteria は，体重や筋肉量，炎症などで簡単に低栄養が診断できるツールであり，セラピストも積極的に低栄養を診断し，リハ時に留意することが望まれる．

　GLIM criteria の他に，2012 年には ASPEN および米国栄養士会(the Academy of Nutrition and Dietetics；AND)が低栄養を Acute Illness or Injury (急性疾患/外傷)，Chronic Illness (慢性疾患)，Social or Environmental Circumstances (社会生活環境)の 3 タイプに分類している(**表 1**)．GLIM criteria の分類で示されている飢餓関連低栄養は，病院だけでなく在宅を含めた幅広い状況で使用できる Environmental Circumstances(社会生活環境)に置き換えられている[2]．

65

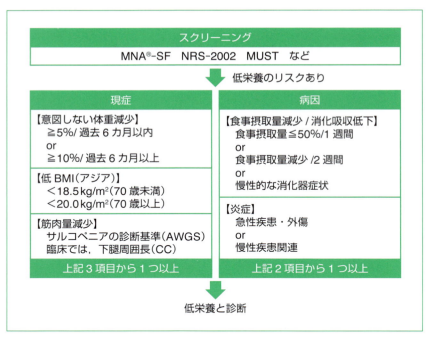

図1 GLIM criteria

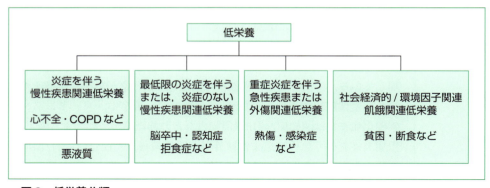

図2 低栄養分類

表1 AND/ASPENによる成人の低栄養分類

1. 急性疾患／外傷（Malnutrition in the Context of Acute Illness or Injury）
2. 慢性疾患（Malnutrition in the Context of Chronic Illness）
3. 社会生活環境（Malnutrition in the Context of Social or Environmental Circumstances）

（White et al, 2012)[2]を改変

　低栄養の要因を考えるときには，飢餓だけでなく，疾患によるもの，さらに炎症の有無を評価する必要がある．さらには，社会的・心理的要因も大きな影響を及ぼすこ

とが示され，社会全体の問題としてとらえるべき課題であることが示されている．低栄養の分類や原因については，多職種で話し合い対応する必要がある．

2 栄養不良時の代謝とリハビリテーションの留意点

栄養不良は，栄養摂取量不足による飢餓や炎症が関連している．

飢餓時（必要栄養量に満たない状態）は，不足しているエネルギーを得るために異化が亢進し，筋たんぱくの消耗がみられる．飢餓の状態で機能改善を目標としたリハを実施すると，リハによりエネルギー消費をさらに亢進させ低栄養を悪化させる．よって，飢餓時のリハは，機能維持を目標としたレベルで行う必要がある．しかし，現在低栄養でも栄養量が十分摂取できており，今後栄養状態が改善できると評価した場合には，機能改善を目標としたリハを行うことは可能である．

炎症を認める侵襲時も，筋たんぱくの消耗が起こり，異化が亢進する．手術や外傷など，急性の侵襲下の代謝変動はおおまかに異化期から同化期へと移行する．異化期では，侵襲によりストレスホルモンやサイトカインが産生され，筋たんぱく異化が亢進する．異化期では，飢餓時と同様に，機能維持程度のリハを実施するにとどめる．同化期に移行すると，適切な栄養管理でたんぱく合成がはじまるため，筋肉量の回復が見込める時期となる．同化期では，栄養量を確保しながら，積極的に機能改善を目標としたリハを行う．

異化期と同化期を見極めるには，窒素バランスを確認して判断する．窒素バランスが負であればたんぱく異化状態と判断し，正であればたんぱく同化状態と判断できる．しかし，窒素バランスを測定するためには蓄尿が必要となり，すべての患者に対して行うことは困難である．そのため，目安としてC反応性たんぱく（C-reactive protein；CRP）で評価する方法がある．CRPが3〜5 mg/dlまで低下すると同化期に移行したと考える目安がある[3]．検査値の目安と発熱などのバイタルサイン，摂取栄養量を合わせて評価してリハを実施する．

慢性炎症がみられる状態では，悪液質の評価を早期に実施して介入することが重要である．悪液質とは，「基礎疾患に関連して生ずる複合的代謝異常の症候群で，脂肪量の減少の有無にかかわらず筋肉量の減少を特徴とする．臨床症状として成人では体重減少，小児では成長障害がみられる」と定義されている[4]．悪液質では，慢性消耗性疾患に伴う異化亢進，食欲不振による摂取エネルギー量の減少からの体重減少（骨格筋減少）がみられる．悪液質の診断基準は，12カ月以内に5%の体重減少（あるいはBMI 20 kg/m^{2}未満）に加え，①筋力低下，②疲労感，③食思不振，④除脂肪体重低値，⑤生化学データの異常値（a.CRP>0.5 mg/dlあるいはIL-6>4.0 pg/ml，b.Hb<12.0 g/dl，c.Alb<3.2 g/dl）の5項目中3項目以上が該当する場合である[4]．運動（有酸素運動，レジスタンストレーニング）には抗炎症作用があり，飢餓を合併していなければ積極的なリハを実施する．また，運動による抗炎症作用で慢性炎症の改善ができれば，食思不振や栄養状態の改善が期待できる．悪液質のリハには，機能維持や機能改善だけでなく悪液質自体の改善も期待される．

低栄養状態でリハを実施する場合は，低栄養の原因が何か（飢餓，侵襲，悪液質）を評価することがまずは必要である．さらに，今後栄養状態の改善が見込める栄養摂取があるかを合わせて評価したうえでリハを実施することが求められる．

3 栄養不良の評価指標

栄養不良の分類で述べた AND/ASPEN 分類では，低栄養の分類に加えて低栄養の特徴として，エネルギー摂取量減少，体重減少，体脂肪減少，筋量減少，水分貯留，握力低下の6項目を挙げており，6項目中2項目以上に当てはまる場合，低栄養と判断する（**表2**）[2]．筋肉量減少，筋力低下も低栄養の特徴として挙げられており，セラピストによる評価も重要である．

1）エネルギー摂取量

エネルギー摂取量（食事摂取量）の評価は大変重要である．エネルギー消費量を下回る摂取量では，エネルギー量を確保するために筋たんぱく異化を引き起こし，体重減少や筋量減少を招く原因となる．エネルギー摂取量の評価は単独では意味をなさず，必ず体重や筋量，体脂肪量，血液生化学検査と合わせて評価することが必要である．必要栄養量は個々の体格，ADL，併存疾患などにより異なるため，患者ごとに評価する．

2）体重

体重減少（減量を目的とした場合を除く）は栄養状態を評価するうえでは重要な指標であり，かつ簡易に測定できる指標である．経時的な評価が重要であり，栄養状態の評価として体重変化率を用いる（**表3**）．

表2　AND/ASPEN による成人低栄養の成因別特徴

①エネルギー摂取量減少
②体重減少（通常時からの減少率）
③体脂肪減少
④筋量減少
⑤水分貯留（末梢浮腫，腹水等）
⑥握力低下

左記6項目のうち，いずれか2項目以上が該当すれば低栄養と判断する

(White et al, 2012)[2]を改変

表3　体重変化率

体重変化率（%体重変化）＝（通常時体重－実測体重）/ 通常時体重×100

有意の体重変化と判定される場合	
体重変化率≧1～2%	1週間
5%	1カ月
7.5%	3カ月
10%	6カ月

＊ 10%以上の体重変化は，期間にかかわらず有意と判断する

ただし，筋肉量が減少しているのか，体脂肪量が減少しているのかは判断できないという問題点もある．また，体水分（浮腫，腹水など）の影響も受けるため，病態と合わせての経時的な変化，他の指標と合わせて評価することが必要になる．

3）体脂肪量

筋肉量の減少が注目されているが，体脂肪量の減少も過剰でない限り問題となり，低栄養評価の一つとなる．体脂肪組織は，ホルモン分泌や体温調節，エネルギー貯蔵などさまざまな役割をもっている．体脂肪量の評価には，コンピューター断層撮影法（computed tomography；CT）や生体電気インピーダンス法（bioelectrical impedance analysis；BIA），二重エネルギーX線吸収法（dual energy X-ray absorptiometry；DXA），超音波法など，検査機器が必要である．検査機器がない場合，エネルギー貯蔵量を推定する，上腕三頭筋部皮下脂肪厚（triceps skinfold thickness；TSF）を測定する方法もある．TSF は年齢ごとに基準値が報告されており（**表4**）[5]，計測値を各年齢の平均値と比べて評価する．しかし，検者内・検者間信頼性や妥当性が低いことには注意が必要である．TSF はキャリパーがあれば測定可能であり，セラピストにも簡易に測定可能である．

表4　日本人の新身体計測基準値：TSF（mm）

年齢	男性	女性
	平均値	
18～24 歳	10.98	15.39
25～29 歳	12.51	14.75
30～34 歳	13.83	14.50
35～39 歳	12.77	16.14
40～44 歳	11.74	16.73
45～49 歳	11.68	15.46
50～59 歳	12.04	16.76
60～64 歳	10.04	15.79
65～69 歳	10.64	19.70
70～74 歳	10.75	17.08
75～79 歳	10.21	14.43
80～84 歳	10.31	12.98
85 歳～	9.44	11.69

（日本栄養アセスメント研究会身体計測基準値検討委員会，2002）[5]を改変

4）筋肉量

筋肉量の減少はサルコペニアの原因の一つとされており，健康障害や ADL，QOL の低下を招く大きな問題となる．評価指標は体脂肪量と同様に，CT，BIA，DXA，超音波法などが用いられる．検査機器がない場合は下腿周囲長（calf circumference；CC）を用いることも可能である．CT では，第3腰椎（L3）レベルの腸腰筋面積を身長で補正した数値（psoas muscle index；PMI）から，日本人の骨格筋量減少の基準として 50 歳未満の健常人の PMI 平均値−2SD（男性 $6.36 \mathrm{~cm^2/m^2}$，女性 $3.92 \mathrm{~cm^2/m^2}$）をカットオフ値とする報告がある[6]．BIA では，アジアのサルコペニアワーキンググループ（Asian Working Group for Sarcopenia；AWGS）より，四肢骨格筋量を身長で補正した数値（skeletal muscle mass index；SMI）を用い，筋肉量減少の基準を男性 $7.0 \mathrm{~kg/m^2}$ 未満，女性 $5.7 \mathrm{~kg/m^2}$ 未満としている．DXA では，AWGS による基準として SMI 値が，男性 $7.0 \mathrm{~kg/m^2}$ 未満，女性 $5.4 \mathrm{~kg/m^2}$ 未満としている[7]．超音波では，大腿直筋の筋厚において，男性 2.0 cm，女性 1.6 cm を骨格筋減少のカットオフ値としている[8]．CC は，AWGS では男性 34 cm，女性 33 cm をカットオフ値としている[7]．日本人の入院患者における骨格筋減少のカットオフ値は，男性≦30 cm，女性≦

29 cm であり[9]，臨床現場で CC を用いることで，簡単に筋肉量評価が可能である．いずれも，骨格筋減少の有無を評価するとともに，数値の変化を経時的に評価する必要がある．

5）水分貯留

水分貯留の原因が何かをまずは評価する必要がある．疾患によるものか，低アルブミン血症や低栄養によるものかの評価が必要である．末梢浮腫の評価は目視による主観的な評価，メジャーによる同一部位の下腿周囲計の測定などが可能だが，腹水や胸水などは検査が必要になる．

6）握力

握力は入院時の栄養状態と関連しており[10]，栄養評価項目でも重要である．また，筋力の評価指標として用いられ，ADL 指標としても重要である．筋力の低下の指標として，AWGS は男性 28 kg 未満，女性 18 kg 未満をカットオフ値としている[7]．握力でも，筋力低下の有無を評価するとともに，経時的な変化を評価することが重要である．

体重や筋肉量，握力なども栄養指標の一つであり，簡単に測定可能である．セラピストがリハ時に測定することで，栄養評価やサルコペニアの評価も可能になる．

4 Refeeding 症候群の予防と栄養管理

Refeeding 症候群とは，飢餓状態，重度の低栄養または代謝ストレスを受けた患者に栄養を再投与した結果生じる代謝障害からなる症候群である．原因は，急激なグルコースの負荷による代謝の変化に伴うグルコースと電解質の細胞内移動である．慢性的な低栄養状態では，グルコース消費量が減少し，細胞内のたんぱく質合成速度も低下している．そのため，糖新生の速度低下を認め，リンやカリウム，マグネシウムの細胞内需要も減少している．その状態でグルコースが投与されると，血糖値の上昇からインスリンの分泌が増加する．そしてグルコースとともに，リン，カリウム，マグネシウムなどが細胞内に移動する．この電解質の急激な移動が低リン血症，低カリウム血症，低マグネシウム血症を引き起こす．

予防として重要なことは，refeeding 症候群を発症するリスクを認識することである．refeeding 症候群の発症リスクを**表5**に示す[11]．低体重や入院前の栄養摂取量の情報は極めて重要になる．

Refeeding 症候群の栄養管理では，ビタミンや電解質の投与が必要になる．栄養投与前の血清電解質が正常値であっても，リスクに応じてビタミンや電解質を投与する．栄養投与開始の速度はリスク度によって異なる．10 kcal/kg/日から栄養投与を開始し，臨床症状と血液生化学検査によって refeeding 症候群の発症が否定されてから，4〜7日以上かけて段階的に投与量を増量する．極めて高度な患者では，5 kcal/kg/日以下の速度で開始する．まずは，リスクの把握，臨床症状，バイタルサインの確認，電解質の補正が最優先であり，栄養投与を急がないことが重要となる．　　　　　（塩濱奈保子）

第 1 章　栄養の基礎

表 5　refeeding 症候群を発症するリスク

1. 中等度の発症リスクを有する患者 　5 日間以上栄養摂取がほとんど，または全くない
2. 高度の発症リスクを有する患者 　次の項目を 1 つ以上満たす患者 　　・BMI が 16.0 kg/m^2 未満 　　・過去 3 〜 6 カ月で意図しない体重減少が 15%を超える 　　・10 日間以上の栄養摂取がごくわずか，または全くない 　　・栄養投与をする前の血清カリウム，リン，マグネシウムのいず 　　　れかが低値 　または，次の項目を 2 つ以上満たす患者 　　・BMI が 18.5 kg/m^2 未満 　　・過去 3 〜 6 カ月で意図しない体重減少が 10%を超える 　　・5 日間以上の栄養摂取がごくわずか，または全くない 　　・アルコール依存，または，インスリン，化学療法，制酸薬，利 　　　尿薬の服用
3. きわめて高度の発症リスクを有する患者 　　・BMI が 14.0 kg/m^2 未満 　　・15 日間以上の栄養摂取がごくわずか

（National Institute for Health and Clinical Excellence）[11]を改変

文献

1) Cederholm T et al：GLIM criteria for the diagnosis of malnutrition–A consensus report from the global clinical nutrition community. *Clin Nutr* **38**：1–9, 2019.

2) White JV et al：Consensus statement：Academy of Nutrition and Dietetics and American Society for Parenteral and Enteral Nutrition：characteristics recommended for the identification and documentation of adult malnutrition (undernutrition). *J Parenter Enter Nutr* **36**：275–283, 2012.

3) 島　秀夫・他：侵襲下の内因性エネルギー供給を考慮した理論的なエネルギー投与法. 日外感染症会誌 **7**：267–280, 2010.

4) Evans WJ et al：Cachexia：a new definition. *Clin Nutr* **27**：793–799, 2008.

5) 日本栄養アセスメント研究会身体計測基準値検討委員会：日本人の新身体計測基準値 JARD 2001. 栄評治 **19**(増)：69, 2002.

6) Hamaguchi Y et al：Proposal of new criteria of low skeletal muscle mass using computed tomography imaging in Asia：Analysis of 541 healthy adults. *Nutrition* **32**：1200–1205, 2016.

7) Chen LK et al：Asian Working Group for Sarcopenia：2019 Consensus Update on Sarcopenia Diagnosis and Treatment. *J Am Med Dir Assoc* **21**：300–307, 2020.

8) Minetto MA et al：Ultrasound–Based Detection of Low Muscle Mass for Diagnosis of Sarcopenia in Older Adults. *PMR* **8**：453–462, 2016.

9) Maeda k et al：Predictive Accuracy of Calf Circumference Measurements to Detect Decreased Skeletal Muscle Mass and European Society for Clinical Nutrition and Metabolism–Defined Malnutrition in Hospitalized Older Patients. *Ann Nutr Metab* **71**：10–15, 2017.

10) Guerra RS et al：Handgrip Strength and Associated Factors in Hospitalized Patients. *J Parenter Enteral Nutr* **39**：322–330, 2015.

11) National Institute for Health and Clinical Excellence：Nutrition support in adults. Clinical Guideline CG32, 2006.（http://www.nice.org.uk/CG32）

6 侵襲時の栄養

　侵襲時には通常の代謝とは違い，生体反応として恒常性が乱れ，代謝が亢進することで低栄養に陥りやすい．低栄養に陥ったまま侵襲を受けたり，侵襲時に低栄養に陥ったりすると，日常生活動作(ADL)の低下，主観的健康感の低下，創傷治癒の延期，感染症や合併症が誘発される．その結果，在院日数の延長や再入院率の上昇，余命減少などがもたらされる．外傷や緊急手術を除き，侵襲時の低栄養もしくは低栄養のリスクが見込まれる場合には，術前から積極的にリハと栄養管理を行うことが大切である．

1 術前の栄養管理

1. 術前の栄養スクリーニングとアセスメント

　術前の栄養管理を進めるにあたって，必要なのが栄養スクリーニングとアセスメントである．栄養状態のスクリーニングには主観的包括的評価方法(SGA)[1]などが推奨される．SGAは患者や家族，医療スタッフの主観による評価法で，体重の変化，食事摂取量の変化，消化器症状，活動の状況，問診から聞く身体状況などの項目から，栄養状態のリスクを判断する．

　また，客観的栄養指標として，身体計測や血液・尿生化学検査，身体機能検査がある．身体計測は，身長や体重，％健常時体重，％理想体重，握力，上腕三頭筋皮下脂肪厚，上腕周囲長や下腿周囲長などの項目があげられる．脂肪量や筋肉量の測定には体組成計を用いてもよい．

　血液・生化学検査は，大きく分けて静的栄養指標と動的栄養指標に分けられる．静的栄養指標では短期間の栄養状態の変化は評価できないが，検査前の一定期間の平均的な栄養状態の把握に優れている．代表的なものに血清アルブミン値や血中コレステロール値，コリンエステラーゼ，末梢血中総リンパ球数などがある．一方，動的栄養指標は短期的な栄養状態の把握に優れており，代表的なものはトランスサイレチン(プレアルブミン)がある．その他にも，身体機能検査として循環器や呼吸器，腎機能，肝機能，耐糖能などの精査，摂食嚥下機能評価も合わせて行っておく必要がある．

　これら，主観的評価と客観的栄養評価のなかから，目の前の患者の栄養管理を行ううえで優先度の高いものを判断し，栄養管理の方向性を明確化しておく．栄養アセスメントは，侵襲の大きさや介入時の患者の状態，術後の生体反応を予測して行うことが重要である．なお，緊急手術の場合には生化学検査データと家族からの聞き取りなどから栄養状態をアセスメントする．

第 1 章　栄養の基礎

表　術前栄養管理適用基準

- ・6 カ月で 10 〜 15％以上の体重減少がある場合
- ・BMI が 18.5 kg/m² 以下の場合
- ・SGA（主観的包括的評価）でグレード C（高度低栄養），または NRS が 5 点以上の場合
- ・血清アルブミン値が 3.0 g/dl の場合（肝臓・腎臓機能異常の場合は除く）

(Weimann et al, 2021)[2]

2．術前の栄養補給の注意点

　術前に低栄養に陥りやすい病態としては，急性疾患（急性炎症）や慢性疾患（悪液質），飢餓（消化管の吸収障害・通過障害，食思不振）などがある．特に，6 カ月以内に体重減少が 10 〜 15％以上，BMI＜18.5 kg/m² 以下，SGA で高度の栄養不良と判断された，または［NRS（nutritional risk screening：BMI，体重減少，食事摂取量低下に疾患の重症度を加えた栄養スクリーニングツール）］が 5 点以上の場合，血清アルブミン値が 3.0 g/dl 未満（肝機能障害や腎機能障害は除く）の場合は，周術期のハイリスク症例として，低栄養改善のための特別な栄養療法が必要不可欠である（**表**）[2]．これらの患者は 10 〜 14 日程度の術前栄養療法が必須である．経口摂取が可能の場合には経口補助食品などを使用し，不可能な場合には経腸栄養の併用も考慮に入れる．どの栄養補給方法であっても絶食期間や摂食量，飲水量を聴取し，refeeding syndrome，微量元素，ビタミンなども含めた栄養状態の管理に留意し栄養管理を行うことが大切である．ハイリスク症例を見逃すことのないように，栄養スクリーニングおよびアセスメントを常に行うことが重要である．

　また，患者の栄養状態にかかわらず，手術の 5〜7 日前からメジャーながん手術を受けるすべての患者に免疫栄養法（immunonutrition）が推奨される．免疫栄養は，低栄養患者の術後 5〜7 日間，または患者が少なくとも必要量の 60％以上の栄養補給が行えるまで継続する必要がある[3]．免疫栄養法とは，免疫機能を賦活，または調整する特殊な栄養素を摂取する方法である．代表的な栄養素にはアルギニン，n−3 系脂肪酸〔エイコサペンタエン酸（EPA）やドコサヘキサエン酸（DHA）〕などがある．その他，長期にわたり低栄養にあったと考えられる場合には，ビタミンや微量元素が不足している可能性が高く，手術までに補充しておくことが望ましい．

　術前の安静に関しては，医師が患者に対し安静が必要と判断しない限り，必要以上に安静を保つ必要はなく，侵襲によるサルコペニアを予防するためにも，積極的に運動療法を行うべきである．

3．手術直前の食事

　長年，手術前に絶・禁食が行われてきたが，近年では消化管機能を保つために，禁食は行わない．固形食，牛乳は手術の 6 時間前まで，水や茶，果肉を含まないジュースなどの水分は，手術 2 時間前までは摂取が推奨されている[4]．

2 術後の栄養管理

1. 侵襲による身体変化

術後の栄養管理では，創部感染症や呼吸器合併症など，さまざまな合併症の予防と筋たんぱく質の異化の軽減が目標となる．侵襲が加わると生体反応として，水分・NaバランスとKバランス，窒素バランスに変化が起こる（**図1**）[5]．

1）水分・Naバランス

侵襲が起こると生体反応による体液の移動が起こる．手術により損傷を受けると血管の透過性が亢進し，その結果，細胞外液が細胞と細胞の間のサードスペースとよばれる隙間に移動する．侵襲が大きいほどこのサードスペースに水分が移動し，循環量は増加せず浮腫が起こる．投与した水分量よりも尿量が少ない状態で，点滴などで高カロリー輸液を入れても異化が起こっており，輸液をエネルギーとして利用するのは難しい．術後の尿量は 0.5〜1.0 m*l*/kg/ 時間を目安とするが，術後3〜4日経過して，尿量が増加しない場合は感染症を疑う．多尿により，同化相となったことが確認できたら，徐々に投与エネルギーを上げ，積極的栄養管理を開始する．

2）窒素バランス

ストレス反応によりカテコールアミン，コルチゾール，グルカゴンなどのストレス反応ホルモン，神経内分泌系，サイトカインなどのメディエーターが生じ，異化反応を促進し，窒素バランスを負に導く．窒素バランスが負とは，体たんぱく質の減少を示している．この時期を異化相という．この状態は体重減少を引き起こす．異化相の指標となるのが，尿中の窒素排泄量である．侵襲により壊されたたんぱく質はアミノ酸になって再利用されるが，再利用できない窒素は尿中に排泄される．侵襲が大きくなるほど尿中の窒素排泄量も増える．異化相である負の窒素平衡は，術後数日間持続

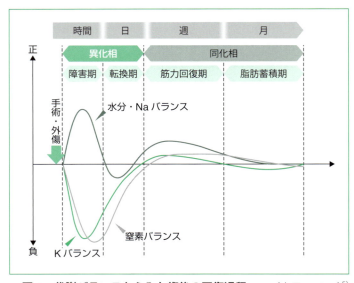

図1　代謝バランスからみた術後の回復過程　　　　（東口，2011）[5]

し，1日10～20 g の尿素窒素が排泄され，合併症の併発や重症感染下でも窒素排泄の持続や増加が起こる．しかし，水分・Na バランスの変化により浮腫の併発時には，水分による体重増加により筋肉損失を見逃すこともあるので，胸腹水の貯留，溢水傾向がないかなどを確認する．また，浮腫は血圧（特に拡張期）や心拍数の推移，指先などの末梢温，尿量などにより血管内容量を評価し，投与輸液量の調整を行う．

3）インスリン抵抗性

術後早期には，ストレス反応ホルモン（カテコールアミン，コルチゾール，グルカゴンなど）の影響で，インスリン抵抗性が引き起こされ，高血糖が起こりやすい．インスリン抵抗性による高血糖は，細胞で糖を利用できないことを意味し，エネルギーの不足分を補うために体脂肪や筋たんぱくを分解するため，負の窒素バランスを引き起こしやすい．術後に糖尿病の既往がなく高血糖が認められた場合は，輸液のグルコース投与速度を落とし，血糖値の変化を観察する．また，血糖値が 300 mg/dl を超えた場合には，インスリンを投与して血糖コントロールを行う．また，低血糖も，術後合併症や死亡率の発生頻度を増加させる[6]ため，血糖変動を考慮に入れ，運動栄養療法を行っていく．

2．術後栄養補給の開始時期

術後はできるだけ早く経口摂取を開始することが推奨される．胃がんや大腸がん手術後の経口摂取開始時期は，以前と比較し早くなっており，手術当日開始になることもある．食物摂取が吻合部に過度の負担をかけない場合には，少なくとも術後2～3日目に経口摂取を開始する．食道がんなどの侵襲の大きな手術では当日からの経口摂取は困難なため，術中に作成した腸瘻にて早期経腸栄養を施行する．術後の栄養補給方法は，①経口摂取，②経管栄養，③経静脈栄養の順に選択し，投与量が不十分な場合には①～③を組み合わせて行っていく．

3．術後栄養必要量

生体侵襲にさらされると生体に神経内分泌，免疫機構，代謝に関する急性生体反応が出現する．侵襲期は異化相，同化相に分けられる（**図 1**）．異化相では筋力回復が得られる同化相へ速やかに移行できるように，同化相では速やかに筋力回復し，筋肉と脂肪を蓄積できるように，適切な栄養必要量の設定を行わなければならない．

1）エネルギー

侵襲期では，エネルギー代謝が亢進していることが多い．必要エネルギー量は間接熱量計を用いて実測し，設定することが望ましい．しかし，病態が変動しやすい周術期や集中治療時には簡易式で求めることも少なくない．術直後から徐々に増やし，25 kcal/kg 理想体重/日を基準とする．高度侵襲下においては 30 kcal/kg 理想体重/日を上限とする[7]．

2）たんぱく質

異化が起こり，体たんぱくの崩壊が起こると，たんぱく質の補充が必要となる．異化を必要以上に起こさせないために，たんぱく質は食事摂取基準推奨量を上回るよう

に高めに設定する．たんぱく質は 1.2～2.0 g/kg/日に設定し，投与エネルギーの約20%程度に設定する．既存の高カロリー輸液基本液を投与するとたんぱく質不足になることがあるので注意する．

3）脂質

脂質は，糖の利用の限界を補う意味で重要である．脂質は全体の20%前後で設定し，経静脈脂肪投与では，最大 1～1.5 g/kg/日に設定し，投与速度は 0.1 g/kg/時間以下に設定する．しかし，感染症や臓器障害などにより脂質の利用能が低下している場合もあり，注意を要する．

4．異化期に栄養評価を行う指標

異化期の栄養投与量の評価は，血糖値で行う．血糖値は 150 mg/dl 以下を目標とする．血糖値が高い場合には，高血糖にならないようにまず糖質の投与量を調節し，必要時にはインスリンの投与を行う．その他，尿糖，アスパラギン酸アミノトランスフェラーゼ(AST)，アラニンアミノトランスフェラーゼ(ALT)，血中尿中窒素(BUN)なども含め評価し，血糖値が高く，これらの値が高ければ投与量が多いと判断し，適正なエネルギー投与量に変更する．

また，栄養管理の結果評価として，通常であれば最も簡便な指標は体重であるが，急性期の測定は困難であるので，たんぱく代謝の指標を用いる．たんぱく代謝の指標には，侵襲期では半減期が長く，血管透過性の亢進，輸液による希釈の影響を受ける血清アルブミン値は適さない．レチノール結合たんぱくやトランスフェリンなどの動的栄養指標にて評価を行うことが望ましい．

5．早期経口栄養摂取

術後の経口摂取は，迅速かつ安全に行う必要がある．早期経口栄養摂取は，術後の迅速な回復を促す集学的リハプログラムのなかで中核的な役割を果たしている．術後の経口摂取を迅速かつ安全に行うための術後回復強化法に，ERAS（Enhanced Recovery After Surgery）プログラムが推奨されている（**図2**）．ERAS プログラムでは，プログラムを行わなかった場合と比較し，在院日数の短縮，合併症の有意な減少が示され，経鼻胃管の再挿入率，再入院率，死亡率では両群間に有意な差が認められなかったとの報告がなされている[8]．つまり，集学的なアプローチを行うことは重要であり，さまざまな職種によるチーム医療が患者のケアに重要であることを意味している．

6．術後経口栄養補給の注意点

術後の食事は，日本特有の文化として，どんな病態であっても重湯やスープなどの流動食から食事を開始し，3分粥，5分粥，7分粥と段階を経ていた．しかしながら，現在では全粥や普通食から開始しても問題ない．上部消化管手術では，嚥下障害の有無，吻合部に異常のないことを確認したのち，固形物の摂取を開始する．一方，消化管機能が温存される手術では，病状や患者の食欲に合わせて食べたい食事の提供をする必要があり，必ずしも段階食どおりに提供する必要はない．その他，経口摂取を進

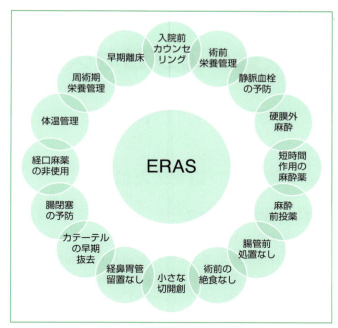

図2　ERASプログラム

めるにあたり，いくつかの注意点を示す．
①経鼻胃管による食事中の違和感や誤嚥のリスクを低減し，食事摂取を促進するために，経鼻胃管をできるだけ留置しない．
②術後検査等のために必要以上に絶食にしない．
③嘔気，嘔吐，疼痛のコントロールを行う．
④経口摂取が不十分な場合には，栄養補助食品の利用を行う．
⑤経口摂取と経腸栄養，経静脈栄養を併用している場合は，経口摂取量に合わせ，経腸栄養，経静脈栄養からの投与量を増減していく．

（園井みか）

文献

1) Detsky AS et al：What is subjective global assessment of nutritional status? *JPEN J Parenter Enteral Nutr* 11(1)：8-13, 1987.
2) Weimann A et al：ESPEN guideline: Clinical nutrition in surgery. *Clin Nutr* 40：4745-4761, 2021.
3) Mariette C：Immunonutrition. *J Visc Surg* 125(Suppl 1)：S14-17, 2015
4) 伊藤健二：術前絶飲食ガイドラインの考え方：日臨麻会誌 35(2)：266-271，2015．
5) 東口髙志：「治る力」を引き出す 実践！臨床栄養，医学書院，2011，p156．
6) van den Berghe G et al：Intensive insulin therapy in critically ill patients. *N Engl J Med* 345(19)：1359-1367, 2001.
7) Beth E Taylor et al：Guidelines for the Provision and Assessment of Nutrition Support Therapy in the Adult Critically Ill Patient:Society of Critical Care Medicine(SCCM) and American Society for Parenteral and Enteral Nutrition(A.S.P.E.N.). *Crit Care Med* 44(2)：390-438, 2016.
8) Gouvas N et al：Fast — track vs standard care in colorectal surgery：a meta — analysis update. *Int J Colorectal Dis* 24：1119-1131, 2009.

7 栄養ケアプロセス

1 栄養ケアプロセスとは

1. 栄養ケアプロセスとは

栄養ケアプロセス（nutrition care process；NCP）は，栄養障害の診断と対策を標準化する目的で 2003 年に米国の Academy of Nutrition and Dietetics（AND）により提唱された臨床栄養管理の手法である[1]．NCP は「栄養診断」という新しい概念を含み，使用する言葉を標準化，コード化しているところが大きな特徴である．単に個々の栄養ケアを標準化するだけでなく，栄養ケアを提供するための過程を標準化することも目的としている．

2. 栄養ケアマネジメントと栄養ケアプロセスの違い

これまでのわが国の栄養ケアの考え方は，栄養ケアマネジメントとして進められてきた．栄養ケアマネジメントでは，それぞれの管理栄養士によって栄養アセスメントの言葉や概念，方法が異なり，多職種の理解や介入方法，問題解決に混乱が生じることもあった．一方 NCP では，言葉や方法の統一により，多職種の栄養に対する理解も容易になり，チーム医療への貢献が期待できる．栄養ケアマネジメントでの栄養アセスメントを，NCP では「栄養アセスメント（栄養状態の評価）」と「栄養診断（栄養状態の判定）」に分けて扱っている（**図**）[2]．

また，栄養ケアマネジメントでは，栄養状態の現状把握が不足していた．栄養ケアマネジメントでの栄養アセスメントは，身体計測（体組成や栄養素の貯蔵状態），生理・生化学検査（組織，臓器の栄養状態および機能状態），臨床所見（栄養障害による症状の調査，既往歴，現病歴など），食事調査（エネルギーおよび栄養素の摂取状況）などを総合的に評価して栄養状態を判定する．それにより，低栄養や過栄養の把握は可能であるが，原因追及までは求められておらず，問題解決案が明確でないことも多い．一方，NCP での栄養アセスメント（栄養状態の評価）は，適切な栄養診断の根拠を導き出すプロセスであり，栄養状態を定められている 5 つに区分して評価する（**表 1**）[3]．そのため問題点を把握しやすく，現状の栄養状態の原因がどこにあるかが明確になりやすい．NCP では栄養アセスメントを行った後，栄養の問題を根拠に基づいて栄養診断する．栄養状態の問題（原因）を明確にして診断（判定）することで，本来あるべき姿と現在の姿の差を認識（＝現状把握）できる．

さらに，栄養ケアマネジメントではゴール設定がなかった．栄養アセスメントの後

第1章 栄養の基礎

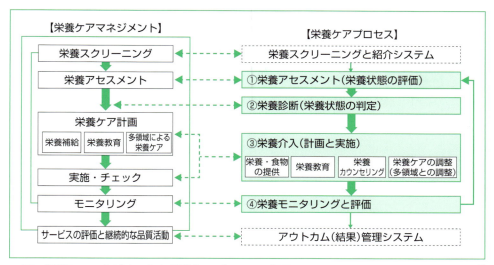

図　栄養ケアマネジメントと栄養ケアプロセスの概要　　　　　　　　　　　（片桐，2014）[2]

表1　栄養ケアプロセスでの栄養状態の評価項目

コード	項目	内容
FH	食物／栄養関連の履歴	食物・栄養素摂取，食物・栄養素管理，薬剤・栄養補助食品の使用，知識・信念，食物・補助食品の入手のしやすさ，身体活動，栄養に関連した生活の質
AD	身体計測	身長，体重，体格指数（BMI），成長パターン指標・パーセントタイル順位，体重の履歴
BD	生化学データ，医学検査と手順	検査値（例：電解質，グルコース）と検査（例：胃内容排泄時間，安静代謝率）
PD	栄養に焦点をあてた身体所見	身体所見，筋肉や脂肪の消耗，嚥下機能，食欲，感情
CH	既往歴	個人的履歴，医療的・健康・家族履歴，治療，補完・代替薬剤の使用，社会的履歴

（日本栄養士会，2012）[3]を改変

にすぐに栄養計画を立案，実施のプロセスが続く．長年，管理栄養士は栄養ケアマネジメントに沿って栄養管理を実施してきたため，ゴール設定を行う習慣がない．漠然と「栄養状態の改善」や「必要栄養量の確保」が目標とされてきた．多職種との連携により栄養管理を実施するなかで，具体的な目標がなかったり，将来像が描けない目標を掲げても適切な栄養管理を行うことはできない．NCPでは，栄養評価であげられる栄養状態の問題になる原因が明確になることで，問題解決の目標が具体化できる．また，栄養診断の後，栄養介入のプロセスにおける批判的思考のなかに目標の設定（ゴール設定）について表記されている．

2　栄養ケアプロセスの概略

　NCPは「栄養アセスメント」「栄養診断」「栄養介入」「栄養モニタリングと評価」より構成されている．栄養アセスメントの前に，まずは栄養リスクの有無を評価する

79

表2　代表的な栄養スクリーニングツール

スクリーニングツール	特徴
SGA	1982年に提唱され主観的・包括的な評価を行う．採血や特別な機器を必要とせず，誰でもどこでも活用することができる利点がある．しかし，熟練度により評価が異なる場合もある．
MNA®（MNA®-SF）	1994年に提唱され，高齢者を対象としているところが特徴的である．MNA®は16項目からなるが，MNA®-SFは6項目と簡便である．体重が測定できない場合，下腿周囲長で代用できる点も特徴的である．
MUST	英国静脈経腸栄養学会（BAPEN）により提唱され，成人を対象としている．3項目をスコア化し，総計するだけの簡便なものである．「5日以上の栄養摂取を障害する可能性のある急性疾患の存在」と他のツールにはない特徴的な項目がある．
NRS2002	欧州静脈経腸栄養学会（ESPEN）により提唱され，急性期病院の入院患者を対象としている．高齢者のリスクを考慮しているところが特徴的である．

「栄養スクリーニング」がある．また，栄養モニタリングと評価の後，目標達成ができれば，過程（経過）評価，影響評価，経済評価，総合評価に分けて解析する，「アウトカム（結果）管理システム」という段階もあり，広くNCPをみれば6段階の流れがある．

1．栄養スクリーニング

栄養スクリーニングは，栄養リスクを有しているかどうかを早い段階で選別する重要な過程である．栄養スクリーニングで栄養リスクがないと判定されれば，栄養アセスメントは不要である．そのため，スクリーニングツールは妥当性の証明されているものを使用する必要があり，代表的なものを**表2**に示す．

2．栄養アセスメント

栄養スクリーニングで栄養リスクがあると判定された場合に実施する．栄養アセスメントは，適切な栄養診断の根拠を導き出すものである．栄養状態を次に示す6つに分けて評価する．①適切な栄養状態，②エネルギー・栄養素の欠乏状態，③エネルギー・栄養素の欠乏が予測される状態，④エネルギー・栄養素の過剰状態，⑤エネルギー・栄養素の過剰が予測される状態，⑥栄養素の相互のバランスが崩壊した状態．これらの状態を適切に評価するために，5つの項目ごとに示した内容を用いる（**表1**）．

3．栄養診断

栄養診断は，「栄養介入により問題を完全に解決できるのか，あるいは少なくとも徴候と症状を改善するのかを明らかにすること」とされている[3]．栄養評価を基に，対象者の栄養状態を判定するプロセスであり，医学診断とは異なる．栄養評価のデータを基に，兆候や症状とその原因，問題点を明確化する．その後，国際標準化されたNCP用語マニュアルに示されている栄養診断名（Problem or Nutrition Diagnosis La-

第1章　栄養の基礎

表3　栄養介入計画

Mx）Monitoring plan（モニタリング計画）
栄養アセスメントで問題となっている兆候や症状（S）の項目と関連づけて記載する．栄養素摂取量や各種データなども含む．
Rx）Therapeutic plan（栄養治療計画）
栄養状態の根本的な原因を改善するために医療者が実施する具体的な栄養素量や栄養改善のための手段を記載する
Ex）Educational plan（栄養教育計画）
栄養状態の根本的な原因を改善するために医療者が患者や家族に対して行う具体的な教育内容，理解すべき内容を記載する．

（片桐，2017）[4]

bel）から選択する．栄養診断は，①摂取量（NI），②臨床栄養（NC），③行動と生活環境（NB）の大きく3つの領域で構成され，それぞれ42，12，16種類（合計70種類）の診断名が用意されている[3]．栄養状態に複数の問題がある場合は複数の栄養診断名が当てはまる．しかし，簡潔に判定する必要があるため，重要なものから優先順位をつけ，3種類程度（できるだけ少なく）に絞り込む．栄養診断は記録文書として，PES報告書とよばれる記載方法が推奨されている．問題点（P），病因（E）および兆候／症状（S）の3つの項目から構成され[3]，「栄養状態は，Sの根拠に基づき，Eが原因となった（関係した），Pの栄養状態と考える（判断できる）」と簡潔な一文で記載する．

4. 栄養介入

　栄養診断を受けて，栄養管理の計画（目標設定）と実施が栄養介入となる．栄養管理計画では目標を明確にすることが重要である．そして，何のために，どのように，誰が，何を，いつ実施するのかといった方向性を明確にする．また，目標はSMARTなゴール〔S：Specific（具体的に），M：Measurable（測定可能な），A：Achievable（達成可能な），R：Related（目標に関連した），T：Time−bound（いつまでに）〕を設定する．栄養管理計画では，「日本人の食事摂取基準（2020年版）」や各種診療ガイドラインなどの原稿の参照基準や患者の健康状態などに基づいて，エネルギー・栄養素の摂取量を設定する．栄養診断におけるPES報告書のE（病因）の内容は，栄養状態の根本的な問題であり，栄養介入計画を作成するための核となる．そのため，E（病因）に対する具体的な栄養介入計画，モニタリング計画を立案する（**表3**）[4]．

　栄養介入では，批判的思考がポイントである．根拠に基づく論理的な思考をもとに，客観的・多面的に情報を評価して推論を立て，実施することが求められる．管理栄養士の一職種での思考では，当然ながら栄養に偏った視点のみで評価してしまう．そこで，多職種の幅広い視点が加わることで，批判的思考の精度は高まり，よりよい栄養ケアが実施できる．

5. 栄養モニタリングと評価

　栄養モニタリングは，計画に沿ってケアが実施されているか，問題が生じていない

81

かなどを評価し，栄養状態に対する問題がどこまで解決されているのか，目標が達成できているのかを評価することである．実施した結果の栄養状態についての現状把握をし(栄養アセスメント)，栄養診断，栄養介入の流れとなる．計画修正が必要な場合の根拠となる指標は，栄養アセスメントの項目である，食物/栄養関連の履歴(FH)，身体計測(AD)，既往歴，生化学データ，医学検査と手順(BD)，栄養に焦点をあてた身体所見(PD)であり，これらがアウトカム指標となる．ここでは，栄養介入後の身体所見の変化も重要となる．

栄養管理においてリハが重要な視点をもち，役割が大きいことを理解し，適切な栄養管理が実施できれば，リハの効果にも影響がでる[5,6]．栄養とリハは対象者ケアの両輪であり，相互に評価しながらかかわる必要がある〔詳細はリハ栄養の項目(p10〜)を参照〕．

6. アウトカム(管理)システム

栄養管理計画が実施された後，栄養管理のアウトカムを総合的に評価する．個別の評価を集積し，栄養管理計画の評価として，栄養状態や身体状況の改善，生活機能の改善，薬剤使用率，入院期間など，栄養管理計画の目標がどの程度達成できたかを総合的に評価する．その結果に基づき，継続的な品質管理(CQI；continuous quality improvement)システムとしてアウトカム管理を行うことが重要である．CQIとは，質を測定し改善，維持するために行われる組織的で継続的な活動であり，理想と現実の乖離を埋めるための作業である．栄養管理の内容を継続的に，根拠となるデータに基づき，組織的に評価する考え方である．CQIを行ううえで，質が改善したかどうかを判断するための根拠とする指標(QI)は，その指標が患者にとって意義のある最終アウトカムであること，エビデンスが証明されていることが重要である．例としては，誤嚥性肺炎患者において，入院後の欠食期間をQIとし，欠食期間を2日以内にすることを目標とする．欠食期間が2日以内では，退院時に3食経口摂取が可能であることが多く，入院期間も短いことが報告されている[7]．これは，患者と病院の双方に意義のあるアウトカムが得られるものである．

3 症例提示

症例：67歳，女性，両変形性膝関節症の人工膝関節全置換術施行のため入院．

身体計測値：身長156 cm，体重68 kg，BMI：27.9 kg/m²，標準体重(IBW)：53.5 kg，下腿周囲長(CC)は左35.0 cm，右36.0 cm，上腕周囲長(AC)は左29.0 cm，右30.5 cm.

既往歴：高血圧．

入院時生化学検査：Alb：3.7 g/dl，CRP：0.32 mg/dl，T-Cho：237 mg/dl，LDL-Cho：142 mg/dl.

経過：5年前より膝の痛みを感じて近医に通院．疼痛に対し，内服薬での対処療法を継続．痛みの改善がみられず，手術目的で紹介され入院となる．2階建ての家屋に夫と2人暮らし．膝の痛みのため，1階で生活している．外出時は杖を使用して歩行し

第 1 章　栄養の基礎

ているが，痛みがあるため買い物など家事の多くは夫が担当し，活動量の低下を認めている．5 年前より 13 kg の体重増加あり．

食事摂取状況：1 日 3 食の食事と間食あり．体重が増加しているため，主食の米飯は少なめにするように工夫しており，1 食 100 g 程度．スーパーでの惣菜の利用が多く，揚げ物の摂取は多い．間食は毎日しており，まんじゅうやカステラなど 300 kcal/ 日程度．推定エネルギー摂取量：1,800 kcal/ 日，たんぱく質摂取量：70 g/ 日．

栄養スクリーニング：MNA®–SF：13 点，栄養状態良好．ただし，5 年間で 13 kg の体重増加がみられており，日常生活活動量の低下もあり．過栄養と判定．

栄養アセスメント：

コード	項目	結果
FH	食物 / 栄養関連の履歴	推定エネルギー摂取量は 1,800 kcal/ 日，たんぱく質摂取量は 70 g/ 日． 買い物や洗濯などの家事は夫が担い，外出機会の減少や屋内での活動量も減少している．歩数は 1,000 歩 / 日程度．状況を考慮して算出した必要栄養量(IBW×25 kcal)，約 1,400 kcal を超える摂取エネルギー量．
AD	身体計測	身長 156 cm，体重 68 kg，BMI：27.9 kg/m²．5 年で 13 kg の体重増加を認めており，過体重．CC：左 35.0 cm，右 36.0 cm，AC：左 29.0 cm，右 30.5 cm．
BD	生化学データ，医学検査と手順	CRP：0.32 mg/dl と軽度の慢性炎症．T-Cho：237 mg/dl，LDL-Cho：142 mg/dl と基準値より高値．
PD	栄養に焦点をあてた身体所見	AC：左 29.0 cm，右 30.5 cm．TSF：左 23.0 mm，右 23.0 mm．
CH	既往歴	高血圧．

栄養診断：上記の栄養アセスメント結果を総合的に評価し，栄養診断コードは【NI-1.5　エネルギー摂取量過剰】【NC-3.3　過体重・肥満症】【NB-2.1　身体活動不足】と判定した．

・エネルギー摂取量過剰と判定した根拠

　病因(E)：ライフスタイルの変更や代謝の減少に対する調整失敗．

　兆候／症状(S)：① 5 年で 13 kg の体重増加，② BMI：27.9 kg/m²，③必要栄養量 1,400 kcal に対し，1,800 kcal とエネルギー摂取量が超過している状況．

　記載例：必要栄養量 1,400 kcal に対して 1,800 kcal の摂取エネルギーがあり，5 年で 13 kg の体重増加がみられること．(S)に基づき，両変形性膝関節症のよる身体活動量の低下に対するエネルギー摂取量の調整失敗が原因(E)となった，エネルギー摂取過剰(P)である．

・過体重と判定した根拠

　病因(E)：①エネルギー摂取過剰，②身体活動不足．

兆候／症状(S)：①BMI：27.9 kg/m²，②必要栄養量 1,400 kcal に対し，1,800 kcal とエネルギー摂取量が超過している状況，③買い物や洗濯などの家事を夫が担い，外出機会の減少や屋内での活動量も減少している状況．

記載例：必要栄養量に対するエネルギー摂取量の超過，BMI：27.9 kg/m²，両変形性膝関節症による身体活動量の低下(S)に基づき，エネルギー摂取過剰と身体活動不足が原因(E)となった，過体重(P)である．

- **身体活動不足と判定した根拠**

病因(E)：①変形性膝関節症による身体活動低下を招く疼痛．

兆候／症状(S)：①BMI：：27.9 kg/m²，②買い物や洗濯などの家事を夫が担い，外出機会の減少や屋内での活動量も減少している状況，③両変形性膝関節症．

記載例：両変形性膝関節症，BMI：27.9 kg/m²(S)に基づき，疼痛が原因(E)となった，身体活動不足(P)である．

栄養介入：栄養管理の目標は，身体活動量の増加が図れる体重まで減らすことである．入院 3 週間で体重を 2 kg 減らすため，計算上は入院前摂取エネルギー 1,800 kcal から−600 kcal（＝1,200 kcal）とする．ただし，手術の侵襲を考慮，無理のないエネルギー設定とし，現体重 ×20 kcal＝1,360 kcal，たんぱく質は現体重 ×1 g＝68 g（エネルギー比 20％）とする．

P(計画)

Mx)エネルギー摂取量，たんぱく質摂取量，体重，BMI，CC，AC．

Rx)必要栄養量 1,360 kcal，たんぱく質量 68 g．筋肉量維持，体脂肪の減少のため，セラピストとリハの内容，負荷などについて相談し，一緒に必要栄養量の評価を行う．

Ex)体重増加の原因であるエネルギー消費量と摂取量のアンバランスについて理解させる．適切な栄養量の評価方法として，体重測定の習慣と体重維持のための調整方法を指導する．

（塩濱奈保子）

文献

1) Lacey K, Pritchett E：Nutrition Care Process and Model：ADA adopts road map to quality care and outcomes management. *J Am Diet Assoc* **103**：1061-1072, 2003.

2) 片桐義範：栄養ケアプロセス(Nutrition Care Process；NCP)について．日栄養士会誌 **57**(9)：6, 2014.

3) 日本栄養士会(監訳)：国際標準化のための栄養ケアプロセス用語マニュアル，第一出版，2012. p3，11.

4) 片桐義範：栄養ケアプロセス(NCP)の実践ポイント―低栄養患者を例に．臨床栄養 **130**(6)：939，2017.

5) Nishioka S et al：Nutritional improvement correlates with recovery of activities of daily living among malnourished elderly stroke patients in the convalescent stage：A cross — sectional study. *J Acad Nutr Diet* **116**：837-843, 2016.

6) Nii M et al：Nutritional improvement and energy intake are associated with functional recovery in patients after cerebrovascular disorders. *J Stroke Cerebrovasc Dis* **25**：57-62, 2016.

7) Koyama T et al：Early commencement of oral intake and physical function are associated with early hospital discharge with oral intake in hospitalized elderly individuals with pneumonia. *J Am Geriatr Soc* **63**：2183-2185, 2015.

第2章

主な病態の栄養療法

1 低栄養者の栄養管理

1 臨床でのアミノ酸動態

1. 飢餓時と摂食時

飢餓の初期には血中グルコース濃度の維持が優先され骨格筋の分解が高まり，糖原性アミノ酸を肝臓に供給する．肝臓では糖新生が亢進する．飢餓が長期化すると，エネルギー源を脂肪分解から得るケトン体に求めるようになり，骨格筋の分解は抑制される[1]．

摂食後，肝臓には食事からのアミノ酸の流入が高まり，体たんぱく質合成に利用される．骨格筋にもアミノ酸が取り込まれ合成が高まり，飢餓時の骨格筋分解の分を補おうとする．分岐鎖アミノ酸(BCAA)は肝臓ではなく骨格筋に取り込まれて代謝され，筋合成や筋で直接エネルギー源として利用される．食事による過剰なアミノ酸の摂取は必ずしも筋合成はされず，異化経路でエネルギー産生や脂肪酸合成に動員される[1]．過剰かどうかは筋活動に規定される(**図1**)[2]．

2. 侵襲時

外傷や感染症，術後などの侵襲時には，健常時とは異なる代謝が行われる．急性相たんぱく質合成や組織修復などへのアミノ酸需要が増加するため，体たんぱく質を積極的に分解してその基質(材料)とする．合成と分解の亢進(代謝亢進)が起こり，加えて生体エネルギー源の維持のためにアミノ酸は糖新生にも動員される．骨格筋は体重の40〜50%を占め，侵襲時の代謝亢進時にはアミノ酸の重要な供給源としての役割を果たす．代謝亢進時にたんぱく質とエネルギー摂取が不十分だと骨格筋は大きく消耗することになるため，適切な補給が必要となる[1]．

2 低栄養

1. 低栄養の分類

低栄養について述べる前に近接する用語との整理が必要である．栄養不良とは，栄養素やエネルギーの摂取量と実際に生体が正常な機能や活動を維持するための必要量が不均衡な状態を指す概念で，栄養不足，栄養失調，低栄養などの用語も栄養不良とほぼ同義として使われている．これらの用語は一般に栄養素・エネルギー摂取量が必要量に比べ少ない状態を指しているのに対し，今日用いられる栄養不良の概念では栄

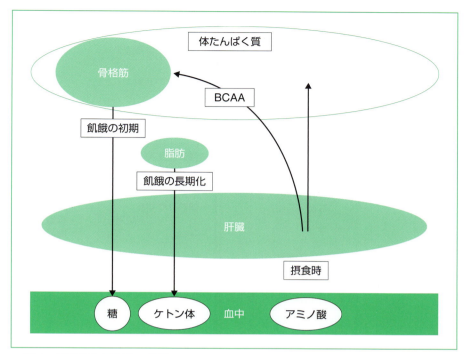

図1　飢餓時と摂食時の代謝
飢餓初期には骨格筋から糖原性アミノ酸が肝臓に運ばれ，糖新生を経て血中に糖を供給する．飢餓が長期化すると骨格筋の分解は抑制され，脂肪組織からの脂肪酸が肝臓でケトン体に変換されて糖の代替エネルギーとなる．
摂取アミノ酸はたんぱく合成に利用されて，骨格筋には主にBCAAが補充される．

(清水，2016)[2]

養素やエネルギー摂取量に比べ摂取量が過度となり，肥満や糖尿病，脂質代謝異常などのいわゆる生活習慣病を引き起こす栄養摂取過多の状態も含まれており，栄養障害という用語も用いられる．栄養不良は，合併症発症率・死亡率の上昇，創傷治癒遅延，免疫能低下，在院日数延長など，患者や医療者側にとっても不利益を引き起こす要因の一つであることから，栄養療法の適応となる．したがって適切に栄養療法を実施するためには，栄養不良の有無を判断しなければならない[3]．

　低栄養とは，人体が必要とする栄養基質が需要に対し量的・質的に不足が続いたときに生じる病的状態であり，単にエネルギー摂取量の不足，栄養素の欠乏から生じると捉えがちであるが，疾患や日常生活活動，リハによるエネルギー消費需要の増大および代謝能力の変化からも生じる[3]などといった相対的な側面からも捉える必要がある．**図2**に示すように，低栄養をきたす要因は，飢餓と疾患(悪液質，侵襲)による影響の大きく3つに分けられる[3-6]．また，飢餓の計算の目安として，① Harris-Benedictの式，②「日本人の食事摂取基準(2020年版)」による性別，年齢別の基礎代謝量の計算などを用いる(**表**)．

　リハ臨床では，神経難病などで骨格筋の不随意運動を有する場合や，脳梗塞後の麻痺筋の過緊張により日常の筋活動が多くなりエネルギー消費量が増大する場合などが

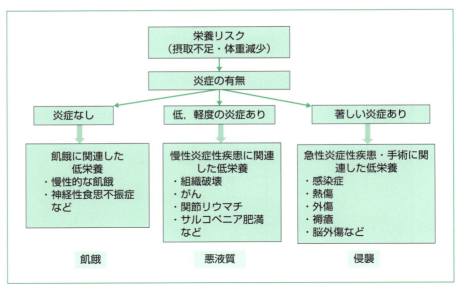

図2 病因に基づく低栄養の定義　　　　　　　　　　　（Jensen et al, 2012)[5]を改変

表　飢餓の目安

① Harris-Benedict の式による計算
基礎エネルギー消費量＞エネルギー摂取量
男性：66.47 ＋（13.75×W）＋（5.0×H）－（6.76×A）
女性：655.1 ＋（9.56×W）＋（1.85×H）－（4.68×A）
W：体重 kg, H：身長 cm, A：年齢

② 「日本人の食事摂取基準（2020年版）」による計算
食事摂取基準＞エネルギー摂取量

性別	男性			女性		
年齢	基礎代謝基準値（kcal/kg体重/日）	参照体重（kg）	基礎代謝量（kcal/日）	基礎代謝基準値（kcal/kg体重/日）	参照体重（kg）	基礎代謝量（kcal/日）
1〜2（歳）	61.0	11.5	700	59.7	11.0	660
3〜5（歳）	54.8	16.5	900	52.2	16.1	840
6〜7（歳）	44.3	22.2	980	41.9	21.9	920
8〜9（歳）	40.8	28.0	1,140	38.3	27.4	1,050
10〜11（歳）	37.4	35.6	1,330	34.8	36.3	1,260
12〜14（歳）	31.0	49.0	1,520	29.6	47.5	1,410
15〜17（歳）	27.0	59.7	1,610	25.3	51.9	1,310
18〜29（歳）	23.7	64.5	1,530	22.1	50.3	1,110
30〜49（歳）	22.5	68.1	1,530	21.9	53.0	1,160
50〜64（歳）	21.8	68.0	1,480	20.7	53.8	1,110
65〜74（歳）	21.6	65.0	1,400	20.7	52.1	1,080
75以上（歳）	21.5	59.6	1,280	20.7	48.8	1,010

参照体重とは，平成28年国民健康・栄養調査における当該の性，年齢階級における中央値（18歳以上）

少なくない．これらは供給と需要の不均衡であり，飢餓による低栄養として捉え，十分な栄養サポートとリハによる運動量の調整が必要となる．エネルギーの需給関係が負の状態で過度なリハ訓練を行っている場合も，これと同じ状態と考える．

低栄養は，これまでの臨床のなかでは見過ごされることが多かったが，リハ栄養の概念の普及とともに，その対象者の多さに療法士が直面している[3]．また低栄養は二次性サルコペニアの要因にもなっている．低栄養の予防がリハの阻害因子でもあるサルコペニアの予防につながることを改めて認識したい．

2. 飢餓

飢餓（starvation）は一般的には貧困や個人の社会的状況から食事を摂れない状況にある者を指すものでもある．たんぱく質とエネルギー摂取が不足している状態であるたんぱくエネルギー低栄養状態を protein energy malnutrition（PEM）といい，マラスムス（marasmus）とクワシオルコル（kwasiorkor）という典型的な病型として説明される[7]．マラスムスは，たんぱく質とエネルギーの両方が不足した状態であるが，エネルギー不足のほうが強い．臨床的にはるい痩（やせ），貧血，皮下脂肪の減少，筋萎縮としてみられるが，浮腫や低たんぱく血症はみられない．一方クワシオルコルは，たんぱく質のほうが有意に不足した状態で，臨床的には内臓たんぱくの減少，低たんぱく血症，浮腫や腹水，脂肪肝をみることなどが特徴である[7]．

最近では，さまざまな栄養状態の指標において一定水準以下の場合を低栄養とする[5]意見も示されている．また，年齢層によって小児の低栄養と成人の低栄養に分け，それぞれの分類や判定基準についての議論が行われている[8]．

3. 侵襲と悪液質

外傷や疾患の影響による急性あるいは慢性の炎症に関連して起こる低栄養は侵襲（invasion）あるいは悪液質（cachexia）とよばれる．急性の炎症性疾患，外傷，褥瘡などの病態は，生体が必要とするエネルギー消費需要が増大するため，相対的に低栄養になりやすい．これを侵襲という．また，慢性閉塞性肺疾患（COPD），慢性心不全，慢性腎不全，肝不全，がんなどのようにエネルギー摂取が低下し，糖新生など内因性エネルギーの需要増大などの代謝する過程の問題が生じ，これを悪液質とよぶ．

3 栄養療法

栄養状態の良悪をスクリーニングし，その様態から飢餓，侵襲，悪液質の有無と程度を見極め，改善のための戦略を立てる．その際，栄養管理の目標を栄養状態の維持か栄養状態の改善か明確にして栄養療法を行うことは，単に数値的な改善を狙うのではなく，対象者の生活改善に向けた実臨床のなかではとりわけ有用である．対象者の病態が重篤な場合を除いては，リハにおける維持か改善かという目標と栄養管理の目標が乖離することはまれである[3]．

1. 飢餓期の栄養療法

基本的には必要量を補充することによって改善を期待する．しかし，重症の低栄養状態が長期間に及んだ場合や，大量のブドウ糖を急速に投与した際に低リン血症，低カリウム血症，低マグネシウム血症，高血糖，水分貯留などの代謝合併症を発症する（refeeding 症候群）．詳細は別項（p70）に譲るが，糖負荷による ATP 産生に伴いリンが消費されると低リン血症によって心不全，横紋筋融解症，呼吸不全をきたす．また高血糖，溢水などが起こり，生命にかかわる状態に陥ることもある[9]．栄養補給直後ないし 4〜5 日後に発症し，特に静脈栄養施行時に起こることが多い．栄養開始時の血清中のカリウム，マグネシウム，リンおよび血糖を厳密にモニタリングする必要がある[9]．

リハは栄養悪化時は維持的な内容に留め，ある程度栄養改善を待ってから徐々に積極的なリハへと移行する．長期的には栄養改善に伴って筋肉量・筋力の改善を期待する．飢餓時でも最大筋力の 20〜30％程度の筋収縮を発揮する日常生活程度の活動を行うことは，廃用性筋萎縮の予防に有用である[3]．

2. 感染時・侵襲時の栄養療法

感染症発生時には，生体の防御反応のためにエネルギー消費量が 20〜50％増加し，各栄養素の代謝においても変化が現れる．糖代謝ではインスリン感受性が低下し，高血糖となる．これは高インスリン作用をもつグルカゴンやカテコラミンなどがサイトカインの作用により分泌されるためである．また，脂質やたんぱく質代謝においては合成と分解がともに亢進するが，侵襲に対する治癒反応へエネルギーが供給されて亢進が上回る．特に骨格筋を中心としたたんぱく分解が著明に亢進する．

このように感染症発症時は感染の重症度に応じて代謝が亢進し，必要なエネルギー投与が行われないと，急速な体たんぱくの喪失や体重減少が生じる．しかし，発症初期には体内は異化によるこのような内因性のエネルギー供給が優位となっているため，体外からのエネルギー投与は，高血糖とならないようやや少なめの投与から開始し，徐々に体重当たりの適正量に至り，その後，重症度に応じて，ストレス係数を 1.2〜1.6 と高値に設定する[10]．アミノ酸は通常は，NPC/N（non-protein calorie/nitrogen）比を 150〜200 に設定し，1.0 g〜1.5 g/kg/ 日の投与量あるいは体重にストレス係数を乗じて求める[9]．侵襲によりたんぱく質の分解が亢進している場合は NPC/N 比を 100 前後に設定し，アミノ酸 1.5〜2.0 g/kg/ 日を投与する[9]．脂肪乳剤は，血中脂質濃度が高くならないことを確認し，投与速度に注意してゆっくりと投与することが重要である[9,10]．異化期のリハ目標は機能維持であり，筋肉量増加を目指したレジスタンストレーニングは基本的に行わない[3]．

同化期では筋肉合成（同化）が可能となるので，同化に必要な筋肉を構築するためのたんぱく質，細胞膜の構築に必要な脂質，同化に必要なエネルギーを補充する．機能改善を目標とした積極的な栄養管理が必要である．1 日 200〜500 kcal を消費量に加えて投与することで，筋肉量増加（同化）に必要な栄養を満たす．リハは機能改善のためにレジスタンストレーニングを行う[3]．

3. 悪液質の栄養療法

悪液質では，原疾患の治療が最も重要である．若林は，「不応期悪液質の時期では，レジスタンストレーニングは禁忌で，機能維持目的の訓練のみが適応[3]．一方，前悪液質と悪液質の時期は十分なエネルギー摂取量が確保されていれば，低（～中）負荷の有酸素運動とレジスタンストレーニングの適応はある」[11]と述べている．

言い換えれば，不応期悪液質の時期では，体力的には無理なく穏やかに過ごしつつ，その人のQOLを重視したプログラムを共に模索することが求められ，一方，不応性の悪液質に陥る前の前悪液質から悪液質の時期では，近年，十分な栄養管理下での適度な負荷の有酸素運動とレジスタンストレーニングの効果が期待されてきている[12-14]といえる．

（助金 淳）

文献

1) 中瀬 一：第1章 Ⅲ生化学，A．たんぱく代謝．日本臨床栄養代謝学会JSPENテキストブック（一般社団法人日本臨床栄養代謝学会（編）），南江堂，2021，pp39−52.

2) 清水孝雄（監訳）：イラストレイテッド ハーパー・生化学，原書第30版，丸善出版，2016.

3) 鴻井建三：低栄養者の栄養管理．リハビリテーションに役立つ栄養学の基礎，第2版（栢下 淳，若林秀隆編），医歯薬出版，2014，pp84−91.

4) Jensen GL et al：Malnutrition syndromes：A conundrum vs. continuum. *JPEN J Parenter Enteral Nutr* **33**(6)：710−716, 2009.

5) Jensen GL et al：A new approach to defining and diagnosing malnutrition in adult critical illness. *Curr Opin Crit Care* **18**：206−211, 2012.

6) White JV et al：the Academy Malnutrition Work Group；the A.S.P.E.N. Malnutrition Task Force；and the A.S.P.E.N. Board of Directors：Consensus Statement of the Academy of Nutrition and Dietetics/American Society for Parenteral and Enteral Nutrition：Characteristics Recommended for the Identification and Documentation of Adult Malnutrition（Undernutrition）. *J Acad Nutr Diet* **112**(5)：730−738, 2012.

7) 丸山常彦：栄養不良の病態生理．日本臨床栄養代謝学会JSPENテキストブック（一般社団法人日本臨床栄養代謝学会（編）），南江堂，2021，pp120−125.

8) 吉村由梨：低栄養・低栄養のリスク状態．リハ栄養 **1**(1)：35−40，2017.

9) 東海林 徹：図表でわかる 栄養療法―基礎から学ぶ臨床，じほう，2013.

10) 東口髙志（編）：重症患者と栄養管理Q&A，総合医学社，2010.

11) 若林秀隆：リハビリテーションと臨床栄養．*Jpn Rehabili Med* **48**：270−281, 2011.

12) LeBlanc TW et al：Correlation between the international consensus definition of the Cancer Anorexia−Cachexia Syndrome（CACS）and patient−centered outcomes in advanced non−small cell lung cancer. *J Pain Symptom Manage* **49**(4)：680−689, 2015.

13) Schmitz KH et al：American College of Sports Medicine roundtable on exercise guidelines for cancer survivors. *Med Sci Sports Exerc* **42**(7)：1409−1426, 2010.

14) Fong DY et al：Physical activity for cancer survivors：meta−analysis of randomized controlled trials. *BMJ* **344**：e70, 2012.

2 摂食嚥下障害

1 摂食嚥下障害とは

「摂食」とは食物を摂取する行動のことで，「嚥下」は食塊を口腔から胃へと送り込む一連の動き，すなわち「飲み込み」のことを意味している．摂食のほうが広い意味をもっており，摂食動作の一部として嚥下動作がある．摂食嚥下の過程は，①先行期（認知期），②準備期，③口腔期，④咽頭期，⑤食道期の5つの期に分類される．①〜⑤のどこか1カ所でも障害されれば摂食嚥下障害となる．摂食嚥下障害患者は，食物を取り込む活動が損なわれた状態にあり，その結果，低栄養や脱水をきたす．その他にも，高齢者の死因として誤嚥性肺炎，窒息などの原因にもなっている．また，忘れてはならないことに食べる楽しみの喪失がある．本来楽しいはずの食事がうまくできないということは，QOL（生活の質）を大きく低下させる．

摂食嚥下障害の原因は多岐にわたるが，主に器質的障害，機能的障害，心理的原因の3つに大別される（**表1**）[1]．その他に，医療行為に伴う医原性の嚥下障害（薬剤の副作用，術後の合併症，経鼻経管チューブなどによる嚥下障害）もある[2]．薬剤や経鼻経管チューブは，嚥下機能に影響が少ないものへ変更するだけで改善する場合があり，見過ごさないよう注意が必要である．

2 器質的障害の病態生理

器質的障害とは，口腔，咽頭，食道などの解剖学的構造に異常がある場合で，食塊の通り道に障害物があるような状態をいう．舌がんや咽頭がんなどの口腔・咽頭の腫瘍による場合や術後の障害が原因となる場合が多い．たとえば，舌がんでは舌切除による舌の運動障害を生じ，食塊を口腔内で処理できなくなり，咽頭へ送り込めないなど準備期〜口腔期の障害が起こる．一方，咽頭がんでは舌根部や咽頭後壁切除により咽頭内圧の低下を生じて，嚥下しても食塊が咽頭に残留してしまうなど咽頭期の障害が起こる．いずれも切除範囲が広いほど障害が重度になる傾向がある．

3 機能的障害の病態生理

機能的障害とは，構造物の形態に問題はないが，それを動かす筋肉，神経に障害がある状態をいう．脳血管障害やパーキンソン病などの中枢神経疾患に伴うもの，反回

第2章　主な病態の栄養療法

表1　摂食嚥下障害の原因

器質的障害	
口腔・咽頭	食道
・舌炎，アフタ性口内炎，歯周病 ・扁桃炎，扁桃周囲膿瘍 ・咽頭炎，喉頭炎，咽後膿瘍 ・口腔・咽頭腫瘍(良性，悪性) ・口腔咽頭部の異物，術後 ・外からの圧迫(頸椎症，腫瘍など) ・その他	・食道炎，潰瘍 ・食道ウェブ，ツェンカー憩室 ・狭窄，異物 ・腫瘍(良性，悪性) ・食道裂孔ヘルニア ・外からの圧迫(頸椎症，腫瘍など) ・その他
機能的障害	
口腔・咽頭	食道
・脳血管障害，脳腫瘍，頭部外傷 ・脳膿瘍，脳炎，多発性硬化症 ・パーキンソン病，筋萎縮性側索硬化症 ・末梢神経炎(ギラン・バレー症候群など) ・重症筋無力症，筋ジストロフィー ・筋炎(各種)，代謝性疾患(糖尿病など) ・薬剤の副作用*，その他(加齢，サルコペニアなど)	・脳幹部病変 ・アカラジア ・筋炎 ・強皮症，全身性エリテマトーデス ・薬剤の副作用* ・サルコペニア ・その他
心理的原因	
・神経性食思不振症，認知症，拒食，心身症，うつ病，うつ状態，その他	

*薬剤の副作用，術後の合併症，経鼻経管チューブなどによる嚥下障害を医原性(iatrogenic)の嚥下障害とよぶ.

(聖隷嚥下チーム，2019)[1]を改変

神経麻痺などの末梢神経障害，筋炎などによる筋肉の障害によって起こる．その他に，加齢，サルコペニア，薬剤の副作用(抗痙攣剤，抗コリン剤，利尿剤など)によるものもある．

　脳血管障害では，脳幹部病変による球麻痺，多発性脳病変による偽性球麻痺が嚥下障害を呈する病態として重要である．球麻痺は嚥下中枢がある延髄から出ている脳神経の障害による麻痺症状のことで，顔面神経や三叉神経の筋肉も同時に障害されていることが多い．完全な球麻痺では嚥下反射が消失する．舌，軟口蓋，咽頭，喉頭の筋肉が障害を受けるため，咀嚼，送り込み，飲み込みなどすべての機能に影響をきたす．代表的なものにワレンベルグ症候群(延髄外側症候群)がある．

　偽性球麻痺は延髄の両側性の核上性病変によって起こるが，一側性の病変でも嚥下障害が起こり得るので注意が必要である．嚥下に関係する筋肉の協調性の低下や筋力の低下により，食物の取り込みや咀嚼，送り込み，飲み込みに障害をきたす．嚥下反射は保たれていることが多いが，反射の遅延や減弱を認める．一般的に偽性球麻痺は病変部位によって，①皮質・皮質下型，②内包・大脳基底核病変型，③脳幹部型に分けられる(図1)[3].

①皮質・皮質下型

　失語症や失行，失認，注意障害などの高次脳機能障害を伴い，集中力や理解力，学習能力が低下していることが多く，リハ上の問題となる．

93

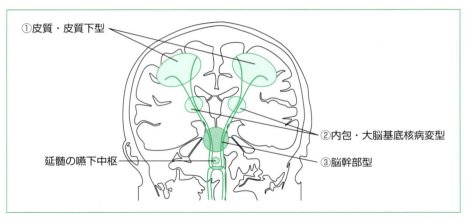

図1 偽性球麻痺の3つの型　　　　　　　　　　　　　　　（大田，2008)[3]を改変

表2 加齢に伴う摂食嚥下機能低下の原因

- う歯，義歯の問題，咀嚼筋力の低下
- 唾液の性状（粘性，組成など）の変化，唾液分泌量の変化の減少
- 粘膜の感覚変化，味覚の変化
- 口腔，咽頭，食道など嚥下筋の筋力低下
- 喉頭が解剖学的に下降し，嚥下反射時に喉頭挙上距離が大きくなる（嚥下反射遅延）
- 無症候性脳血管障害の存在（潜在的偽性球麻痺）
- 注意力・集中力低下，全身体力・免疫力低下
- 基礎疾患，内服薬剤の副作用

②内包・大脳基底核病変型

通常は両側性の大脳基底核病変で，パーキンソン症候群を呈していることが多い．摂食動作とともに，咀嚼，舌運動，嚥下反射の速度に低下がみられる．

③脳幹部型

延髄より上の橋や中脳の病変で，小さい病変でも重度の偽性球麻痺を呈することがある．病変部位によっては眼振，失調症を伴っており，めまい，嘔気などにより食物摂取自体が困難となることがある．嚥下障害は重症例が多く，球麻痺の要素をもっている場合があるので注意が必要である．

加齢に伴う摂食嚥下障害に影響する因子は数多くある（**表2**）．咀嚼筋力低下，唾液分泌減少，味覚の変化，喉頭低位化による嚥下運動開始遅延，嚥下反射遅延，咳嗽反射低下などを認める．サルコペニアの摂食嚥下障害とは，全身のサルコペニアを認め，さらに，舌や舌骨上筋群など摂食嚥下にかかわる筋肉量減少，筋力低下を認めた場合に生じる[4]．2017年，Moriらがサルコペニアの摂食嚥下障害診断フローチャートを発表した（**図2**)[5]．このフローチャートに基づいて診断することにより，摂食嚥下障害の原因をより正確に判断し，栄養介入やリハプログラムにつなげていく．

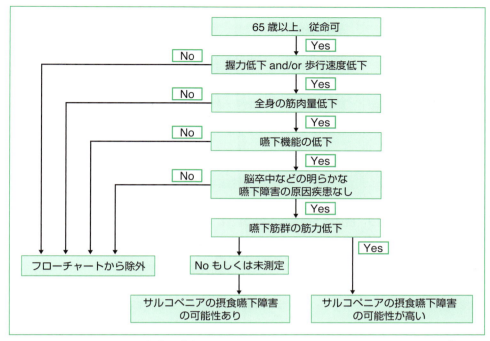

図2　サルコペニアの摂食嚥下障害診断フローチャート　　　（Mori et al, 2017）[5]を改変

4 心理的原因の病態生理

　心理的原因とは摂食異常や嚥下困難を訴えるが，器質的・機能的原因が認められない場合である．神経性食思不振症，うつ病などがある．

5 栄養評価のポイント

　摂食嚥下障害患者では，低栄養や脱水が生じるため，できるだけ早期から栄養状態と摂食嚥下機能の評価を行う．

1．栄養状態の評価

　病歴，臨床所見，疾患の程度，身体計測値（体重，BMI，上腕周囲長，上腕三頭筋皮下脂肪厚など），体重減少率，血液生化学データなど複数の項目から総合的に評価する．スクリーニングでは簡易栄養状態評価表（MNA®）などが推奨されている．また，2018年に世界的な低栄養の診断基準としてGLIM基準（Global Leadership Initiative on Malnutrition）が発表された（詳細は第1章5，p65〜を参照）．今後は，この基準に基づいて低栄養の診断を行うことが推奨される．

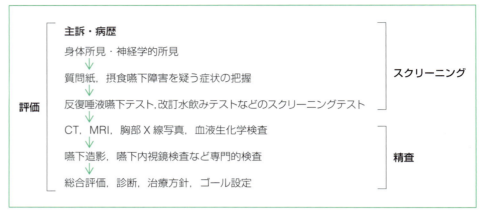

図3 摂食嚥下障害の評価の流れ　　　　　　　　　　　　　　　　（聖隷嚥下チーム，2019）[1]を改変

表3 摂食嚥下のステージと主な障害の原因と評価

ステージ	嚥下の過程	主な原因	主な評価
1．先行期（認知期）	食物を認知して口まで運ぶ	意識障害，注意障害や失行などの認知障害，精神症状，食事動作障害	意識障害（JCS Ⅰ桁か），姿勢保持可能か，認知症，注意障害，失行，失語（指示理解可能か）
2．準備期	食物を口に取り込み咀嚼し食塊をつくる	口腔・咀嚼器官の器質的・機能的異常，嚥下失行	呼吸機能，発声機能（嗄声など），開口範囲，口唇・舌運動機能，咀嚼機能（義歯の不適合など），スクリーニングテスト（反復唾液嚥下テスト，改訂水飲みテスト，食物テスト，頸部聴診など），嚥下造影，嚥下内視鏡検査
3．口腔期	口腔から咽頭へ食塊を送る	口腔・咀嚼器官の器質的・機能的異常，嚥下失行	
4．咽頭期	嚥下反射により咽頭に入った食塊が食道に到達し通過する	咽頭・喉頭の器質的異常，舌咽神経や迷走神経障害，感覚障害，筋力低下，輪状咽頭筋弛緩不全など	
5．食道期	食塊が食道を通過する	食道の器質的・機能的異常	食道，胃病変の精査（内視鏡，上部消化管造影）

（横山，2011）[6]を改変

2．摂食嚥下機能の評価

　摂食嚥下機能の評価で最も重要なのは実際に患者の食事場面を観察することである．嚥下の問題だけではなく，姿勢や食事動作などの問題がある場合も多く，摂食嚥下機能の評価のみに留まらず，食事行動全体をみて評価する．評価の流れについて**図3**[1]に，摂食嚥下のステージと主な障害の原因と評価内容について**表3**[6]に示す．

1）症状

　食事中にむせる，食後の声の変化や咳，肺炎を繰り返すなどは，代表的な嚥下障害の徴候である．食思不振，食事中の疲労，食事時間が長い（30分以上），体重減少なども大切なチェックポイントとなる．

2）身体所見・神経学的所見

　身体所見では，呼吸状態，発熱，口腔状態，サルコペニアの有無などを観察する．呼吸状態では，咳が弱く，常に努力性呼吸を呈している場合は慎重に対応する必要がある．口腔状態では，残存歯数，う歯，歯肉炎，歯石，義歯の有無と適合，舌苔，唾

液の性状，口腔内乾燥などをチェックする．高齢患者では口腔衛生状態が不良である場合が多く，誤嚥性肺炎の危険性が高まる．サルコペニアについては，前述したフローチャート（**図2**）に基づいて診断する．神経学的所見では，意識レベル，高次脳機能障害や認知症の有無，構音障害，口腔・咽頭反射，呼吸のコントロール，筋力，姿勢などをチェックする．摂食嚥下障害患者は認知，運動機能，ADLが正常群より低いことが示されており[6]，ADL自立度と認知状態について把握しておくことが大切である．

3）質問紙

現在，広く知られているのは聖隷式嚥下質問紙とEAT-10がある．聖隷式嚥下質問紙は15項目の質問がありA・B・Cで当てはまるものに○をつけていく．Aが1つでもあれば「嚥下障害あり」または「疑いあり」と判定される．EAT-10は10項目の質問があり40点満点中3点以上の場合は「嚥下障害あり」と判定される．

4）スクリーニングテスト

反復唾液嚥下テスト，改訂水飲みテスト，フードテストなどがある（**表4**）．これらは簡便に行える．

5）検査

①嚥下造影検査

嚥下造影検査（videofluoroscopic examination of swallowing；VF）は，嚥下機能検査のゴールドスタンダードで広く行われている．バリウム等の消化管造影剤を入れた検査食をX線透視下で嚥下してもらい，口腔から食道までの嚥下関連器官の動きや食塊の動きを観察する．形態異常の発見，誤嚥や咽頭残留など動的病態の重症度のほか，食物形態，体位，代償手技の効果など治療的評価も行える．ただし，放射線を使用するため被曝や造影剤アレルギー等に注意が必要である．

②嚥下内視鏡検査

嚥下内視鏡検査（videoendoscopic examination of swallowing；VE）では，鼻から細い内視鏡を入れた状態で食物や飲料を嚥下してもらう．咽頭部の形態異常，声帯麻痺の有無，咳嗽反射の有無，誤嚥や咽頭残留の程度等が観察できる．

VF同様広く行われている検査で，食物形態，体位，代償手技の効果など治療的評価も行える．

被曝の心配がなく実際の食物や飲料を使って評価でき，ベッドサイドでも評価できるのは利点である．一方，鼻から内視鏡が挿入されているという軽度の侵襲があることや，口腔期や食道期の観察ができないところは欠点である．

③超音波診断装置

超音波診断装置（US）は，近年注目されている検査である．顎下や前頸部にプローブをあて，舌や咽喉頭を観察する．舌運動，嚥下関連筋の筋肉量，声帯麻痺の有無，誤嚥や咽頭残留の有無等が評価できる．被曝や侵襲がなく，医師だけではなく看護師やセラピストも行えるという利点がある．

6）摂食状況の評価

実際の摂食状況の評価尺度として，摂食状況のレベル（the food intake level scale；FILS）（**表5**）[7]，やFOIS（Functional oral intake scale）（**表6**）[8]が広く用いられている．

表 4 摂食嚥下障害の主なスクリーニング検査

スクリーニング検査	方法	判定
反復唾液嚥下テスト	舌骨と喉頭隆起に指腹を当て，唾液嚥下を 30 秒間繰り返す（指腹を乗り越えた舌骨と喉頭隆起が元の位置へ戻った時点を 1 回の嚥下とする）	30 秒で 2 回以下が異常
改訂水飲みテスト	冷水 3 ml を嚥下させる	判定不能：口から出す，無反応 1a：嚥下なし，むせなし，湿性嚥声 or 呼吸変化あり 　b：嚥下なし，むせあり 2 ：嚥下あり，むせなし，呼吸変化あり 3a：嚥下あり，むせなし，湿性嚥声あり 　b：嚥下あり，むせあり 4 ：嚥下あり，むせなし，呼吸変化，湿性嚥声なし 5 ：4 に加えて追加嚥下運動が 30 秒以内に 2 回可能
フードテスト	ティースプーン 1 杯（3〜4 g）のプリンを摂食，空嚥下の追加を提示し，30 秒観察する	判定不能：口から出す，無反応 1a：嚥下なし，むせなし，湿性嚥声 or 呼吸変化あり 　b：嚥下なし，むせあり 2 ：嚥下あり，むせなし，呼吸変化あり 3a：嚥下あり，むせなし，湿性嚥声あり 　b：嚥下あり，むせあり，湿性嚥声あり 　c：嚥下あり，むせなし，湿性嚥声なし，呼吸変化なし，口腔内残留あり 4 ：嚥下あり，むせなし，湿性嚥声なし，口腔内残留あり，追加嚥下で残留消失 5 ：嚥下あり，むせなし，嚥声・呼吸変化なし，口腔内残留なし
パルスオキシメーター	摂食場面でのモニターとして使用する	90%以下 or 初期値より 1 分間の平均で 3%低下で摂食中止
頸部聴診	頸部にあてた聴診器で聴診する	嚥下前後の呼吸音変化，嚥下音の延長，正常な場合，0.8 秒以内の力強い嚥下音が聴こえ，嚥下後にはクリアな呼吸音が聴こえる

表 5 摂食状況のレベル（FILS）

経口摂取なし	1	嚥下訓練を行っていない
	2	食物を用いない嚥下訓練を行っている
	3	ごく少量の食物を用いた嚥下訓練を行っている
経口摂取と代替栄養	4	1 食分未満の（楽しみレベルの）嚥下食を経口摂取しているが，代替栄養が主体
	5	一部（1〜2 食）の嚥下食を経口摂取しているが，代替栄養も行っている
	6	3 食の嚥下食経口摂取が主体で，不足分の代替栄養を行っている
経口のみ	7	3 食の嚥下食を経口摂取している．代替栄養は行っていない
	8	特別に食べにくいものを除いて，3 食経口摂取している
	9	食物の制限なく，3 食を経口摂取している
正常	10	摂食嚥下障害に関する問題なし

（Kunieda et al, 2013）[7]を改変

第2章　主な病態の栄養療法

表6　Functional oral intake scale（FOIS）

Level 7	特に制限のない経口栄養摂取
Level 6	特別な準備なしだが特定の制限を必要とする複数の物性を含んだ経口栄養摂取
Level 5	特別な準備もしくは代償を必要とする複数の物性を含んだ経口栄養摂取
Level 4	一物性のみの経口栄養摂取
Level 3	経管栄養と経口栄養の併用
Level 2	経管栄養と楽しみ程度の経口摂取
Level 1	経管栄養摂取のみ

(Crary et al, 2005)[8]

6　栄養療法

1．エネルギー量

　基礎エネルギー量，活動係数，ストレス係数からエネルギー消費量を算出する．基礎エネルギー量はHarris–Benedictの式（HB式）がよく利用される．簡便に，25〜30 kcal/kg体重/日の方法も用いられる[9,10]．体重1 kgを増加させるためのエネルギー蓄積量は7,500 kcalといわれており[11]，また，高齢者では8,800〜22,600 kcalとの報告がある[12]．そのため，低栄養や肥満の状態に応じて±250〜750 kcal/日程度調整する．

2．栄養管理

　消化管機能の障害がない場合は，できるだけ早期に経口摂取もしくは経管栄養を開始する．一般的な嚥下調整食（以下嚥下食）ではエネルギーやたんぱく量が不足しやすい[13]．経口摂取開始の際には必要エネルギー量を考慮し，必要に応じて高カロリー食品を付加するなど調整する．摂食嚥下機能が低下しており，十分な摂取量を経口から確保できない場合には経管栄養を併用する．この場合は，食事摂取量に応じて経管投与量を調整する．嚥下訓練が進み経口摂取のみで十分栄養が確保できるようになれば経管栄養を中止する．経口摂取のみにこだわらず経管栄養をうまく併用しながら摂食嚥下訓練を進め，随時体重や血液生化学データなどをチェックし，栄養障害をきたしていないか確認する．

7　摂食嚥下障害への対応

　口腔ケア，リハ，嚥下手技，医学的管理がある．

1．口腔ケア

　口腔ケアは意識障害のある急性期から実施可能であり，摂食嚥下訓練の第一歩である．専門的な口腔ケアが高齢者の誤嚥性肺炎の発症率を低下させることが報告されている[14]．また，口腔衛生状態の改善に伴い食事への意欲や口腔内感覚の改善が期待できる．

表7　主な間接訓練

上肢，肩，頸部，顔面，舌の体操	ストレッチやリラクセーション．食前に行うとよい．
咽頭冷却刺激 （アイスマッサージ）	嚥下反射を促す．
声門閉鎖訓練 （プッシング・プリング訓練）	机や壁を押したり椅子の脚や肘掛けを引っ張ったりする．軟口蓋挙上，声帯の内転の改善を目標とする．
ブローイング訓練	水を入れたコップをストローで吹く，巻笛を吹くなど．呼吸機能の改善を目標とする．
嚥下おでこ体操	おでこに手を当てて抵抗を加え，おへそを見るように強く下を向く．喉頭挙上にかかわる筋の筋力強化を目標とする．即時効果もあるので食前に行うとよい．
頭部挙上訓練	仰臥位で肩を上げずに頭部のみ挙上してつま先を見る．嚥下おでこ体操同様，喉頭挙上にかかわる筋の筋力強化を目標とする．

2．リハビリテーション

　摂食嚥下訓練には間接訓練（**表7**）と直接訓練がある．前者は食物を用いないので安全で比較的簡単に行えるものが多いため，さまざまな職種が実施可能である．後者は食物を用いるので誤嚥の危険を伴うが，間接訓練だけのリハと比べ患者の意欲が高まり，効果も上がりやすい．実際には両者を併用し，安全性と効果の両方を確保するよう努める．

　理学療法での呼吸リハ(排痰法，呼吸訓練，姿勢管理など)，運動療法(関節可動域訓練，筋力強化訓練，基本動作訓練など)や作業療法での認知・高次脳機能訓練，上肢機能訓練，食事動作訓練，自助具の提供なども進めていく．訓練は栄養状態に応じて進める．低栄養のリスクがない場合は，機能改善を目標として，筋力・持久力強化訓練などを積極的に行う．軽度～中等度低栄養では栄養介入と機能改善を目標とした訓練を行う．高度低栄養では栄養管理を優先して維持的訓練を行う[15]．

3．嚥下手技

1）嚥下代償法（表8）

　食事体位や嚥下方法によって嚥下(誤嚥防止，食塊通過)のしやすさが異なる．体位や方法を設定することで，より安全な食べ方をつくり出す．一般に，think swallow,リクライニング位，頸部前屈位，うなずき嚥下，交互嚥下，複数回嚥下，息こらえ嚥下，頸部回旋(横向き嚥下)，一側嚥下，完全側臥位[16]，などが有効である．

2）食物の種類・形態

　摂食嚥下障害者の個々の機能を考慮し物性や食形態を重視した食物を嚥下調整食という[1]．最も嚥下しやすい食品物性は，食塊が均一で凝集性が高く，付着性が低く，変形性が大きいものといわれている．それに対して，サラサラした水やパサパサしたもの(パンなど)は誤嚥や窒息のリスクが高まる．嚥下調整食の段階について，日本摂食・嚥下リハビリテーション学会より「日本摂食・嚥下リハビリテーション学会嚥下調整食分類2013」が提示されたが，2021年に改訂版が発表された（**図4**）[17]．この分

表 8 主な嚥下代償法

食事に集中できる環境調整	テレビを消す，不必要に話しかけない．嚥下に意識を集中してもらう（think swallow）．
リクライニング位	検査で判断された適切な角度を調整する．
頸部前屈位	軽く顎を引いて嚥下することで喉頭蓋谷が広くなる．咽頭と気道に角度をつけ誤嚥を防ぐ．
うなずき嚥下	飲み込みにあわせて下を向くように努力性に嚥下してもらう．
一側嚥下	検査で適応があれば，体幹の健側を下にして，首だけ患側に向いて嚥下する．食道入口部の通過障害の改善を目的とする．
完全側臥位	検査で適応があれば，フラットなベッドに完全側臥位になり，嚥下する．頸部が反り返らないように体幹は「く」の字の姿勢をとる．重力の作用で中〜下咽頭の側壁に食塊が貯留し誤嚥リスクを軽減する．
頸部回旋（横向き嚥下）	頸部を通過不良の麻痺側に回旋してもらう．健側の咽頭が拡大し通過しやすくなる．
息こらえ嚥下	食物を口に入れ，鼻から大きく息を吸い，しっかり息を止め，食物を飲み込み，嚥下後に口から勢いよく息を吐く．
交互嚥下	固形物と水分やゼリーを交互に嚥下して咽頭残留を減らす．
複数回嚥下	一口の摂取で複数回嚥下し，咽頭残留を減らす．

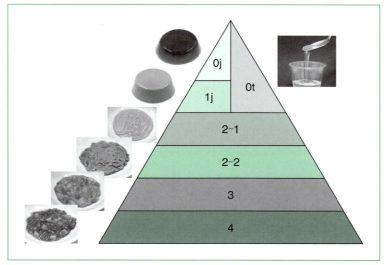

図 4 日本摂食嚥下リハビリテーション学会嚥下調整食分類 2021
（日本摂食嚥下リハビリテーション学会嚥下調整食委員会，2021）[17]を改変

類では，食事の分類（**表 9**）およびとろみの分類（**表 10**）が示されている[17]．これに基づき，患者のレベルに合わせて食種やとろみの濃度を決定し提供する．

4．医学的管理

1）経管チューブの管理

経鼻経管により嚥下運動が障害されることがある．特に 14 Fr 以上の太いチューブや咽頭交差して留置されている場合に問題が生じやすい．注入する栄養剤や薬剤によ

表9 学会分類2021(食事)早見表

コード		名称	形態	目的・特色	主食の例	必要な咀嚼能力	他の分類との対応
0	j	嚥下訓練食品0j	均質で付着性・凝集性・かたさに配慮したゼリー. 離水が少なく, スライス状にすくうことが可能なもの.	重度の症例に対する評価・訓練用. 少量をすくってそのまま丸呑み可能. 残留した場合にも吸引が容易. たんぱく質含有量が少ない.		(若干の送り込み能力)	嚥下食ピラミッドL0, えん下困難者用食品許可基準Ⅰ
	t	嚥下訓練食品0t	均質で付着性・凝集性・かたさに配慮したとろみ水(原則的には, 中間のとろみあるいは濃いとろみのどちらかが適している).	重度の症例に対する評価・訓練用. 少量ずつ飲むことを想定. ゼリー丸呑みで誤嚥したりゼリーが口中で溶けてしまう場合. たんぱく質含有量が少ない.		(若干の送り込み能力)	嚥下食ピラミッドL3の一部(とろみ水)
1	j	嚥下調整食1j	均質で付着性・凝集性・かたさ, 離水に配慮したゼリー・プリン・ムース状のもの.	口腔外で既に適切な食塊状となっている(少量をすくってそのまま丸呑み可能). 送り込む際に多少意識して口蓋に舌を押しつける必要がある. 0jに比し表面のざらつきあり.	おもゆゼリー, ミキサー粥のゼリーなど	(若干の食塊保持と送り込み能力)	嚥下食ピラミッドL1・L2. えん下困難者用食品許可基準Ⅱ, UDF区分 かまなくてもよい(ゼリー状)※ UDF:ユニバーサルデザインフード
2	1	嚥下調整食2-1	ピューレ・ペースト・ミキサー食など, 均質でなめらかで, べたつかず, まとまりやすいもの. スプーンですくって食べることが可能なもの.	口腔内の簡単な操作で食塊状となるもの(咽頭では残留, 誤嚥をしにくいように配慮したもの).	粒がなく, 付着性の低いペースト状のおもゆや粥	(下顎と舌の運動による食塊形成能力および食塊保持能力)	嚥下食ピラミッドL3. えん下困難者用食品許可基準Ⅲ, UDF区分 かまなくてもよい
	2	嚥下調整食2-2	ピューレ・ペースト・ミキサー食などで, べたつかず, まとまりやすいもので不均質なものも含む. スプーンですくって食べることが可能なもの.		やや不均質(粒がある)でもやわらかく, 離水もなく付着性も低い粥類	(下顎と舌の運動による食塊形成能力および食塊保持能力)	嚥下食ピラミッドL3. えん下困難者用食品許可基準Ⅲ, UDF区分 かまなくてもよい
3		嚥下調整食3	形はあるが, 押しつぶしが容易, 食塊形成や移送が容易, 咽頭でばらけず嚥下しやすいように配慮されたもの. 多量の離水がない.	舌と口蓋間で押しつぶしが可能なもの. 押しつぶしや送り込みの口腔操作を要し(あるいはそれらの機能を賦活し), かつ誤嚥のリスク軽減に配慮がなされているもの.	離水に配慮した粥など	舌と口蓋間の押しつぶし能力以上	嚥下食ピラミッドL4. UDF区分 舌でつぶせる
4		嚥下調整食4	かたさ・ばらけやすさ・貼りつきやすさなどのないもの. 箸やスプーンで切れるやわらかさ.	誤嚥と窒息のリスクを配慮して素材と調理方法を選んだもの. 歯がなくても対応可能だが, 上下の歯槽提間で押しつぶすあるいはすりつぶすことが必要で, 舌と口蓋間で押しつぶすことは困難.	軟飯・全粥など	上下の歯槽提間の押しつぶし能力以上	嚥下食ピラミッドL4. UDF区分 舌でつぶせる および UDF区分 歯ぐきでつぶせる および UDF区分 容易にかめるの一部

(日本摂食嚥下リハビリテーション学会嚥下調整食委員会, 2021)[17]

第2章　主な病態の栄養療法

表10　学会分類2021（とろみ）早見表

	段階1 薄いとろみ	段階2 中間のとろみ	段階3 濃いとろみ
英語表記	Mildly thick	Moderately thick	Extremely thick
性状の説明 （飲んだとき）	「drink」するという表現が適切なとろみの程度．口に入れると口腔内に広がる液体の種類・味や温度によっては，とろみがついていることがあまり気にならない場合もある．飲み込む際に大きな力を要しない．ストローで容易に吸うことができる．	明らかにとろみがあることを感じ，かつ「drink」するという表現が適切なとろみの程度．口腔内での動態はゆっくりですぐには広がらない．舌の上でまとめやすい．ストローで吸うのは抵抗がある．	明らかにとろみがついていて，まとまりが良い．送り込むのに力が必要．スプーンで「eat」するという表現が適切なとろみの程度．ストローで吸うことは困難．
性状の説明 （見たとき）	スプーンを傾けるとすっと流れ落ちる．フォークの歯の間から素早く流れ落ちる．カップを傾け，流れ出た後には，うっすらと跡が残る程度の付着．	スプーンを傾けるととろとろと流れる．フォークの歯の間からゆっくりと流れ落ちる．カップを傾け，流れ出た後には，全体にコーティングしたように付着．	スプーンを傾けても，形状がある程度保たれ，流れにくい．フォークの歯の間から流れ出ない．カップを傾けても流れ出ない（ゆっくりと塊となって落ちる）．

（日本摂食嚥下リハビリテーション学会嚥下調整食委員会，2021）[17]を改変

って8〜12 Frのチューブを使い分け，挿入する鼻腔と同側の咽頭にストレートに留置する[18]．

2）誤嚥性肺炎・窒息

誤嚥性肺炎は日本人の死因の上位に位置する[19]．摂食嚥下障害は誤嚥性肺炎を引き起こす大きな危険因子であり，肺炎により予後が悪化する．認知障害，高齢，神経症状が重度，多発性病変の患者は特に誤嚥性肺炎のリスクが高い[20]．肺炎は，低栄養による免疫機能低下でも起こり，予防は適切な栄養管理と口腔ケアの徹底である[14]．また，経管栄養は誤嚥性肺炎を予防するものではない．嚥下反射と咳嗽反射が極端に低下している場合は不顕性誤嚥を生じる可能性が高く，経鼻経管チューブが留置されているとそれを伝って胃食道逆流が生じやすくなる．予防として経管栄養時には30°以上の頭部挙上位にする[18]．

窒息は生命にかかわる重大な事故である．嚥下障害患者が窒息を起こしやすいのは，食事中・後である．急激な呼吸状態の変化やSpO$_2$の低下に留意し，窒息が疑われた場合は，ただちに吸引，背部打法，ハイムリッヒ法などの処置を行う．**（髙橋理美子）**

文献
1) 聖隷嚥下チーム：嚥下障害ポケットマニュアル，第4版，医歯薬出版，2019，p32，35，233．
2) Groher ME（藤島一郎監訳）：嚥下障害―その病態とリハビリテーション，医歯薬出版，1998，pp49-50．
3) 大田哲生：脳卒中による嚥下障害―オーバービュー．摂食・嚥下リハビリテーション50症例から学ぶ実践的アプローチ（里宇明元，藤原俊之監修），医歯薬出版，2008，pp2-4．
4) 若林秀隆：リハビリテーション栄養ポケットガイド改訂版，ジェフコーポレーション，2017，pp23-24．
5) Mori T et al：Development, reliability, and validity of a diagnostic algorithm for sarcopenic dys-

phagia. *JCSM Clinical Reports* **2**：e00017, 2017.

6）横山絵里子：栄養学的視点からみた摂食・嚥下リハビリテーション．臨床リハ **20**：1027-1037, 2011.

7）Kunieda K et al：Reliability and Validity of a Tool to Measure the Severity of Dysphagia：The Food Intake LEVEL Scale. *J Pain Symptom Manage* **46**(2)：201-206, 2013.

8）Crary MA et al：Initial psychometric assessment of a functional oral intake scale for dysphagia in stroke patients. *Arch Phys Med Rehabil* **86**：1516-1520, 2005.

9）岩佐正人：エネルギー代謝とエネルギー必要量．日本静脈経腸栄養学会静脈経腸栄養ハンドブック（日本静脈経腸栄養学会編），南江堂，2011，pp146-152.

10）Bouziana SD, Tziomalos K：Malnutrition in Patients with Acute Stroke. *J Nutr Metabo* **2011**：167898, 2011.

11）Hall KD：What is the required energy deficit per unit weight loss? Int J *Obesity*(*Lond*) **32**：573-576, 2008.

12）Hébuterne X et al：Ageing and muscle：the effects of malnutrition, re-nutrition, and physical exercise. *Curr Opin Clin Nutr Metab Care* **4**：295-300, 2001.

13）Shimizu A et al：Texture-modified diets are associated with decreased muscle mass in older adults admitted to a rehabilitation ward. *Geriatr Gerontol Int* **18**(5)：698-704, 2018.

14）米山武義：誤嚥性肺炎予防における口腔ケアの効果．日老会誌 **38**：476-477, 2001.

15）若林秀隆：リハビリテーション栄養ハンドブック，医歯薬出版，2010，pp1-133.

16）福村直毅：完全側臥位で早期経口摂取を目指す！*MB Med Reha* **160**：63-66, 2013.

17）日本摂食嚥下リハビリテーション学会嚥下調整食委員会：日本摂食嚥下リハビリテーション学会嚥下調整食分類2021．日摂食嚥下リハ会誌 **25**(2)：135-149, 2021.

18）藤谷順子，鳥羽研二：誤嚥性肺炎―抗菌薬だけに頼らない肺炎治療，医歯薬出版，2012，pp86-93.

19）厚生労働省：令和2年(2020)人口動態統計月報年計(概数)の概況：2021.https://www.mhlw.go.jp/toukei/saikin/hw/jinkou/geppo/nengai20/index.html

20）前島伸一郎・他：脳卒中に関連した肺炎 急性期リハビリテーション介入の立場からみた検討．脳卒中 **33**：52-58, 2011.

3 フレイル

1 身体的フレイル

　フレイルとは，日本老年医学会により提唱されたfrailtyの訳語であり，健常な状態と要介護状態の中間的な状態を意味する（**図1**)[1]．これまでfrailtyの訳語としては，虚弱や衰弱といった言葉が用いられていたが，これらの訳語ではfrailtyのもつ多面的な要因を十分に表現できず，加齢に伴う不可逆的な印象を与えてしまうことから，フレイルが使用されることとなった[2]．フレイルは，筋力や歩行速度の低下といった身体的要因の他に，認知機能の低下や抑うつによる精神・心理的要因，独居や経済的困窮による社会的要因など，さまざまな要因が影響しており，適切な介入によって，健常な状態へと改善する可逆性が含まれている．

　このように，フレイルは多面的な要因によって構成されているが，なかでも身体的フレイルは，筋力低下やバランス能力の低下など身体機能の低下から転倒や骨折を招

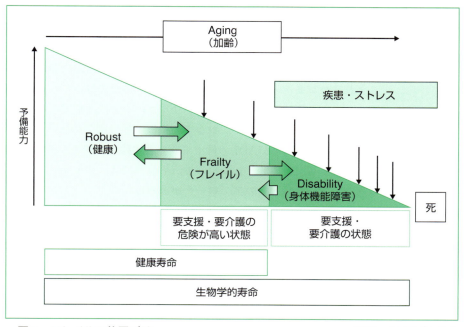

図1　フレイルの位置づけ　　　　　　　　　　　　　　　　　　（葛谷，2009）[1]を改変

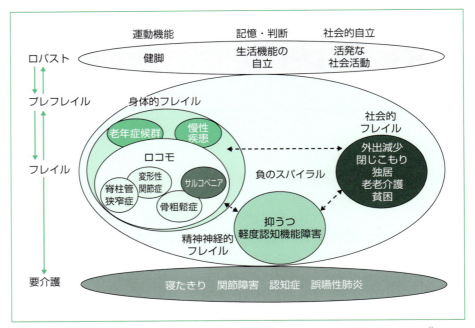

図2　フレイル，サルコペニア，ロコモティブシンドロームの関係　　（原田）[4]を改変

き，ADLを低下させ，要介護状態へ導く主要因として知られている．身体的フレイルを構成する要因として，Friedらは，体重減少，筋力低下，疲労感，歩行速度の低下，身体活動量の低下の5項目をあげており，このうち3項目以上該当したものをフレイル，1〜2項目該当するものをフレイルの前段階であるプレフレイルと定義している[3]．この定義からもわかるように，身体的フレイルは筋力（握力）低下や歩行速度の低下が指標として用いられており，サルコペニアと類似する部分が多く，サルコペニアは身体的フレイルの重要な要素といえる．また，加齢や運動器疾患によって引き起こされるロコモティブシンドローム（以下ロコモ）においても，骨格筋障害は重要な要因の一つであることから，ロコモとサルコペニアには密接な関係が認められる．これらフレイルとサルコペニア，ロコモの位置関係は図2のようになり[4]，骨格筋障害による身体機能の低下がADLの低下や要介護状態に影響する点で，共通した関係がある．このことから，身体的フレイルの予防や改善には，サルコペニアやロコモを考慮した包括的な骨格筋障害へのアプローチが求められる．

2　身体的フレイルの病態生理

フレイルに影響を及ぼす加齢および慢性疾患の要因についてFerrucciらは身体組成の変化，エネルギー産生・消費の不均衡，恒常性の調節不全，神経変性の4つを挙げている[5]．これらの要因が影響し，フレイルに至ることで，さらなる身体機能の低下や併存症など，さまざまな老年症候群の症状を引き起こす．

加齢に伴う身体組成の変化としては，骨密度や骨格筋量の減少，内臓脂肪の蓄積をもたらし，骨粗鬆症やサルコペニア，メタボリックシンドロームなどを引き起こす．それに伴い身体機能が低下すると，活動量の低下からさらなる身体機能を低下させる悪循環を招く．

エネルギー産生・消費の不均衡としては，加齢に伴う骨格筋量をはじめとした，代謝活性の高い組織の減少により，安静時代謝は低下する．また，慢性疾患の併存により，エネルギーの消費は亢進し，エネルギー効率の悪化や慢性的な消耗から疲労感や倦怠感を招く．

恒常性の調節不全としては，成長ホルモンやインスリン様成長因子(insulin-like growth factor 1；IGF-1)，テストステロンなどの筋たんぱく合成促進作用のあるホルモンが，加齢に伴って減少することにより筋力や骨格筋量の低下を招く．さらに，IGF-1は筋活動によって筋肉でも合成されることから，活動性の低下を認める場合，さらに筋たんぱく合成を低下させる．また，加齢や慢性炎症性疾患の併存により，筋たんぱくの分解を促進するIL-6やTNF-αなど，炎症性サイトカインの分泌によって骨格筋量は低下する．

神経変性に関しては，加齢に伴い運動ニューロンの数が減少することにより，筋線維の脱神経化が起こり，筋線維の萎縮を招く．また，加齢に伴い大脳の白質病変が増加すると，前頭葉の機能が低下し，意欲低下や抑うつを引き起こす．このことが，活動性の低下を招き，食欲低下や身体機能の低下を引き起こし，フレイルの悪化をもたらす．

3 身体的フレイルの診断基準

フレイルを診断するための基準はさまざまなものが存在しているが，いまだ国際的に統一された基準はない．そのなか，身体的フレイルを診断する方法として多く用いられているのが，Friedらによって提唱されたCardiovascular Health Study (CHS)基準である[3]．このCHS基準をもとに，厚生労働省が作成した基本チェックリストや握力・歩行速度に関するこれまでの報告を参考にして，わが国における統一基準を示したものが，日本版CHS(J-CHS)基準である．2020年には国立長寿医療研究センターにより改訂日本版CHS基準(改訂J-CHS基準)が発表されている(**表1**)[6]．改訂J-CHS基準における判定方法は，「体重減少」「筋力低下」「疲労感」「歩行速度」「身体活動」の5項目のうち，3項目以上該当したものをフレイル，1〜2項目該当したものをプレフレイル，いずれにも該当しないものをロバスト(健常)と判定する．J-CHS基準に関しては，ADLの低下や死亡イベント発生の予測，既存のフレイル評価方法との関連など，妥当性が示されている．

またYamadaらは，より簡便なフレイルのスクリーニングを目的に，二者択一形式の5項目で構成されたフレイル・インデックスを作成している(**表2**)[7]．フレイル・インデックスは，「筋力(握力)低下」に替わり，「記憶力の低下」に関する項目が追加され，「体重減少」「自覚的歩行速度の低下」「身体活動量の低下」「記憶力の低下」「疲

表 1　改訂 J−CHS 基準

項目	評価基準
体重減少	「6 カ月間で 2〜3 kg 以上の(意図しない)体重減少がありましたか?」に「はい」と回答した場合
筋力低下	握力:男性 28 kg 未満、女性 18 kg 未満の場合
疲労感	「(ここ 2 週間)わけもなく疲れたような感じがする」に「はい」と回答した場合
歩行速度	通常歩行速度:1 m/秒未満の場合
身体活動	①「軽い運動・体操をしていますか?」 ②「定期的な運動・スポーツをしていますか?」 上記 2 つのいずれも「週に 1 回もしていない」と回答した場合

上記 5 項目のうち 3 項目以上に該当するものをフレイル,1〜2 項目に該当するものをプレフレイル,いずれにも該当しないものをロバスト(健常)とする　　　　　　　　　(Satake et al,2020)[6]

表 2　フレイル・インデックス

6 カ月間で 2〜3 kg 以上の体重減少がありましたか?	「はい」で 1 点
以前に比べて歩く速度が遅くなってきたと思いますか?	「はい」で 1 点
ウォーキングなどの運動を週に 1 回以上していますか?	「いいえ」で 1 点
5 分前のことが思い出せますか?	「いいえ」で 1 点
(ここ 2 週間)わけもなく疲れたような感じがする	「はい」で 1 点

3 項目以上該当したものをフレイル,1〜2 項目該当したものをプレフレイルと判定する.　　　　　　　　　　　　　　　(Yamada et al,2015)[7]を改変

労感」の 5 項目により構成されている.このうち 3 項目以上該当したものをフレイル,1〜2 項目該当したものをプレフレイルと判定する.フレイル・インデックスを用いた地域高齢者のフレイル有病率やフレイルから死亡・要介護への移行率を調査した報告によると,年齢や性別で調整しても,フレイル・プレフレイルは有意な死亡・要介護要因であった[7].

　フレイルの早期発見・早期介入を行うためにも,フレイル・インデックスによるスクリーニングを行い,改訂 J−CHS 基準による診断を行うことが推奨される.

4　栄養評価のポイント

　フレイルでは,身体機能の低下により活動性の減少を招き,そのことから食欲を減退させ低栄養に至る.さらに低栄養に加え加齢や疾患が影響してサルコペニアをきたし,さらなる身体機能の低下をきたすという悪循環が生じる(**図3**)[3].このフレイルサイクルからわかるようにフレイルと栄養には密接な関係があり,フレイルの予防・改善には早期からの栄養評価・介入が重要となる.

　改訂 J−CHS 基準やフレイル・インデックス,基本チェックリストをはじめとした,さまざまなフレイルの評価ツールにおいても体重減少についての項目があり,定期的な体重測定による体重変化の把握は最も重要となる.また,フレイルの主要因の一つでもあるサルコペニアでは,筋肉量の減少や筋力・歩行速度の低下をきたすことから,

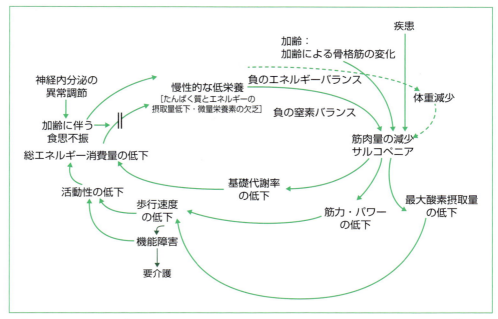

図3　フレイルサイクル　　　　　　　　　　　　　　　　　　　　　　（Fried et al, 2001）[3]を改変

これらの評価を行うことも重要である．特に筋肉量の評価に関しては，生体電気インピーダンス法などの機器を用いて，詳細な筋肉量を評価することが望ましいが，このような機器がない場合には，骨格筋量との関連が強いとされる上腕周囲長や下腿周囲長を計測し，代用する方法もある．

　欧米ではBMIが $30\,\mathrm{kg/m^2}$ を超えるような高度の肥満高齢者とフレイルの関連が報告されており，肥満に伴うフレイルでは主に歩行速度の低下や活動性の低下が影響しているとされる[8]．このように，過栄養とフレイルの関連も認められているが，わが国においてはBMIが $30\,\mathrm{kg/m^2}$ を超える高齢者の割合はごくわずかであることから，日本人の高度肥満高齢者でも同様かどうかは不明である．

　以上のように高齢者の栄養障害を考えるうえで，低栄養・過栄養それぞれ個別性を考慮する必要があるが，加齢の進行とともに，より低栄養やフレイル高齢者の割合が多くなることを念頭に置いて評価・介入する必要がある．フレイルによる低栄養を早期発見するには，問診による食欲の調査や疾患・活動を加味したエネルギー消費量とエネルギー摂取量のバランスを適宜評価し，定期的に体重をモニタリングすることで，体重減少などの変化に気づくことが重要となる．

　低栄養の診断については，2018年に発表された国際的な低栄養診断基準であるGLIM基準[9]を用いることが望ましい（第1章5，p65〜参照）．

5　身体的フレイルの栄養療法

　フレイルに対する栄養療法を考えるうえで，フレイルの中核をなすサルコペニアや

表3 日本人高齢者の食事摂取基準

		男性		女性	
		65〜74歳	75歳以上	65〜74歳	75歳以上
推定エネルギー必要量 （kcal/日）	身体活動レベルⅠ（低い）	2,050	1,800	1,550	1,400
	身体活動レベルⅡ（ふつう）	2,400	2,100	1,850	1,650
	身体活動レベルⅢ（高い）	2,750	―	2,100	―
たんぱく質	推定平均必要量(g/日)	50	50	40	40
	推奨量(g/日)	60	60	50	50
	目標量(%エネルギー)	15〜20	15〜20	15〜20	15〜20
ビタミンD(μg/日)	目安量	8.5	8.5	8.5	8.5
	耐容上限量	100	100	100	100

※参照体重
65〜74歳：男性65.0 kg，女性52.1 kg.
75歳以上：男性59.6 kg，女性48.8 kg.
（厚生労働省）[10]

その原因となる低栄養へのアプローチは特に重要であり，筋力などの骨格筋機能や骨格筋量の維持・改善を目指した栄養管理が求められる．

フレイルの徴候の一つとして体重減少があるが，現時点で体重減少を認めておらず，適正体重を維持できている場合，エネルギーの充足によって現在の体重を維持することが栄養管理の目標となる．すでに体重減少をきたしている場合は，エネルギーの充足に留まらず，エネルギー蓄積量を考慮し，体重増加を目指した栄養管理を目標とする．

「日本人の食事摂取基準(2020年版)」においては[10]，フレイルおよび生活習慣病予防の両者に配慮し，高齢者の目標BMIを21.5〜24.9 kg/m^{2}に設定している．またエネルギー必要量は，身体活動レベルに応じて異なるため，個別に調整することが求められる．高齢者の推定エネルギー必要量について**表3**をもとに，体重1 kg当たりのエネルギー必要量を算出すると，おおむね30〜40 kcal/kg/日の範囲で調整する必要がある．

高齢者におけるたんぱく質摂取については，**表3**のとおり総エネルギー量の15〜20％を目標量として設定されている．これをもとに，身体活動レベルごとの推定エネルギー必要量から体重1 kg当たりのたんぱく質目標量を算出すると，おおむね1〜2 g/kg/日となる．ただし，高齢者では過剰なたんぱく質摂取による腎機能障害の出現や，すでに腎機能障害を有する患者における腎機能の悪化には十分な注意が必要となる．

フレイルやサルコペニアに影響する栄養素の一つとして，ビタミンDに関しても多くの報告がなされている．ビタミンDは骨代謝において重要な役割を果たしているが，骨格筋や転倒との関連があることでも知られている．Stocktonらによるメタ・アナリシスでは[11]，血中ビタミンD濃度が低下している場合には，ビタミンDの補充が筋力増強に有効であったが，血中ビタミンD濃度の低下がみられない場合には，

ビタミン D を補充しても筋力増強効果は認めなかったと報告している．また近年報告された Prokopidis らによるメタ・アナリシスでは[12]，地域在住高齢者に対するビタミン D の補給は，プラセボと比較し，身体機能を改善せず，SPPB（Short Physical Performance Battery）のスコアを低下させ身体機能への悪影響を及ぼすことが報告されている．これらのことから，ビタミン D に関しては，不足時には積極的な補給が必要となるが，日常的には欠乏に注意することが重要である．日本人高齢者のビタミン D 摂取の目安としては，**表 3** に示すとおり，8.5 μg/ 日とされているが，ビタミン D 欠乏に対するさまざまな介入研究や「骨粗鬆症の予防と治療ガイドライン 2015 年版」の推奨量をもとにすると[13]，10〜20 μg/ 日の摂取が必要という意見もある．

　フレイルと栄養には密接な関係があり，栄養療法は重要な介入手段の一つとなる．しかし，栄養療法単独での骨格筋機能改善や骨格筋量の増加を図ることは困難であり，レジスタンス運動や有酸素運動などの運動療法と併用することで，栄養療法の効果をより引き出すことが可能となる．フレイル高齢者に対する運動療法と栄養療法の併用介入については，International Conference on Frailty and Sarcopenia Research（ICFSR）の国際診療ガイドラインやフレイル理学療法ガイドラインにおいても条件付きで推奨されている[14, 15]．また，たんぱく質など，特定の栄養素を補充し，その効果を期待する場合には，エネルギーが不足した状態では十分な効果を得られないため，エネルギーが充足したうえで補充することが重要である．

6　認知的フレイル

　認知的フレイル（cognitive frailty）は，コグニティヴ・フレイルともよばれ，身体的フレイルに軽度の認知機能障害が合併した状態を指す．認知機能と身体的フレイルの関係では，認知機能の低下が身体的フレイルを引き起こし，身体的フレイルが認知機能の低下を引き起こすとされ，これらは相互に関連している．Robertson らは，従来のフレイルサイクルに認知機能の影響を加えた，フレイルと認知障害のサイクルを示している（**図 4**）[16]．このことからも，フレイルでは身体機能のみに着目するのではなく，認知機能も含めた評価・介入が求められる．

　認知的フレイルは，「身体的フレイルに加え，CDR（Clinical Dementia Rating）による認知症の重症度評価で，0.5（認知症の疑い）に該当し，アルツハイマー型認知症や他の認知症がないもの」と定義されている[17]．このことから，認知的フレイルは認知症の前段階であり，適切な介入により，認知機能や身体機能の改善が期待できる．

7　社会的フレイル

　社会的フレイルは，独居などから，社会活動への参加や社会的交流の機会が減少し，身体機能や認知機能の低下に影響している状態を指す．社会的フレイルは，身体機能の低下から外出が制限されている場合や，精神・心理的要因により外出意欲が低下する場合などがある．Gobbens らは，身体的フレイル・認知的フレイル・社会的フレ

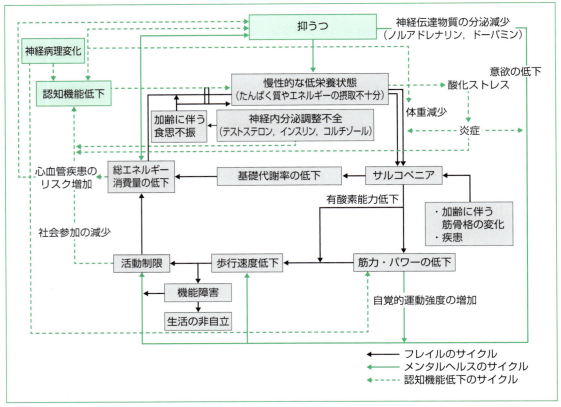

図4 フレイルと認知障害のサイクル　　　　　　　　　　　　　　　　　　(Robertson et al, 2013)[16]

イルが相互に影響していることを示す，統合されたフレイルの概念モデルを提唱している[18]．社会的フレイルに関して，現時点では統一された評価方法はないが，阿部らは社会的フレイルに関する先行研究をもとに，内容的妥当性のある社会的フレイルの要素を検証した結果，経済的状況(①経済的困難)，居住形態(②独居)，社会的サポート(③生活サポート者の有無，④社会的サポート授受)，社会的ネットワーク(⑤誰かと話す機会，⑥友人に会いに行く，⑦家族や近隣者との接触)，社会活動・参加(⑧外出頻度，⑨社会交流，⑩社会活動，⑪社会との接触)の5分類11要素が抽出されたと報告している．このことから，社会的フレイルの評価や介入に関しては，これらの要素に着目することが重要である[19]．

8　オーラルフレイル

　　フレイルによる身体機能の低下は，口唇や舌の運動，咀嚼機能といった口腔機能の低下の起因となる．滑舌の低下や食事の食べこぼし・わずかなむせ，噛めない食品の増加といった，軽微な口腔機能の低下状態をオーラルフレイルとして提唱している[20]．また日本歯科医師会によって，オーラルフレイルの定義を「老化に伴うさまざ

第2章 主な病態の栄養療法

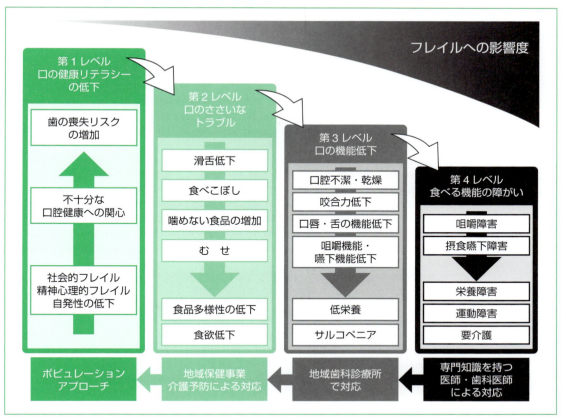

図5　オーラルフレイル概念図　　　　　　　　　　　　　　　　　　　　（公益社団法人日本歯科医師会，2019）[21]

　まな口腔の状態（歯数・口腔衛生・口腔機能など）の変化に，口腔健康への関心の低下や心身の予備能力低下も重なり，口腔の脆弱性が増加し，食べる機能障害へ陥り，さらにはフレイルに影響を与え，心身の機能低下にまでつながる一連の現象および過程」と定めている[21]．

　オーラルフレイルの時点では，些細な口腔機能低下であっても，その状態の見落としや，発見・介入の遅れが生じることで，容易にフレイル状態へ移行し，低栄養の進行やサルコペニアを生じ，さらなる口腔機能・嚥下機能の低下など，全身機能の悪化につながる（**図5**）[21]．そのため，フレイルの予防・改善を目指すうえでは，四肢の機能低下だけではなく，口腔機能を含めた全身の症状に注意し，評価・介入していくことが重要となる．

（石川　淳）

文献
1) 葛谷雅文：老年医学における Sarcopenia & Frailty の重要性．日老医誌 46(4)：279-285, 2009.
2) 荒井秀典：フレイルの意義．日老医誌 51(6)：497-501, 2014.
3) Fried LP et al：Frailty in older adults：evidence for a phenotype. *J Gerontol A：Biol Sci Med Sci* 56(3)：M146-M157, 2001.

4) 原田 敦：ロコモティブシンドロームにおけるサルコペニアの位置付け．日本老年医学会ホームページ：https://www.jpn-geriat-soc.or.jp/press_seminar/report/seminar_02_04.html

5) Ferrucci L, Guralnik JM：Mobility in human aging：a multidisciplinary life span conceptual framework. *Annu Rev Gerontol Geriatr* **33**：171, 2013.

6) Satake S, Arai H：The revised Japanese version of the Cardiovascular Health Study criteria (revised J-CHS criteria). *Geriatr Gerontol Int* **20**(10)：992-993, 2020.

7) Yamada M, Arai H：Predictive value of frailty scores for healthy life expectancy in community-dwelling older Japanese adults. *J Am Med Dir Assoc* **16**(11)：1002-e7-11, 2015.

8) Hubbard RE et al：Frailty, body mass index, and abdominal obesity in older people. *J Gerontol A Biol Sci Med Sci* **65**(4)：377-381, 2009.

9) Cederholm T et al：GLIM criteria for the diagnosis of malnutrition-A consensus report from the global clinical nutrition community. *Clin Nutr* **38**(1)：1-9, 2019.

10) 厚生労働省：「日本人の食事摂取基準(2020年版)策定検討会」報告書．

11) Stockton KA et al：Effect of vitamin D supplementation on muscle strength：a systematic review and meta − analysis. *Osteoporos Int* **22**(3)：859-871, 2011.

12) Prokopidis K et al：Effect of vitamin D monotherapy on indices of sarcopenia in community-dwelling older adults: a systematic review and meta-analysis. *J Cachexia Sarcopenia Muscle*, 2022.

13) 日本骨粗鬆症学会 骨粗鬆症の予防と治療ガイドライン作成委員会(編)：骨粗鬆症の予防と治療ガイドライン 2015年版，ライフサイエンス出版，2015.

14) Dent E et al：Physical frailty：ICFSR international clinical practice guidelines for identification and management. *J Nutr Health Aging* **23**(9)：771-787, 2019.

15) 公益社団法人 日本理学療法士協会(監修)：理学療法ガイドライン，第2版，医学書院，2021.

16) Robertson DA et al：Frailty and cognitive impairment-a review of the evidence and causal mechanisms. *Ageing Res Rev* **12**(4)：840-851, 2013.

17) Kelaiditi E et al：Cognitive frailty：rational and definition from an (IANA/IAGG) international consensus group. *J Nutr Health Aging* **17**(9)：726-734, 2013.

18) Gobbens RJ et al：Towards an integral conceptual model of frailty. *J Nutr Health Aging* **14**(3)：175-181, 2010.

19) 阿部紀之・他：社会的フレイルの指標に関する文献レビューと内容的妥当性の検証．日老医誌 **58**(1)：24-35, 2021.

20) 鈴木隆雄・他：独立行政法人国立長寿医療研究センター：平成25年度 老人保健事業推進費等補助金老人保健健康増進等事業「食(栄養)および口腔機能に着目した加齢症候群の概念の確立と介護予防(虚弱化予防)から要介護状態に至る口腔ケアの包括的対策の構築に関する調査研究事業」事業実施報告書，2014.

21) 公益社団法人 日本歯科医師会：歯科診療所におけるオーラルフレイル対応マニュアル2019年版，2019.

4 サルコペニア

1 サルコペニアとは

サルコペニア（sarcopenia）は，加齢などの原因により骨格筋量，筋力，身体機能が低下した状態を示す骨格筋疾患である（**図1**）．ギリシャ語で「筋肉」を意味する"sarx"と「減少・消失」を意味する"penia"から成る造語である．当初は骨格筋量減少のみに着目した概念であったが，現在は筋機能低下を含めたさまざまな定義と診断基準が発表されている．

世界的な高齢化に伴いサルコペニアへの関心は国内外で極めて高く，2010年にEuropean Working Group on Sarcopenia in Older People（EWGSOP）による定義が発表され，2014年にはAsian Working Group for Sarcopenia（AWGS）がアジア人用の定義とカットオフ値を発表した．2016年には国際疾病分類に傷病登録された．その後，EWGSOPとAWGSの診断基準がアップデートされたEWGSOP 2とAWGS 2019が発表され，現在に至っている．サルコペニアは地域在住高齢者や医療機関入院患者などあらゆるセッティングにおいて負の健康アウトカムのリスク因子であることが明らかになっており，老年学上最も重要な疾患の一つである．

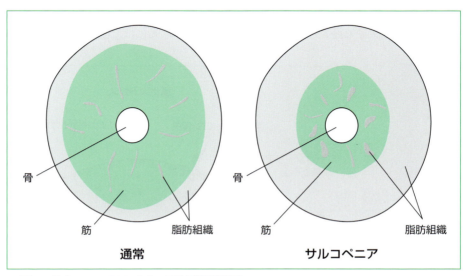

図1　サルコペニアのイメージ（大腿横断面）
サルコペニアでは脂肪組織の割合が増加し，骨格筋内にも脂肪組織が浸潤している．

2 サルコペニアの原因

サルコペニアは，加齢が原因の一次性と加齢以外の栄養，不活動，疾患が原因の二次性に分類される（**表1**）[1]．加齢以外にサルコペニアの原因が考えられない場合は一次性のサルコペニアと診断する．骨格筋のホメオスタシスは加齢によりアンバランスとなり，筋たんぱくの同化と異化のバランスが破綻することで骨格筋が萎縮する．サルコペニアの場合は，選択的にtype II（速筋）繊維のサイズが萎縮し，筋繊維数が減少することが特徴である．サルコペニアの病態生理は複雑であり，ミトコンドリアの機能不全や運動ニューロンの喪失，酸化ストレス，内分泌機能低下，衛生細胞の機能不全，炎症性サイトカイン，たんぱく代謝の不均衡などさまざまな要因が関与している（**図2**）[1]．

二次性のサルコペニアの原因である栄養には，たんぱく質・エネルギー摂取不足，微量栄養素の欠乏などが含まれる．不活動には，寝たきりや不動，ディコンディショ

表1　サルコペニアの原因

一次性サルコペニア	
加齢性	加齢以外に明らかな原因がないもの
二次性サルコペニア	
栄養	たんぱく質・エネルギー摂取量低下 微量栄養素の欠乏 吸収不良などの消化器疾患 食欲不振（加齢，口腔内の問題）
活動	寝たきり，不動，ディコンディショニング 低身体活動，不活発な生活習慣
疾患	骨関節疾患 慢性心不全，慢性閉塞性肺疾患などの心肺機能障害 代謝障害（特に糖尿病） 内分泌疾患 神経疾患 がん 肝臓・腎臓疾患
医原性	医療機関入院 薬剤性

（Cruz-Jentoft et al, 2019）[1]を改変

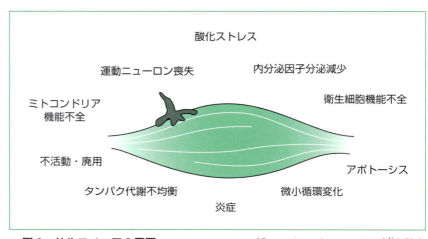

図2　サルコペニアの原因　　　（Cruz-Jentoft et al, 2019）[1]を改変

ニングが含まれる．疾患との関連も強く，特に慢性心不全や慢性閉塞性肺疾患などの慢性疾患ではサルコペニアの有病割合が高い．また，がんや神経疾患，糖尿病などの代謝疾患でサルコペニアを高頻度に認める．

上記の原因に加え，近年は入院や薬剤が原因の医原性サルコペニアに関する認識が高まっている．高齢者は入院自体がサルコペニア発症，重症化のリスク因子である．医原性サルコペニアは医療従事者のサルコペニアに対する認識が大きく影響する．そのため，不必要な安静や絶食を回避し，可能な限り早期離床，離床時間の延長を励行する．また，食欲不振を惹起する薬剤などの調整を行うなど，多職種でサルコペニアへの対策を行う．

3 サルコペニアの診断

サルコペニアの診断には EWGSOP 基準と AWGS 基準が広く用いられている．

2018 年に改訂された EWGSOP 基準では，筋力，骨格筋量，身体機能でサルコペニアを診断する（**図 3**）[2]．この診断基準の特徴は筋力が骨格筋量より優先されていることである．まず筋力を測定し，カットオフ値を下回った場合はその時点で sarcopenia probable と判定される．また，サルコペニアの重症度を判定する指標として身体

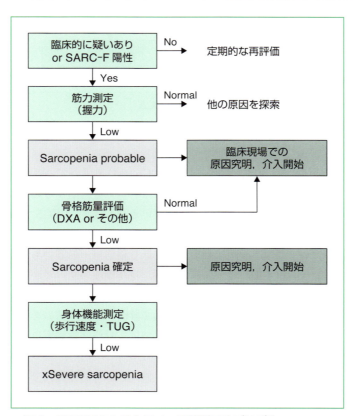

図 3　EWGSOP 2 サルコペニア診断アルゴリズム

(Cruz-Jentoft et al, 2019)[2]を改変

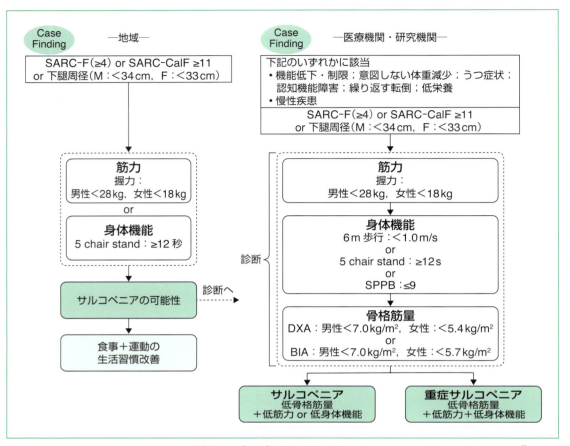

図4　AWGS 2019 サルコペニア診断アルゴリズム　　　　　　　　　　　　　　　　　　　　（Chen et al, 2020）[3]を改変

機能（歩行速度，Timed Up and Go test）を用いている点も特徴的である．

　現段階で日本人に対してサルコペニアを診断する場合は，アジア人向けに開発された AWGS 2019 の診断基準を用いる（**図4**）[3]．AWGS でも筋力，骨格筋量，身体機能でサルコペニアを診断することは EWGSOP と同じだが，AWGS では低骨格筋量をサルコペニア診断に必須とし，低骨格筋量＋低筋力もしくは低身体機能でサルコペニアと診断する．骨格筋量，筋力，身体機能のすべてが低下している場合は重症サルコペニアと診断する．AWGS 2019 の診断アルゴリズムの特徴は，一次予防のフィールドと医療機関・研究機関に分けて診断アルゴリズムを提示していることである．これにより，一次予防のフィールドでは，骨格筋量測定に必要な高価な医療機器を使用しなくても，握力や5回椅子立ち上がりテストで「サルコペニアの可能性」がある対象者を抽出することができ，その後の介入や医療機関での確定診断につなげることが可能になった．また，Case Finding として下腿周囲長と SARC−F（**表2**）を推奨しており，サルコペニアの徴候を早期に発見することを示した点も特徴的である．

第2章　主な病態の栄養療法

表2　SARC-F

項目	質問	スコア
握力 (**S**trength)	4〜5 kg のものを持ち上げて運ぶのがどのくらいたいへんですか	全くたいへんではない：0 少したいへん：1 とてもたいへん，または全くできない：2
歩行 (**A**ssistance in walking)	部屋の中を歩くのがどのくらいたいへんですか	全くたいへんではない：0 少したいへん：1 とてもたいへん，補助具を使えば歩ける，または全く歩けない：2
椅子から立ち上がる (**R**ise from a chair)	椅子やベッドから移動するのがどのくらいたいへんですか	全くたいへんではない：0 少したいへん：1 とてもたいへん，または助けてもらわないと移動できない：2
階段を昇る (**C**limb stairs)	階段を 10 段昇るのがどのくらいたいへんですか	全くたいへんではない：0 少したいへん：1 とてもたいへん，または昇れない：2
転倒 (**F**alls)	この 1 年で何回転倒しましたか	ない：0 1〜3 回：1 4 回以上：2

＊4 ポイント以上がサルコペニア．

4 筋力評価

　　筋力評価はサルコペニア判定において重要である．筋力は骨格筋量より早期に低下することから，サルコペニアの早期発見の重要な指標となる．EWGSOP，AWGS ともに全身の筋力の指標として握力を推奨している．握力測定は，握力計さえあれば場所を問わずに測定可能である．握力計は Smedley 型と Jamar 型があるが，測定機器を問わずに最大握力を測定して各診断基準のカットオフ値を参考にする．測定肢位は，介護予防領域では立位で測定され，立位が困難なことが多い医療機関入院患者では，座位で測定する場合がある．

5 骨格筋量評価

　　筋力評価は握力でコンセンサスを得ている一方で，骨格筋量測定はいまだゴールドスタンダードが存在しない．AWGS 2019 では，骨格筋量評価に Dual-energy X-ray absorptiometry（DXA）と Bioelectrical impedance analysis（BIA）法を推奨している．その他，CT や MRI，超音波画像診断装置が骨格筋量評価に用いられている．CT での測定は侵襲を伴い，MRI においてもコストや移動性，簡便性の観点から日常診療で汎用するのは困難である．BIA 法は体内の電気的インピーダンスを利用して水分量や体脂肪，骨格筋量を推定する方法であり，日常診療で広く用いられている．しかし，浮腫や腫脹，体内インプラントの影響を受けることから特に急性期の入院患者での測定値の妥当性には注意が必要である．

6 身体機能評価

AWGS 2019 では身体機能評価として歩行速度，5回椅子立ち上がりテスト，Short Physical Performance Battery（SPPB）を推奨している．歩行速度は最も代表的な身体機能評価であり，AWGS 2019 では通常歩行速度を2回測定し平均値を用いることを推奨している．高い信頼性を確保するためには，歩行路の前後1〜2mに加速・減速路を確保し，加速期と減速期の影響を受けないようにする．5回椅子立ち上がりテストは下肢の機能的筋力を測定するために有用なテストであり，椅子から5回立ち上がる時間を測定する．SPPB は歩行速度，5回椅子立ち上がりテスト，バランステストで構成される包括的な身体機能評価である．AWGS 2019 では，≤9 ポイントで全死亡との関連が示されていることから，≤9 ポイントをカットオフ値として推奨している．

7 栄養評価のポイント

1. サルコペニアと低栄養

サルコペニアと低栄養は多くの対象者で重複していることが多い．2018 年に発表された世界初の低栄養診断国際基準（Global Leadership Initiative on Malnutrition criteria：GLIM 基準）では，表現型と原因での診断を推奨している[5]．表現型は①意図しない体重減少，②低 BMI，③骨格筋量減少で構成され，原因は①食事摂取量低下/同化障害，②疾患/炎症で構成される．このように GLIM 基準は骨格筋量減少を診断項目に含んでいるために，サルコペニアに該当するすべての対象者に低栄養を疑う．

2021 年に日本リハビリテーション栄養学会から「栄養と理学療法」のポジションペーパーが発表された[6]．ポジションペーパーでは，従来は理学療法評価と考えられていた骨格筋量や筋力，身体機能が栄養評価として用いられていることに言及しており，栄養と理学療法あるいはリハを同時に考える重要性について解説している（**図5**）．

2. サルコペニア肥満

サルコペニア肥満はサルコペニアと肥満もしくは体脂肪の増加を併せ持つ状態であると定義されている．サルコペニア肥満の明確な診断基準はなく，四肢骨格筋量減少と BMI または体脂肪率，ウエスト周囲長の増加などで操作的に定義されてきた．しかし，2022 年に The European Society for Clinical Nutrition and Metabolism（ESPEN）と European Association for the Study of Obesity（EASO）による共同ステートメントでは，サルコペニア肥満を BMI もしくはウエスト周囲長でスクリーニングし，筋力低下と骨格筋量減少に加え，体脂肪率増加で診断することを推奨している[7]．

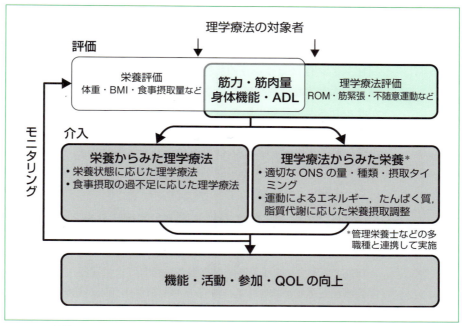

図 5　栄養と理学療法の概念図

（井上・他，2021）[6]

8　サルコペニアの栄養療法

1．エネルギー

　サルコペニアに対しては栄養状態の改善を意図した十分なエネルギーの投与が必要である．特にリハを行う場合は，リハで消費するエネルギーを考慮した栄養管理計画を立てる必要がある．1日エネルギー消費量＝1日エネルギー摂取量の場合は栄養状態の改善は困難である．サルコペニアや低栄養状態の改善を目指すためには，1日エネルギー必要量＝1日エネルギー消費量＋エネルギー蓄積量（200〜1,000 kcal）とする．

2．たんぱく質（分岐鎖アミノ酸）

　骨格筋に対してはたんぱく質，特に分岐鎖アミノ酸の摂取が有効と考えられている．特に分岐鎖アミノ酸のなかでもロイシンは最も筋たんぱく合成刺激が強く，高齢者の骨格筋量増加効果が報告されている．ESPEN のガイドラインでは，高齢者には最低 1 g/kg/日のたんぱく質摂取を推奨している[8]．PROT-AGE Study Group のポジションペーパーでは，腎機能に配慮したうえで急性疾患および慢性疾患を有する高齢者には 1.2〜1.5 g/kg/日，重症患者や外傷，低栄養の対象者には 2.0 g/kg/日の摂取を推奨している[9]．

　一方で，サルコペニア高齢者に対して栄養療法単独での効果は明らかではなく，ロイシンの投与単独では身体機能改善に効果はなかったとの報告がある．レジスタンストレーニングによる筋たんぱく合成能の向上はよく知られており，特にサルコペニア

高齢者に対しては栄養療法とリハを併用することが最も効果的である．

3. ビタミン D

ビタミン D はカルシウム代謝，骨代謝と密接にかかわっていることに加え，骨格筋にも本質的な役割を果たしている可能性が示唆されている．ビタミン D 摂取不足がサルコペニア発症に影響している可能性がある．ビタミン D 摂取による筋力増強効果はあるものの，骨格筋量には有効性を示していないとの報告やビタミン D 濃度の低い高齢者ではビタミン D 摂取により身体機能や筋力を向上させ転倒や骨折のリスクを下げるが，ビタミン D が不足していない高齢者に対しては効果が期待できないことが報告されている．

サルコペニアに対する栄養療法とリハビリテーションの併用

前述のとおり，サルコペニア高齢者に対しては栄養療法だけでは効果に限界があり，栄養療法と運動療法を中心とするリハとの併用介入が効果的である．特にレジスタンストレーニング後の筋たんぱく合成能の促進に配慮する必要があり，たんぱく質やアミノ酸を効率的に摂取することで対象者の筋力と筋肉量の向上を図る戦略が必要である（**図6**）[10]．サルコペニア高齢者にロイシン高配合必須アミノ酸の摂取とレジスタンストレーニングを併用した介入研究では，下肢骨格筋量や歩行速度，膝伸展筋力が改

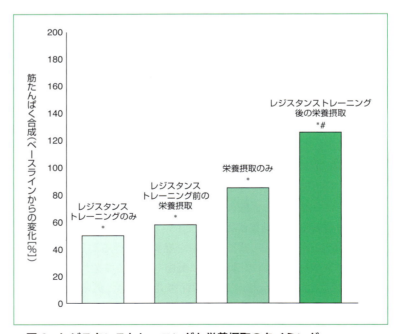

図6 レジスタンストレーニングと栄養摂取のタイミング
*ベースラインに対して有意に改善．＃レジスタンストレーニング前の栄養摂取に対して有意に改善　　　　　（Drummond et al, 2009）[10]を改変

善したとの報告がある．栄養摂取とリハの併用は，医療機関に入院したサルコペニア高齢者を対象としてもその効果が報告されている．特に急性期後の回復期段階における効果が明らかになっており，ロイシンやホエイたんぱくとビタミンDを中心とした栄養介入がADLや骨格筋量，筋力，身体機能を向上させ，在院日数を短縮することが報告されている[11]．

(井上達朗)

文献

1) Cruz-Jentoft AJ, Sayer AA：Sarcopenia. *Lancet* **393**：2636-2646, 2019.

2) Cruz-Jentoft AJ et al：Sarcopenia：Revised European consensus on definition and diagnosis. *Age Ageing* **48**：16-31, 2019.

3) Chen LK et al：Asian Working Group for Sarcopenia：2019 Consensus Update on Sarcopenia Diagnosis and Treatment. *J Am Med Dir Assoc* **21**：300-307. e2, 2020.

4) Kara M et al：Diagnosing sarcopenia：Functional perspectives and a new algorithm from ISarcoPRM. *J Rehabil Med* **53**：jrm00209, 2021

5) Cederholm T et al：GLIM criteria for the diagnosis of malnutrition – A consensus report from the global clinical nutrition community. *Clin Nutr* **38**：1-9, 2019.

6) 井上達朗・他：栄養と理学療法：日本リハビリテーション栄養学会理学療法士部会によるポジションペーパー．リハ栄養 **5**(2)：226-234, 2021.

7) Donini LM et al：Definition and diagnostic criteria for sarcopenic obesity：ESPEN and EASO consensus statement. *Clin Nutr* **41**(4)：990-1000, 2022.

8) Volkert D et al：ESPEN guideline on clinical nutrition and hydration in geriatrics. *Clin Nutr* **38**：10-47, 2019.

9) Bauer J et al：Evidence-based recommendations for optimal dietary protein intake in older people：A position paper from the prot-age study group. *J Am Med Dir Assoc* **14**：542-559, 2013.

10) Drummond MJ et al：Nutritional and contractile regulation of human skeletal muscle protein synthesis and mTORC1 signaling. *J Appl Physiol* **106**：1374-1384, 2009.

11) Rondanelli M et al：Improving rehabilitation in sarcopenia：a randomized-controlled trial utilizing a muscle-targeted food for special medical purposes. *J Cachexia Sarcopenia Muscle* **11**(6)：1535-1547, 2020.

5 ロコモティブシンドローム

1 ロコモティブシンドロームとは

　ロコモティブシンドローム（locomotive syndrome：運動器症候群，通称ロコモ）とは，運動器の障害により日常生活での自立度が低下し要介護になるリスクの高い状態や要介護の状態であり，運動器の機能障害およびその予備群を含む概念である．

　一方，運動器不安定症とは，高齢化によりバランス能力および移動能力の低下が生じ，閉じこもり，転倒リスクが高まった状態である．運動器不安定症はロコモティブシンドロームのなかに含まれ，医療保険で診療できる診断名である．運動器不安定症の診断基準を**表 1** に示す．

表 1　運動器不安定症の診断基準

診断方法

　下記の疾患の既往があるかまたは罹患している者で，日常生活自立度あるいは運動機能が以下に示す機能評価基準 1 または 2 に該当する者

・運動機能低下をきたす疾患

　　脊椎圧迫骨折および各種脊柱変形（亀背，高度脊柱後弯・側弯など）

　　下肢骨折（大腿骨頸部骨折など）

　　骨粗鬆症

　　下肢の変形性関節症（股関節，膝関節など）

　　腰部脊柱管狭窄症

　　脊髄障害（頸部脊髄症，脊髄損傷など）

　　神経・筋疾患

　　関節リウマチおよび各種関節炎

　　下肢切断

　　長期臥床後の運動器廃用

　　高頻度転倒者

・機能評価基準

　1　日常生活自立度判定基準ランク J または A（要支援＋要介護 1，2）

　2　運動機能評価 1）または 2）

　　　1）バランス能力：開眼片脚起立時間　15 秒未満

　　　2）移動歩行能力：＊3m Timed up and go test　11 秒以上

＊3m Timed up and go test：椅子に深く座り，背筋を伸ばした状態で肘掛けがある椅子では肘掛けに手をおいた状態，肘掛けがない椅子では手を膝の上においた状態からスタートする．無理のない早さで歩き，3m先の目印で折り返し，終了時間はスタート前の姿勢に戻った時点とする．

2 ロコモティブシンドロームの病態生理

ロコモティブシンドロームの原因は大きく分けると加齢による運動器疾患，筋力低下（サルコペニア），バランス能力低下の3つに分類できる．主な運動器疾患は**表1**の運動機能低下をきたす疾患である．特に骨粗鬆症，変形性膝関節症，変形性脊椎症の頻度が多い．

骨粗鬆症とは，骨強度の低下によって骨の脆弱性が亢進し，骨折危険率の増大した疾患である．骨強度の低下には，骨量の低下と骨質の低下が含まれる．骨粗鬆症に転倒などの外力が加わると骨折を生じやすい．骨粗鬆症に多い骨折は，大腿骨近位部骨折，橈骨遠位端骨折，上腕骨近位部骨折，脊椎圧迫骨折である．

変形性関節症とは，加齢などに伴い関節軟骨が摩耗し関節裂隙の狭小化，疼痛，関節可動域制限などを認める疾患である．膝関節に認めるのが変形性膝関節症，脊椎に認めるのが変形性脊椎症である．

加齢とともにバランス能力が低下する．加齢による立位姿勢の変化として，脊椎後弯が起こりやすくなり，体幹が前屈する．この前傾を骨盤の後傾で代償し，さらに股関節伸展，膝関節屈曲，足関節背屈によって立位姿勢を保持している．この姿勢では重心線が足圧中心より後方にシフトしているため，後方に転倒しやすい．立位姿勢が崩れそうになるときの修正能力も，加齢とともに低下する．加齢による体性感覚の低下や老眼，白内障も，バランス能力を低下させる．

実際には加齢による運動器疾患，筋力低下，バランス能力低下をすべて合併して，移動能力が低下していることも多い．

3 ロコモティブシンドロームの診断基準

ロコモティブシンドロームの診断には，立ち上がりテスト，2ステップテスト，ロコモ25（**表2**）[1]の3つを用いて行う．ロコモ度1は，どちらか一方の片脚で40 cmの高さから立ち上がれないが両脚で20 cmの台から立ち上がれる，2ステップ値（できるだけ大股で2歩歩いて，最大2歩幅を身長で除した数値）が1.1以上1.3未満，ロコモ25の結果が7点以上16点未満のいずれか1つに該当する場合である．ロコモ度1は，移動機能の低下が始まっている状態といえる．

ロコモ度2は，両脚で20 cmの高さから立ち上がれないが30 cmの台から立ち上がれる，2ステップ値が0.9以上1.1未満，ロコモ25の結果が16点以上24点未満のいずれか1つに該当する場合である．ロコモ度2は，移動機能の低下が進行している状態である．

ロコモ度3は，両脚で30 cmの高さから立ち上がれない，2ステップ値が0.9未満，ロコモ25の結果が24点以上のいずれか1つに該当する場合である．ロコモ度3は，移動機能の低下が進行し，社会参加に支障をきたしている状態である．

表2　ロコモ25

「お体の状態」と「ふだんの生活」について，手足や背骨のことで困難なことがあるかどうかをおたずねします．この1カ月の状態を思い出して以下の質問にお答え下さい．それぞれの質問に，もっとも近い回答を1つ選んで，□に✔をつけて下さい．

この1カ月のからだの痛みなどについてお聞きします．

1. 頸・肩・腕・手のどこかに痛み（しびれも含む）がありますか．
   □ 痛くない　　□ 少し痛い　　□ 中程度痛い　　□ かなり痛い　　□ ひどく痛い
2. 背中・腰・お尻のどこかに痛みがありますか．
   □ 痛くない　　□ 少し痛い　　□ 中程度痛い　　□ かなり痛い　　□ ひどく痛い
3. 下肢（脚のつけね，太もも，膝，ふくらはぎ，すね，足首，足）のどこかに痛み（しびれも含む）がありますか．
   □ 痛くない　　□ 少し痛い　　□ 中程度痛い　　□ かなり痛い　　□ ひどく痛い
4. ふだんの生活でからだを動かすのはどの程度つらいと感じますか．
   □ つらくない　　□ 少しつらい　　□ 中程度つらい　　□ かなりつらい　　□ ひどくつらい

この1カ月のふだんの生活についてお聞きします．

5. ベッドや寝床から起きたり，横になったりするのはどの程度困難ですか．
   □ 困難でない　　□ 少し困難　　□ 中程度困難　　□ かなり困難　　□ ひどく困難
6. 腰掛けから立ち上がるのはどの程度困難ですか．
   □ 困難でない　　□ 少し困難　　□ 中程度困難　　□ かなり困難　　□ ひどく困難
7. 家の中を歩くのはどの程度困難ですか．
   □ 困難でない　　□ 少し困難　　□ 中程度困難　　□ かなり困難　　□ ひどく困難
8. シャツを着たり脱いだりするのはどの程度困難ですか．
   □ 困難でない　　□ 少し困難　　□ 中程度困難　　□ かなり困難　　□ ひどく困難
9. ズボンやパンツを着たり脱いだりするのはどの程度困難ですか．
   □ 困難でない　　□ 少し困難　　□ 中程度困難　　□ かなり困難　　□ ひどく困難
10. トイレで用足しをするのはどの程度困難ですか．
    □ 困難でない　　□ 少し困難　　□ 中程度困難　　□ かなり困難　　□ ひどく困難
11. お風呂で身体を洗うのはどの程度困難ですか．
    □ 困難でない　　□ 少し困難　　□ 中程度困難　　□ かなり困難　　□ ひどく困難
12. 階段の昇り降りはどの程度困難ですか．
    □ 困難でない　　□ 少し困難　　□ 中程度困難　　□ かなり困難　　□ ひどく困難
13. 急ぎ足で歩くのはどの程度困難ですか．
    □ 困難でない　　□ 少し困難　　□ 中程度困難　　□ かなり困難　　□ ひどく困難
14. 外に出かけるとき，身だしなみを整えるのはどの程度困難ですか．
    □ 困難でない　　□ 少し困難　　□ 中程度困難　　□ かなり困難　　□ ひどく困難
15. 休まずにどれくらい歩き続けることができますか（もっとも近いものを選んで下さい）．
    □ 2～3km以上　　□ 1km程度　　□ 300m程度　　□ 100m程度　　□ 10m程度
16. 隣・近所に外出するのはどの程度困難ですか．
    □ 困難でない　　□ 少し困難　　□ 中程度困難　　□ かなり困難　　□ ひどく困難
17. 2kg程度の買い物（1リットルの牛乳パック2個程度）をして持ち帰ることはどの程度困難ですか．
    □ 困難でない　　□ 少し困難　　□ 中程度困難　　□ かなり困難　　□ ひどく困難
18. 電車やバスを利用して外出するのはどの程度困難ですか．
    □ 困難でない　　□ 少し困難　　□ 中程度困難　　□ かなり困難　　□ ひどく困難
19. 家の軽い仕事（食事の準備や後始末，簡単なかたづけなど）は，どの程度困難ですか．
    □ 困難でない　　□ 少し困難　　□ 中程度困難　　□ かなり困難　　□ ひどく困難
20. 家のやや重い仕事（掃除機の使用，ふとんの上げ下ろしなど）は，どの程度困難ですか．
    □ 困難でない　　□ 少し困難　　□ 中程度困難　　□ かなり困難　　□ ひどく困難
21. スポーツや踊り（ジョギング，水泳，ゲートボール，ダンスなど）は，どの程度困難ですか．
    □ 困難でない　　□ 少し困難　　□ 中程度困難　　□ かなり困難　　□ ひどく困難
22. 親しい人や友人とのおつき合いを控えていますか．
    □ 控えていない　　□ 少し控えている　　□ 中程度控えている　　□ かなり控えている　　□ 全く控えている
23. 地域での活動やイベント，行事への参加を控えていますか．
    □ 控えていない　　□ 少し控えている　　□ 中程度控えている　　□ かなり控えている　　□ 全く控えている
24. 家の中で転ぶのではないかと不安ですか．
    □ 不安はない　　□ 少し不安　　□ 中程度不安　　□ かなり不安　　□ ひどく不安
25. 先行き歩けなくなるのではないかと不安ですか．
    □ 不安はない　　□ 少し不安　　□ 中程度不安　　□ かなり不安　　□ ひどく不安

（日本運動器科学会ホームページ：http://www.jsmr.org/documents/locomo_25_rev2.pdf）[1]

第2章　主な病態の栄養療法

4 ▶ 栄養評価のポイント

1．ロコモティブシンドロームと肥満

　加齢による運動器疾患のうち，変形性膝関節症や変形性脊椎症は肥満が危険因子である．肥満が原因で運動器疾患からロコモティブシンドロームとなることがある．肥満にサルコペニアを合併したサルコペニア肥満の場合，さらに問題となる．人工膝関節置換術後のリハでは，肥満の程度が著明なほど術後のADLは改善しにくい．

2．ロコモティブシンドロームと低栄養

　低栄養の場合，サルコペニアを合併することが多い．サルコペニアが原因でロコモティブシンドロームとなることがある．またサルコペニアと骨粗鬆症は，同時に認めることが多い．骨粗鬆症は，微量栄養素であるカルシウム，ビタミンD，ビタミンKと関連する．カルシウム摂取量が少ないと少なくない場合と比較して腰椎骨折を2倍起こしやすい[2]．ビタミンD不足で骨粗鬆症を生じることがある．ビタミンK摂取量によって4群に分けると，摂取量の最も多い群の骨折リスクは，最も少ない群のリスクの半分以下という報告がある[3]．

5 ▶ ロコモティブシンドロームの栄養療法

1．減量

　肥満の場合，5%の体重減少を目標とする．体重が5%減少すると，変形性膝関節症による障害の程度が軽減する．食事療法ではエネルギー摂取量を少なめにするが，たんぱく質は十分に摂取する．食事療法のみで減量すると筋肉量が減少しやすいため，有酸素運動とレジスタンストレーニングを併用する．

2．栄養改善

　低栄養の場合，栄養改善を目標とする．食事療法ではエネルギー，たんぱく質とも十分に摂取する．食事療法のみで体重増加すると筋肉ではなく脂肪のみ増加するため，レジスタンストレーニングを併用する．

3．カルシウム

　「骨粗鬆症の予防と治療ガイドライン2015年版」[4]では，食品から1日700〜800mg摂取することが推奨されている（グレードB：行うよう勧められる）．また，サプリメント，カルシウム薬を使用する場合には注意が必要であるとされている．「日本人の食事摂取基準（2020年版）」[5]では，その量を超えて習慣的に摂取すると健康障害のリスクが高まるとされる耐容上限量があり，成人では男女とも2,500mgである．つまり，サプリメントを用いた場合，カルシウムの過量摂取への注意が必要である．

127

4. ビタミン D

「骨粗鬆症の予防と治療ガイドライン 2015 年版」[4]では，1 日 400〜800 IU（10〜20 mg）摂取することが推奨されている（グレード B：行うよう勧められる）．ビタミン D 投与は，転倒予防にも有用な可能性がある．活性型ビタミン D 製剤の副作用に，高カルシウム血症と腎不全があることに注意する．

5. ビタミン K

「骨粗鬆症の予防と治療ガイドライン 2015 年版」[4]では，1 日 250〜300 mg 摂取することが推奨されている（グレード B：行うよう勧められる）．抗凝固薬であるワルファリンの抗凝固作用が，ビタミン K 摂取で減弱することに注意する．

6 ロコモティブシンドロームのトレーニング

ロコモティブシンドロームのトレーニングとして，開眼片足立ちとスクワットの 2 種類のロコモーショントレーニング（通称ロコトレ）がある．開眼片足立ちは，左右 1 分間ずつ 1 日 3 回行う．スクワットは椅子座位から 1 セット 5〜6 回で 1 日 3 セット行う．運動強度や回数は，対象者の運動機能障害の程度で調整する．これらの他にストレッチ，関節の曲げ伸ばし，ラジオ体操，ウォーキング，スポーツなどを行う．

筋肉量増加を目的としたレジスタンストレーニングは，栄養状態が悪化している場合には行わない．栄養状態が維持もしくは改善している場合に行う．有酸素運動は，肥満で減量を要する場合に積極的に行う． **（若林秀隆）**

文献

1) 日本運動器科学会ホームページ：http://www.jsmr.org/documents/locomo_25_rev2.pdf
2) Nakamura K et al：Calcium intake and the 10-year incidence of self-reported vertebral fractures in women and men：the Japan Public Health Centre-based Prospective Study. *Br J Nutr* 101：285-294, 2009.
3) Booth SL et al：Dietary vitamin K intakes are associated with hip fracture but not with bone mineral density in elderly men and women. *Am J Clin Nutr* 71：1201-1208, 2000.
4) 骨粗鬆症の予防と治療ガイドライン作成委員会編：骨粗鬆症の予防と治療ガイドライン 2015 年版，ライフサイエンス出版，2015.
5) 文部科学省：科学技術・学術審議会 資源調査分科会報告「日本食品標準成分表 2015 年版（七訂）」，2015.

第2章　主な病態の栄養療法

6 メタボリックシンドローム

1 メタボリックシンドロームとは

　メタボリックシンドロームとは「飽食と機械文明，車社会のなかで必然的に起こる内臓脂肪の蓄積と，それを基盤にしてインスリン抵抗性および糖代謝異常，脂質代謝異常，高血圧を複数合併するマルチプルリスクファクター症候群で，動脈硬化になりやすい病態」と定義される（日本内科学会・他）．つまり内臓脂肪型肥満に加えて，高血糖，高血圧，脂質異常症のうち2つ以上を合併した状態のことをいう．メタボリックシンドロームの疾患概念としては心血管疾患に対する予防対策の確立にある．メタボリックシンドロームの多くはインスリン抵抗性をもち，糖尿病など心血管疾患の基盤を形成している．メタボリックシンドロームの診断基準の第一である内臓脂肪型肥満は皮下脂肪型肥満に比べて糖代謝や脂質代謝の異常を起こしやすく，この状態が長期化することによって心筋梗塞や脳卒中の原因となる動脈硬化を進行させる．つまり実際の年齢以上に血管壁が老化して硬くなるだけでなく，血管の内側にも汚れがこびりついて血行が悪くなり，血管が詰まりやすくなる．その結果，心筋梗塞や脳卒中になる確率が高くなる．

　それぞれの異常はその病気の診断基準を満たさない予備群や軽症であっても複数重なることによって動脈硬化が進行する危険が高まる．動脈がひどく傷んでくるのは40代からといわれており[1]，特に中年者の健康を脅かす頻度の高い病態である．メタボリックシンドロームが強く疑われる者とその予備群の年代別割合では40〜74歳全体では男性では2人に1人，女性では6人に1人が該当する[2]．2005年にWHOがメタボリックシンドロームという名前に統一する前は「生活習慣病」「内臓脂肪蓄積症候群」などとよばれており，飽食や運動不足などの不健康な生活習慣による過栄養などに起因している．しかし，肥満には遺伝因子と環境因子の両方が関与するので，過栄養のみが肥満の原因ではないことに留意する．メタボリックシンドロームの治療は，インスリン抵抗性を改善し，関連する同化作用・心血管の異常を修正・防御することである．

2 日本のメタボリックシンドロームの診断基準[3]

　2005年に日本内科学会など8学会合同で打ち出した診断基準を表1[3]に示す．ウエスト周囲径（臍の高さの腹囲，立位，軽呼気時）が，男性85 cm，女性90 cmを超え，

129

表1　日本のメタボリックシンドロームの診断基準

必須項目
・内臓脂肪蓄積：ウエスト周囲径　男性≧85 cm，女性≧90 cm（内臓脂肪面積　男女とも≧100 cm² に相当）
　＊臍の高さで測定

選択項目（これらの項目のうち2項目以上）
・高トリグリセリド血症≧150 mg/dl かつ/または
　低HDLコレステロール血症<40 mg/dl
・収縮期（最大）血圧≧130 mmHg かつ/または拡張期（最小）血圧≧85 mmHg
・空腹時高血糖　≧110 mg/dl

（メタボリックシンドローム診断基準検討委員会，2005）[3]

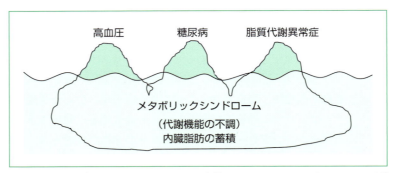

図1　メタボリックシンドロームの病態　　　（中屋，2011）[4]

　高血糖，脂質代謝異常，高血圧の3つのうち2つに当てはまるとメタボリックシンドロームと診断される．ウエスト周囲径については男性85 cm，女性90 cmが内臓脂肪面積が100 cm² に相当し，これを超すと糖尿病，高血圧などの発症率が高くなる．

3　メタボリックシンドロームの病態生理

　メタボリックシンドロームはよく氷山に例えられる．氷山は表面から出ている部分より水中に隠れている部分が何倍も大きい．つまりメタボリックシンドロームでは，症状としての高血圧や糖尿病などは水面上のもので，水面下には内臓脂肪の蓄積という大きな問題が存在する（**図1**）[4]．不健康な生活習慣などにより内臓脂肪が蓄積されると（肥満），脂肪細胞からTNF-αやFFA（遊離脂肪酸）などの身体にとって不都合なホルモンが分泌される．その結果，高血糖や脂質代謝異常，高血圧を引き起こし，動脈硬化を進行させる．血管壁に働いて動脈硬化を抑制したり，インスリンの効きをよくして糖代謝を改善したりするアディポネクチンが減少し，血栓を作りやすくし動脈硬化を進行させるPAI-1（Plasminogen activator inhibitor-1：血栓溶解阻害物質）が増加する．以下にメタボリックシンドロームのそれぞれの病態生理について示す．

第 2 章　主な病態の栄養療法

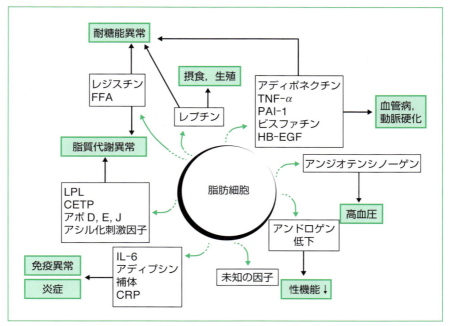

図 2　脂肪細胞から分泌される多様な生理活性物質　　（中屋，2011）[4]を改変

1. 肥満症

　肥満とは「身体を構成する成分のうち，体重に占める脂肪細胞の割合が過剰に増加した状態」をいい，医学的に減量を必要とする肥満を「肥満症」という．肥満は糖尿病や脂質異常症，高血圧症，痛風，高尿酸血症などの生活習慣病とよばれる病気の多くに関係している．肥満には「皮下脂肪型肥満」と「内臓脂肪型肥満」があり，生活習慣病とより深い関係があるのは高脂肪食や運動不足による内臓脂肪型肥満である．脂肪細胞は大部分が中性脂肪で占められ，多くの分泌たんぱくの遺伝子を発現している（図2）[4]．

　細胞から分泌されて周りの組織に作用するホルモンのような物質をサイトカインという．そのうち脂肪組織に由来するものを「アディポサイトカイン」という．身体に悪影響を及ぼすものを「悪玉アディポサイトカイン」，よい影響を与えるものを「善玉アディポサイトカイン」という．悪玉アディポサイトカインは特に糖や脂質の代謝異常や血圧調節，動脈硬化の発症・進展にかかわっている．たとえばTNF-αやレジスチン（resistin：インスリン作用阻害ホルモン），FFAの増加はインスリンの効きを悪くし（インスリン抵抗性），血液中の糖が使われにくくなり，血糖値の上昇を引き起こす（糖尿病）．PAI-1は動脈硬化を促進し，アンジオテンシノーゲンは血管を収縮させ血圧を上昇させる．FFAは中性脂肪として血液中に多く出ることにより反比例してHDLコレステロールの量が減少する．

　善玉アディポサイトカインはアディポネクチンとよばれ，インスリン作用の改善，動脈硬化の抑制の作用がある．内臓脂肪蓄積はメタボリックシンドロームにおいて主

表2 体重による肥満の診断基準

判定	BMI(kg/m²)
低体重(やせ)	18.5 未満
普通体重	18.5 以上 25 未満
肥満(1度)	25 以上 30 未満
肥満(2度)	30 以上 35 未満
肥満(3度)	35 以上 40 未満
肥満(4度)	40 以上

(日本肥満学会, 2011)[5]

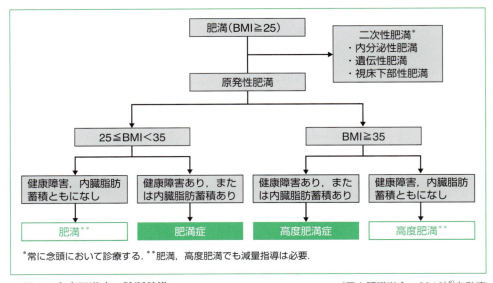

図3 高度肥満症の診断基準　　　　　　　　　　(日本肥満学会, 2016)[6]を改変

要な役割を担っており，診断基準では必須項目となっている．現在，成人は体重による肥満診断として，BMI(表2)[5]が用いられている．WHO，日本肥満学会などではBMI＝22 を標準体重としている．日本肥満学会では2016年，肥満症を疾患単位として取り扱い，診療指針を BMI≧25 を肥満症，BMI≧35 を高度肥満症(ともに肥満に起因する健康障害あり)と区別し，減量目標を肥満症では現体重の3％以上，高度肥満では5〜10％としている(図3)[6]．

2. 高血圧症

　高血圧症とは「血管のなかを血液が流れる際に，血管の壁に強い圧力がかかっている状態」である．診察室血圧値で 140/90 mmHg 以上を高血圧としているが，家庭血圧も重視されている[7]．メタボリックシンドローム診断における高血圧は正常高値である 130/85 mmHg 以上であり，これは 140/90 mmHg と同様の心イベントの発症率の危険因子となっているためである[3]．メタボリックシンドロームの診断基準のなかで，異常値を示す人の割合が最も高いのが高血圧であり約60％に達する．肥満者の高血

圧発症率は非肥満者の2〜3倍である[7]．高血圧が続くと，血管に絶えず強い負担がかかり，血管が硬くなり血管壁の老化を早める．その結果，脳卒中，心筋梗塞，心疾患，慢性腎臓病などを発症しやすくなる．

　高血圧症の原因として塩分過多や内臓脂肪肥満，交感神経活性亢進(ストレス)などが考えられている．メタボリックシンドロームが高血圧を発症させる原因としては，内臓脂肪，特に悪玉アディポサイトカインの分泌異常が考えられている．内臓脂肪が過剰に溜まるとアディポサイトカインの分泌異常が起こり，インスリン抵抗性が高まり，インスリンの働きが弱くなる．インスリンの働きを補うために，膵臓から大量のインスリンが分泌される(高インスリン血症)．インスリンは血糖値を下げるほかに，腎臓のナトリウム排泄を妨げ，血液中のナトリウム濃度を高くして血圧を上げる．また交感神経を亢進させるので心臓の収縮力が強くなり，血管が収縮して血圧を高める．さらに血管壁の細胞を増殖させることにより，血管内径が狭くなり，血圧上昇，動脈硬化の進行を早める．ストレスの多い状態では交感神経の働きを強め，高血圧を生じる．

　メタボリックシンドロームを伴う高血圧の治療として重要なのは，食事療法や運動療法による内臓脂肪肥満の是正である．糖尿病を伴わない場合，血圧が140/90 mmHg以上であれば，降圧薬による治療を始める．血圧が130〜139/85〜89 mmHgでは，腹部肥満の是正を中心に生活習慣の改善を行う．糖尿病を伴う場合，血圧が130/80 mmHg以上であれば，降圧薬による治療を検討する．いずれの場合も，メタボリックシンドロームを有する高血圧患者においては，インスリン抵抗性改善効果のあるARB(アンギオテンシンII受容体拮抗薬)やACE阻害薬を中心に用いる[7]．

3．糖尿病

　糖尿病とは「インスリン作用の不足による慢性高血糖を主徴とし，種々の特徴的な代謝異常を伴う疾患群である」と定義されている(日本糖尿病学会)．その発症には遺伝因子と環境因子がともに関与し，代謝異常の長期間にわたる持続は特有の合併症をきたしやすく，動脈硬化症を促進する．

　糖尿病は，1型糖尿病と2型糖尿病に分かれる．1型は小児期に発症することが多く，膵β細胞破壊を特徴とする．2型は成人になって発症し，過食と運動不足を原因とする場合がほとんどで，インスリン感受性の低下が発症にかかわる．メタボリックシンドロームでは特に2型糖尿病が深く関係している．肥満や運動不足により内臓脂肪が蓄積されると，脂肪細胞からTNF$-\alpha$やFFA，レジスチンなどの内分泌量が増加し，インスリンの効きが悪くなる(インスリン抵抗性の増大)．インスリン抵抗性が増大すると血中のブドウ糖が細胞内に取り込まれにくくなる．そのため高血糖になり，血糖を下げるために多量のインスリンが分泌される(高インスリン血症)．インスリンには余分なブドウ糖を脂肪として蓄積する作用があるため，過食が続けばさらなる肥満，インスリン抵抗性増大という悪循環になる．

　高血糖状態が続くと，網膜症や腎症，神経障害，動脈硬化などの合併症を生じる．動脈硬化が進行すれば，人工透析，失明，脳卒中や心疾患リスクが高まる．この悪循

環を断ち切るためには，メタボリックシンドロームの病態を呈する糖尿病の場合，血糖値をコントロールして，減量を行うことが重要である．そのために糖尿病の食事療法と運動療法を組み合わせる．運動療法では，有酸素運動は，中程度で週に150分かそれ以上，週に3回以上，運動をしない日が2日間以上続かないように行い，レジスタンス運動は，連続しない日程で2～3回行うことがそれぞれ勧められ，禁忌でなければ両方の運動を行う[8]．

4. 脂質異常症

脂質異常症とは「血液中の脂質，具体的にはコレステロールや中性脂肪(トリグリセリド)の量が過剰な状態のこと」である．脂質が多いと血管が詰まって脳梗塞や心筋梗塞の原因となる．

脂質異常症には，①高LDL-コレステロール血症，②境界域高LDL-コレステロール血症，③低HDL-コレステロール血症，④高トリグリセライド血症の4タイプがある．血液中にはコレステロール，中性脂肪，リン脂質，遊離脂肪酸の4種類の脂質が溶け込んでおり，そのうち，問題となるのはLDLコレステロールと中性脂肪である．血中にコレステロールの多い状態が高コレステロール血症で，コレステロールは主に肝臓でつくられ，リポたんぱくという形で全身に運ばれる．コレステロールには「悪玉」と「善玉」があり，悪玉を「LDL(低比重リポたんぱく)コレステロール」，善玉を「HDL(高比重リポたんぱく)コレステロール」という．LDLが多いと血管壁にコレステロールが入り込んで動脈硬化を起こす．反対に体内にある余分なコレステロールを肝臓に運ぶものがHDLである．HDLが多いと血管壁に入り込むコレステロールは少なくなり動脈硬化の進行が遅くなる．

最近，「超悪玉」と呼ばれる「sdLDL(small dense LDL：粒子サイズが小さく，高密度のLDL)」が注目されている．これはサイズが非常に小さく血管壁を通過しやすい，酸化変性を受けやすい，肝臓に取り込まれにくい，ことなどが関係しており，動脈硬化を促進させることがわかっている[9,10]．一方，中性脂肪はエネルギー源として利用されるFFAとグリセロールからなる脂質である．中性脂肪は，それ自体は動脈硬化の原因にはならないが，中性脂肪の量はHDLの量と逆相関し，中性脂肪が多いとHDLは低くなる[9,11,12]．一方，sdLDLとは強い相関関係にあり，中性脂肪が多いとsdLDLは高くなる[9,10,13]．そのため中性脂肪は間接的に動脈硬化の原因となる．脂質異常症の治療の基本は糖尿病や肥満症と同様に食事療法と運動療法である．

4 栄養評価のポイント

メタボリックシンドロームでは，高血圧など複数の生活習慣病の個別治療だけではなく，原因のおおもとである内臓脂肪を減らすことが第一である．しっかり減量すると内臓脂肪の減少につながる．そのための栄養評価として，まず自分で測定可能な，ウエスト周囲径，体重，BMI，体脂肪率などの身体計測を経時的に計測する．検査値としてメタボリックシンドロームの診断と関係のある血圧，尿糖，トリグリセライド

（中性脂肪），HDL-コレステロール，LDL-コレステロール，総コレステロール，血糖値，HbA1c，肝機能（AST，ALTなど）などを評価する．またメタボリックシンドロームは軽度の慢性炎症を伴うため，血清インターロイキン-1，6，18（IL-1，6，18）なども目安となる[14]．さらに腹部CT画像などで内臓脂肪を測定することも推奨されている[3]．

　減量の目標は基礎代謝の高い骨格筋を維持・増大しながら脂肪組織を減じていくことである．つまり減量して脂肪だけを減らしていくことである．そのためには上腕周囲長（AC）と上腕三頭筋皮下脂肪厚（TSF）から求められる上腕筋囲（AMC）と上腕筋面積（AMA）をできる限り保ちながら進めるべきである．AMCとAMAは全身の筋肉量の目安となる．また窒素バランスも重要で，窒素バランスが正ならたんぱく同化状態，負ならたんぱく異化状態と判断する．減量の場合の窒素バランスの目標は0で，減量時に窒素バランスが負になると筋肉量も減少している可能性が高い[15]．

5　メタボリックシンドロームの栄養療法

　メタボリックシンドロームの改善には食事療法と運動療法の併用が有効であるが，減量目的で食事療法，インスリン抵抗性改善目的で運動療法を行う．

1. 食事療法

1）減量

　肥満症は体重を3％以上，高度肥満症は5〜10％減量することで，肥満による代謝異常を改善することができる[6]．1日の消費エネルギー量より摂取エネルギー量を小さくすることで減量を図る．1日のエネルギー必要量は，最初は現体重とし，減量を確認しながら，標準体重［最も健康的に生活できる理想的な体重：標準体重＝身長（m）×身長（m）×22］あたりで計算し設定する．成人の平均的な基礎エネルギー量は22〜24 kcal/kg，1日消費エネルギー量は30〜35 kcal/kgであり，1日のエネルギー必要量を標準体重（kg）×25〜30 kcalを目安に設定すれば減量できる計算となる．急激な減量は基礎代謝量を下げてリバウンドをきたしやすい状態をつくりだすので，減量効果を確認しながら3カ月〜半年程度をかけてゆっくりと進めることが重要である．肥満による代謝異常を断ち切るために，超低エネルギー食（600 kcal/日以下）療法を行う場合もあるが，突然死などの合併症の可能性があるため入院して専門家のもとで行う．

2）低GI食

　糖質には血糖値をすばやく上げる高グリセミック指数（高GI）のものと，緩やかに上昇させる低GIのものがあり，低GIのように血糖値上昇を緩やかにすることで，インスリンの分泌を少なくし，糖が体脂肪として蓄えられるのを予防できる．そのため食後の高血糖へ配慮した食品［低糖質，低GI食品（玄米やそばなど）］（**表3**）[4]を摂取することが大切である．また，食物繊維が豊富な低GIダイエットは，インスリン抵抗性の治療や防止に有効のため，食物繊維を豊富に摂取することも大事である．

表3　各食品のグリセミック指数（GI）

GI 値	食品名
100〜90	ブドウ糖，ベークドポテト，マッシュポテト，蜂蜜
90〜80	にんじん，コーンフレーク，餅，フライドポテト，ドーナツ，ケーキ，うどん
80〜70	砂糖，麦パン，食パン，フランスパン，ボイルドポテト，ビスケット，とうもろこし，白米
70〜60	胚芽の混じったパン，ビート，ぶどう，レーズン，バナナ
60〜50	ジャム，ショ糖，グリンピース，ポテトチップス，そば，玄米，シリアル（オールブラン）
50〜40	オートミール，100%果汁ジュース，ライ麦パン，うずら豆，煮豆
40〜30	アイスクリーム，ヨーグルト，りんご，インゲン豆，ひよこ豆，スパゲッティ
30〜20	平豆
20〜10	果糖，大豆，緑黄色野菜，レモン，きのこ，海藻，ピーナッツ

70 以上：高 GI，56〜69：中 GI，55 以下：低 GI.　　　　　　　（中屋，2011）[4]を改変

3）エネルギー制限

　体重の適正化を図るためには，総エネルギー摂取量を制限することを最優先とする．炭水化物制限食と脂肪制限食のいずれが体重減少に有効であるかは，議論の多いところである．炭水化物のみを極端に制限して減量を図ることは，安全性などを担保するエビデンスが不足しており薦められていない．

　栄養素摂取バランスについては，1日の栄養摂取量をエネルギー比で炭水化物50〜60%，脂質20〜25%，たんぱく質15〜20%の比率で摂るのが理想である．ただし，他の合併症の有無や栄養摂取バランスや総エネルギー摂取量との関係のなかで，炭水化物の摂取比率を増減させることを考慮してもよい．脂肪制限食の場合には，動脈硬化を促進させる飽和脂肪酸を控えた食事（魚，鳥肉，オリーブ油，地中海食など）など，脂肪酸構成に配慮する．また，ゆっくり食べるように習慣づけること，高血圧がある場合には食塩摂取を制限することも必要である．

2．運動療法

　減量の際に運動療法を加えると，皮下脂肪と比較し内臓脂肪が減少し，高血圧，高脂血症，耐糖能異常も改善することが多い[16]．運動方法では，持久性トレーニングとレジスタンストレーニングを併用すると，単独よりもメタボリックシンドロームの危険因子（インスリン抵抗性）の改善や内臓脂肪を減らすのに有効である[17]．持久性トレーニングでは，他に合併症などがなければ，自転車，ウォーキング，水泳など最大酸素摂取量の50%程度の強度を目安に1日30〜60分，週3回以上行うようにする．レジスタンストレーニングでは，筋肉量の維持・増強，基礎代謝量の改善を目的に週2〜3日行う．ダンベルなど器具を用いた訓練やスクワットなど自体重を用いた訓練などがある．持久性トレーニング，レジスタンストレーニングとも継続的に行うことが

大切である.

（山岸　誠）

文献

1) 一般社団法人日本動脈硬化学会：動脈硬化の病気を防ぐガイドブック：http://www.j-athero.org/guide/index.html
2) 厚生労働省：令和元年国民健康・栄養調査報告：http://www.mhlw.go.jp/bunya/kenkou/eiyou/dl/h27-houkoku-05.pdf
3) メタボリックシンドローム診断基準検討委員会：メタボリックシンドロームの定義と診断基準. 日内会誌 **94**：794-809，2005.
4) 中屋 豊：よくわかる栄養学の基本としくみ，秀和システム，2011.
5) 日本肥満学会：肥満研究 肥満症診断基準 2011，肥満研究 臨時増刊号，2011，pp230-239.
6) 日本肥満学会：肥満症診療ガイドライン 2016，ライフサイエンス出版，2016.
7) 日本高血圧学会 高血圧治療ガイドライン作成委員会：高血圧治療ガイドライン 2019，ライフサイエンス出版，2019.
8) 日本糖尿病学会：糖尿病診療ガイドライン 2019，南江堂，2019.
9) 一般社団法人日本生活習慣病予防協会ホームページ：5. 高脂血症とメタボリックシンドローム：https://seikatsusyukanbyo.com/column/metabolic-syndrome/05.php
10) 平野 勉：超悪玉コレステロール. 診断と治療 **100**(12)：2077-2081，2012.
11) 平田健一・他：メタボリックシンドロームにおける脂質代謝の分子機構. 日臨 **65**：79-83，2007.
12) 藍 真澄：動脈硬化リスク・治療標的としての TG，HDL. 日内会誌 **106**：725-734，2017.
13) 平野 勉：高 TG 血症と small dense LDL. *Lipid* **28**(1)：27-34, 2017.
14) Stensvold D et al：Effect of exercise training on inflammation status among people with metabolic syndrome. *Metab Syndr Relat Disord* **10**：267-272, 2012.
15) 若林秀隆：PT・OT・ST のためのリハビリテーション栄養―栄養ケアがリハを変える，医歯薬出版，2010，pp34-42.
16) 山下静也：脂質代謝とメタボリックシンドローム. 外科と代謝・栄 **44**：31-40，2010.
17) Potteiger JA et al：Resistance exercise and aerobic exercise when paired with dietary energy restriction both reduce the clinical components of metabolic syndrome in previously physically inactive males. *Eur J Appl Physiol* **112**：2035-2044, 2012.

第3章

主な疾患の栄養療法

1 脳卒中

1 病態生理と治療

　脳卒中とは脳血管障害ともよばれ，代表的なものは虚血性病変である脳梗塞と出血性病変である脳出血，くも膜下出血である．重症の場合は短時間のうちに死亡する危険性があり，救命できてもなんらかの機能障害を残すことが多い．脳卒中の危険因子には，加齢に加え，高血圧，糖尿病，脂質異常，飲酒・喫煙，心疾患，肥満・メタボリックシンドローム，睡眠時無呼吸症候群，末梢動脈疾患，慢性腎臓病，CRP高値，ヘマトクリット高値，凝固・線溶系異常などがある．そのなかでも血圧のコントロールが発症予防に最も重要である[1]．

2 脳卒中の種類

1．脳梗塞

　脳動脈の閉塞，または狭窄に伴って神経細胞に血液が十分に供給されなくなり壊死した状態である．発症機序では血栓性，塞栓性に大別され，臨床病型からは，ラクナ梗塞，アテローム血栓性脳梗塞，心原性脳塞栓症に大別される[2]．血栓性には，ラクナ梗塞，アテローム血栓性脳梗塞がある．細い血管の動脈硬化によるものをラクナ梗塞，太い血管の動脈硬化によるものをアテローム血栓性脳梗塞という．心原性脳塞栓症は，心臓内にできた血栓などの異物が血流にのって，脳動脈を閉塞し起こる．急性期の治療は主に，遺伝子組み換え組織型プラスミノゲン・アクティベータ(rt-PA，アルテプラーゼ)の静脈内投与，血栓回収療法，抗血小板療法などがある．いずれも，慎重な適応判定のもとできるだけ早期に行うことが推奨されている[1]．

2．脳出血

　脳出血とは加齢や動脈硬化などで脆くなった脳の細い血管が破れて出血し，脳細胞に障害を引き起こすものである．最も重要なのは慢性の高血圧症を基盤として発症する高血圧性脳出血である．このほか，脳動脈瘤や脳動静脈奇形，外傷などによるものがある．治療は基本的に血腫除去術により脳圧を下げるが，血腫の大きさや部位によっては手術をせず血圧管理と脳保護により保存的に治療する[2]．

第3章　主な疾患の栄養療法

3. くも膜下出血

　脳は，外から順に硬膜，くも膜，軟膜で覆われており，くも膜と軟膜の間のくも膜下腔に起こる出血のことをくも膜下出血という．原因のほとんどが脳動脈の一部が瘤のようにふくらむ脳動脈瘤の破裂によるものである．突然の激しい頭痛，嘔吐で発症し，重症の場合は，意識障害や呼吸障害が強く死亡する場合がある．救命できても何らかの後遺症を残す場合が多い．発症直後の治療は再出血の予防と，重症例における全身状態の改善および頭蓋内圧の管理である[1]．再出血の予防処置として，開頭手術による動脈瘤のクリッピングや，血管内治療による動脈瘤の内部にコイルを詰めて内部を閉塞するコイル塞栓術などがある．

3　機能障害と機能訓練

　意識障害，運動麻痺，感覚障害，高次脳機能障害，言語障害，摂食嚥下障害，筋緊張異常，関節拘縮，筋萎縮，高血圧，肺炎，消化管出血，尿路感染，褥瘡，抑うつ，認知症，起立性低血圧など多岐にわたる機能障害が認められる．活動制限として，歩行・移動，セルフケア，コミュニケーションなどに制限が認められる．

　脳卒中急性期の機能訓練は，合併症を予防し，機能回復を促進するため24〜48時間以内に，安全性に配慮したうえで実施することが推奨されている[1]．急性期には30〜50％程度の割合で嚥下障害が認められる[3]．そのため，意識レベルが良好（JCS I 桁）で，全身状態が安定していれば，できるだけ早期にスクリーニングテスト（反復唾液嚥下テスト，改訂水飲みテスト，フードテスト，頸部聴診）や，嚥下造影検査，嚥下内視鏡検査などを行い，栄養摂取方法（経口，経管，姿勢，食形態）を調整する．

4　栄養評価のポイント

　脳卒中急性期の6〜60％に低栄養が認められる．脳卒中急性期の低栄養状態は独立した転帰不良因子となるため，脳卒中で入院したすべての患者の栄養状態，嚥下機能，血糖値を評価することが推奨される[1]．低栄養の主な原因には，①飢餓（嚥下障害による摂取困難，投与量不足など），②慢性疾患の合併（褥瘡，反復性肺炎，慢性尿路感染症，悪液質など），③急性炎症・侵襲（手術など）がある[4]．低栄養症例では，感染症や褥瘡などの発生率の増加，リハ効果の減弱，入院期間の長期化，死亡率の増加などの問題をもたらす．

　栄養状態は，病歴，臨床所見，疾患の程度，身体計測値（体重，BMI，非麻痺側の上腕周囲長・上腕三頭筋皮下脂肪厚・下腿周囲長など），体重減少率，血液生化学データなど複数の項目から総合的に評価する．

141

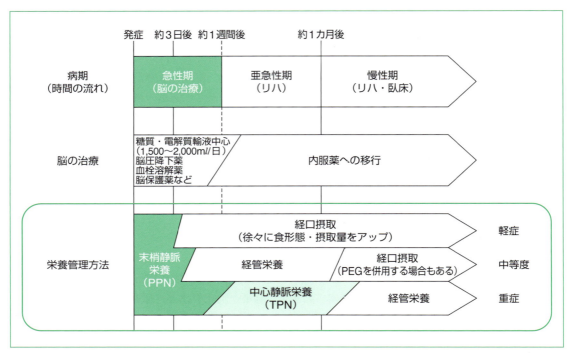

図　脳卒中における栄養管理方法　　　　　　　　　　　　　　　　　　　　　　　（三原，2021）[2]を改変

5　栄養療法

症状の時間的変化と重症度の把握

　病変や脳浮腫の進行に伴い症状が変化するので，病態や重症度に合わせた栄養管理を行う（図）[2]．

1）急性期

　発症または手術後3〜4日で脳浮腫はピークに達し，約1週間ほど続く．この時期は神経学的予後が決定される重要な時期であり，脳の治療を優先しながら末梢静脈栄養（PPN）を行う．しかし，腸管の免疫機能保持のために，消化管機能が良好な場合は発症3日目位から経腸栄養を行う．軽症であれば，経口摂取を開始するが，意識障害が遷延している場合や，脳圧亢進のため嘔吐が続いている場合は，無理に経口摂取は行わず，脳の状態が落ち着く1週間位から経鼻アクセスによる経管栄養を開始する[2]．

　重度の低血糖は永続的な神経障害を生じるため60 mg/dl以下の低血糖は直ちに補正する．脳卒中急性期には高血糖を是正し低血糖を予防しながら140〜180 mg/dlの範囲に保つことを考慮する[1]．

2）亜急性期

　急性期から神経症状が安定するまでの期間は発症から1週間〜約1カ月後である．軽症例では食形態を上げ，経口摂取量を増やしていく．中等〜重症例では経鼻アクセ

スによる経管栄養を併用しながら，嚥下リハや経口摂取を進める．嘔吐や合併症など
で経腸栄養が困難な場合は中心静脈栄養(TPN)を行う．リハが本格的に開始される
時期なので必要に応じたエネルギー量を投与する[2]．

3）慢性期

神経症状がほぼ固定する時期である．嚥下機能が保たれていれば経口摂取が中心と
なる．しかし，意識障害が遷延している場合や，嚥下障害が重度の場合は長期間にわ
たり経管栄養が必要となる．4週間以上の長期にわたり経管栄養を施行することが予
想される場合は消化管瘻アクセス(胃瘻，空腸瘻)が原則とされている[5]．

6 栄養ケアプラン

栄養状態が良好で，腎機能が正常，手術や感染などの侵襲がみられない場合の栄養
投与量初期値は 25〜30 kcal/kg 体重 / 日が最も簡便で実用的である[6,7]．低栄養状態
にある患者や褥瘡のリスクが高い患者の場合は，「脳卒中治療ガイドライン 2021」に
おいて，「十分なカロリーの高たんぱく食が妥当である」とされている[1]．また，日本
リハビリテーション栄養学会から発表されている「リハビリテーション栄養診療ガイ
ドライン 2020」において，「リハビリテーションを受けている脳血管疾患の高齢患者
に対して，感染による合併症を減らし，ADL を改善する目的に，強化型栄養療法(栄
養補助食品や高たんぱく食品，サプリメントの摂取)を行うことを提案する」とも明
記されている[8]．

したがって，低栄養患者の栄養改善を目指すには，リハ栄養における攻めの栄養療
法(1日の消費エネルギー量にエネルギー蓄積量を加えて必要量を算出する栄養管理法)
の介入が有用である．肥満患者の場合は，減量を目的とした栄養介入となるが，必須
栄養素は十分に維持されるように配慮したうえで摂取エネルギー量を減らす．実際に
は，脳卒中患者の活動量とエネルギー消費量は複雑で，脳卒中患者の立位消費エネル
ギーは健常人よりも 1.25 倍高く[9]，強い痙縮では基礎代謝が増加する[10]．一方，片麻
痺で移動能力が低いほど基礎代謝が低い[11]．そのため，体重や検査データをモニタリ
ングしながら，栄養状態が良好であれば投与量を維持し，低栄養や肥満では ±250〜
750 kcal/ 日を目安に適宜調整する[12,13]．

(髙橋理美子)

文献

1) 日本脳卒中学会 脳卒中ガイドライン委員会(編)：脳卒中治療ガイドライン 2021，協和企画，
2021，pp6-25，32-33，48-49，57-79，154-155.
2) 三原千惠：脳血管障害に対する栄養療法．日本臨床栄養代謝学会 JSPEN テキストブック(日本
臨床栄養代謝学会編)，南江堂，2021，pp490-493.
3) Smithard DG et al：The natural history of dysphagia following a stroke. *Dysphagia* **12**：188-
193, 1997.
4) 若林秀隆：リハビリテーションと臨床栄養．リハ医学 **48**：270-281，2011.
5) 大平雅一：経腸栄養法の管理．日本臨床栄養代謝学会 JSPEN テキストブック，南江堂，2021，
pp240-241.
6) 岩佐正人：エネルギー代謝とエネルギー必要量．日本静脈経腸栄養学会静脈経腸栄養ハンドブ

ック（日本臨床栄養代謝学会編），南江堂，2011，pp146-152.

7) Bouziana SD, Tziomalos K：Malnutrition in Patients with Acute Stroke. *J Nutr Metabo* **2011**：167898, 2011.

8) Nishioka S et al：Clinical practice guidelines for rehabilitation nutrition in cerebrovascular disease, hip fracture, cancer, and acute illness：2020 update. *Clin Nutr ESPEN* **43**：90-103, 2021.

9) Houdijk H et al：Energy expenditure of stroke patients during postural control tasks. *Gait Posture* **32**：321-326, 2010.

10) 萩原大介・他：身体障害者における推定エネルギー必要量について．生活科研誌 **6**：1-5, 2007.

11) 浅山 滉・他：入院治療中の脳卒中片麻痺患者のエネルギー代謝と栄養．リハ医学 **17**：23, 1980.

12) Hall KD：What is the required energy deficit per unit weight loss? *Int J Obes（Lond）* **32**：573-576, 2008.

13) Hébuterne X et al：Ageing and muscle：the effects of malnutrition, re-nutrition, and physical exercise. *Curr Opin Clin Nutr Metab Care* **4**：295-300, 2001.

第3章　主な疾患の栄養療法

2 誤嚥性肺炎

1 病態生理と治療

　日本呼吸器学会では，肺炎を発症する場所やその病態から，市中肺炎（community-acquired pneumonia；CAP），院内肺炎 (hospital-acquired pneumonia；HAP)，医療・介護関連肺炎（nursing and healthcare-associated pneumonia；NHCAP)に大別している[1]．このうち，誤嚥性肺炎は CAP と HAP の中間に位置づけている．加えて，NHCAP として発生する誤嚥性肺炎は繰り返し，終末期肺炎の像を呈すると指摘している[1]．嚥下性肺疾患を嚥下障害によって発症された肺疾患(aspiration pulmonary disease)と定義し，嚥下性肺炎(aspiration pneumonia)，人工呼吸器関連肺炎(ventilator-associated pneumonia；VAP)，メンデルソン症候群，びまん性嚥下性細気管支炎(diffuse aspiration bronchiolitis；DAB)に分類している[1,2]．このうち嚥下性肺炎の罹患頻度が最も多く，本項では嚥下性肺疾患のうちの嚥下性肺炎を誤嚥性肺炎として表記し説明する．

1. 誤嚥性肺炎の定義と患者像

　誤嚥性肺炎は，食物，飲料，唾液・鼻汁・胃液などを誤嚥し気道または肺胞内組織が炎症する病態である．誤嚥とは，食物などが咽頭から喉頭に侵入し声門を越えて上気道から下気道に達することを指す．誤嚥の原因の一つとして，摂食嚥下障害があげられ，誤嚥性肺炎に罹患する患者は摂食嚥下能力が低下している場合が多い．よって，誤嚥性肺炎を発症する患者の多くは摂食嚥下障害を呈する基礎疾患を有するともいえる．摂食嚥下障害をきたす原因や疾患は多数ある(詳細は第2章2，p93，表1を参照)[1]．加えて，意識障害などや睡眠時には唾液を中心に誤嚥が発生することも指摘されている．ただし，誤嚥をすると必ず誤嚥性肺炎を発症するわけではない．寺本は，誤嚥から誤嚥性肺炎を発症させる肺炎リスク因子として 10 項目を挙げている（**表**）[3]．

2. 顕性誤嚥と不顕性誤嚥

　誤嚥は，顕性誤嚥と不顕性誤嚥に大別される．顕性誤嚥とは，誤嚥した際に咳反射や咳嗽などによって異物を体外に出そうという反応が起こる場合をいい，不顕性誤嚥は誤嚥しているにもかかわらずこれらの反応がない状態をいう．夜間就寝時に，唾液，鼻汁，口腔内残渣物，咽頭残留物を不顕性に誤嚥している高齢者や摂食嚥下障害者の存在が報告され[4,5]，不顕性誤嚥の存在と誤嚥性肺炎の発症は関連性があると考えら

145

表　誤嚥から嚥下性肺炎を発症させるリスク因子

1) 寝たきり（Bedriddenness）
2) 栄養不良（Poor nutrition）
3) サルコペニア（Sarcopenia）
4) フレイル（Frailty）
5) 慢性閉塞性肺疾患などの呼吸器疾患〔Impaired pulmonary function（COPD）〕
6) 脱水（Dehydration）
7) うっ血性心不全，慢性腎不全（透析）〔CHF，CKD（Dialysis）〕
8) ケアが必要（Nursing care required）
9) 呼吸不全（Respiratory failure）
10) ウイルス感染〔Virus infection（influenza virus, etc）〕

（寺本，2022）[3]を改変

れている．また，両側大脳基底核損傷患者の約95％が不顕性誤嚥を呈していたとの指摘もある．これには，脳内物質サブスタンスPの低下が関与していることが指摘されている．さらに，顕性誤嚥であっても，声門閉鎖の低下，呼吸筋力低下などによって咳嗽力，呼気力の低下，呼気流の低下をきたせば誤嚥物を気道から喀出することが困難となり，誤嚥性肺炎を呈する場合もある．

3. 誤嚥性肺炎の原因菌と症状

誤嚥性肺炎の原因菌として一般に口腔内細菌である嫌気性菌が主と考えられるが，発症患者が老人施設や病院にいる場合はグラム陰性桿菌やメチシリン耐性黄色ブドウ球菌（MRSA）など院内肺炎の原因菌が関与するケースがあるともいわれている．誤嚥性肺炎の症状は，一般的に発熱，喀痰量の増加，痰の性状や色の変化，呼吸困難である．高齢者の場合は，これらの一般的症状が出現せずに，食思不振，無動，失禁，失認，全身倦怠感，意識障害，頻脈など他の疾患の症状と思われることが出現しているケースもあるので，多角的な観察が必要である．

人工呼吸器関連肺炎は，気管挿管時は肺炎が存在しない患者に気管挿管後48時間以上経過して発症する肺炎である．多くは細菌性肺炎である．栄養チューブや挿管チューブを挿入後，鼻腔，口腔，咽頭に付着した細菌がチューブなどを介して気管に侵入することによって発症するといわれている．自身で排出することが困難であることから，鼻腔，口腔，咽頭に付着する細菌などを気管内に侵入させないよう，常に清潔に保つなどの配慮が必要である．

メンデルソン症候群は，胃内容物の嘔吐や胃食道逆流に伴い，pH2.5以下の胃液を誤嚥することによって発症する化学性肺炎である．誤嚥直後に急激な発熱が現れると同時に低酸素血症を呈する．胃液や消化酵素が直接的に気道や肺胞を損傷し，重篤な状態となるケースが多い．頻度が多い訳ではないが，摂食嚥下障害患者が嘔吐した場合や，胃食道逆流がある摂食嚥下障害患者では本症が生じる可能性がある．嘔吐時の姿勢や胃食道逆流を生じない姿勢の設定など，普段から対応を考えておく必要がある．

びまん性嚥下性細気管支炎は，細気管支に異物が侵入することによって生じる炎症や肉芽形成による細気管支の閉塞とされている[1,2]．食事摂取時に微量の誤嚥を繰り

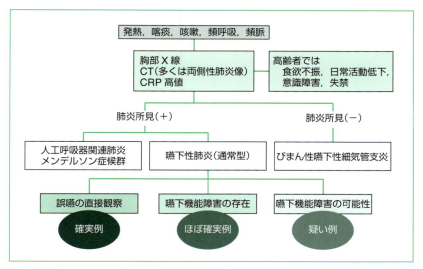

図1 嚥下性肺疾患の診断フローチャート　　　　　　　　　（日本呼吸器学会, 2008）[2]

返すことによって，細気管支の炎症や閉塞を生じる．症状は，ぜい鳴，呼吸困難，喀痰，発熱のいずれかが食事摂取に関連して現れる．胸部X線撮影では明らかな肺炎を示す陰影がないが，胸部CT撮影で変化を捉えられるケースが多い[4]．摂食嚥下障害患者では，食物，飲料などの食物や，唾液・鼻汁・胃液などの体内分泌物をわずかでも誤嚥する可能性があるため，症状を正確に捉えておくことと，なるべくわずかな誤嚥をも避けるよう普段からの関与が必要である．

また，前述のように誤嚥したら全員が誤嚥性肺炎に至るわけではない．誤嚥性肺炎に至る要因としては，①誤嚥物，②誤嚥量，③侵達度，④宿主条件によるといわれている．**図1**に，嚥下性肺疾患の診断フローチャートを示した[1,2]．発熱，喀痰，咳嗽などの症状を観察したら，その原因や病態を確認すると治療や対応が理解しやすい．

4. 誤嚥性肺炎の治療

治療は，抗菌薬の投与と必要に応じた酸素投与，クーリング，呼吸介助などの対症療法が行われる．**図2**に寺本の嚥下性肺炎の治療アルゴリズムを示した[6]．医学的治療にリハスタッフが関与することは少ないが，患者が呼吸苦を訴える場合には呼吸介助や呼吸法の指導，喀痰を促す排痰の介助や呼吸理学療法，口腔ケアなどを担う場合がある．ACE阻害剤を用いると誤嚥性肺炎の予防効果が期待できるとの報告もある[7]．

2　機能障害と機能訓練

誤嚥性肺炎の場合，摂食嚥下障害の存在が原因としてあげられる．しかし，誤嚥をしている患者全員が誤嚥性肺炎を呈する訳ではない．誤嚥が誤嚥性肺炎になるには，

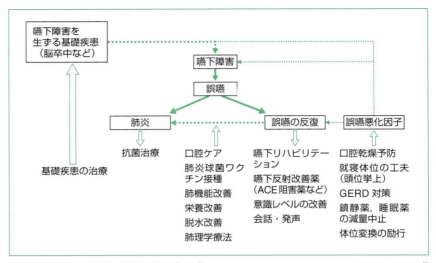

図2　嚥下性肺炎の治療アルゴリズム　　　　　　　　　　　　　（寺本, 2012)[6]

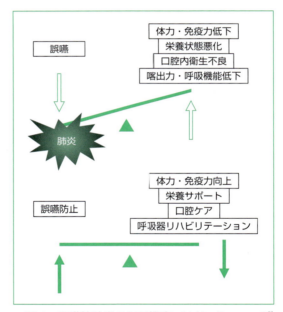

図3　誤嚥性肺炎の発現機序　（中村・他, 2012)[8]

　患者の体力，免疫力，栄養状態，口腔内の衛生状態，誤嚥物の喀出力などの多くの要因が複雑にからみ合って発症する（**図3**[8]，表）．したがって，誤嚥性肺炎患者の機能訓練は，摂食嚥下障害に対する訓練に加えて，体力・筋力向上のための訓練，栄養状態向上に向けたかかわり，口腔ケア，咳嗽力向上のための訓練や排痰訓練を総合的に実施することが必要となる．

　誤嚥性肺炎を発症すると，発症当初は経口摂取を行わない対処が行われることが多

第3章　主な疾患の栄養療法

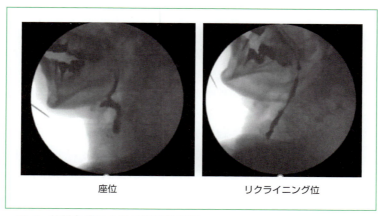

座位　　　　　　　　　　リクライニング位

図4　体幹角度による食物移動の違い
80歳代，男性．偽性球麻痺，Dysarthria，摂食嚥下障害．
嚥下障害スクリーニング：陽性，食物：とろみ付き液体．

い．長期間経口摂取を行わないことで，摂食嚥下にかかわる器官の筋力低下や可動範囲縮小を引き起こさないことが大切である．そのためには，本人の摂食嚥下機能を評価し客観的に把握しておくことが大切である．同時に，摂食をしていないときでも基礎的嚥下訓練（間接的訓練）を実施し，頭頸部の筋力低下を引き起こさないことが望まれる．

摂食嚥下障害に対する訓練では，患者の摂食嚥下機能を正確に評価し問題点を抽出することが重要である．そのうえで，なるべく誤嚥をしない摂取食品，摂食姿勢，摂食方法，1口量を選択し摂食していく．摂食中は誤嚥をしていないか絶えず観察する．食事中の誤嚥の有無は，直接的に把握することが困難である．したがって，声質，呼吸状態，酸素飽和度，脈拍数，呼吸数など間接的な視点を詳細に観察しながら判断していく．特に喉頭付近に食物などが残留した場合は声質が変化する．湿性嗄声の有無には特に留意し判定していく．また，患者の本質的問題に対しては，食物を用いない間接的訓練で嚥下動態の向上を目指す．さらに，誤嚥は食事中だけに起こる訳ではない．昼間の活動中での唾液，鼻汁，胃内容物などの誤嚥や夜間など臥床中の誤嚥に対しても対応していく．特に日々の姿勢調整は重要であり，生活活動と同時に誤嚥防止という視点でも検討する．**図4**に示すように，体幹角度によって食塊の動きが異なることを理解し，適正な姿勢を選択する．姿勢は体幹角度のほか，頸部の角度を含めた姿勢の検討が必要である．頸部の安定性には肩甲帯の安定性が大切である．また，頸部の角度によって咽頭腔の広さが変化する．上位頸椎屈曲時に中咽頭腔は狭小し，下位頸椎屈曲位に中咽頭は拡がる．頸部伸展位では食道入口部が狭小して通過が阻害される．嚥下時の咽頭内圧など，摂食嚥下機能を検討して姿勢を決定する．

重度嚥下障害患者に対しては，完全側臥位法の導入が有効の報告があり，通常の姿勢では誤嚥を防止できない時には適応を検討する[9, 10]．

体力や筋力向上に向けた訓練は，毎日の活動性が大切である．臥位よりも座位のほうが体幹筋を含めた多くの筋活動が得られる．精神活動を含めた行動や活動を拡大し

て，ADLに結び付ける．ADLの活動が高い患者のほうが誤嚥性肺炎を発症しにくいとの報告もあり，ADL向上を目指した訓練を行う．ただし，疲労には十分注意をはらう．摂食嚥下は多くの筋の協調運動が短時間に行われるため，わずかなバランスの崩れが誤嚥を招く恐れもある．患者の疲労度を評価や観察しながら訓練を実施する．

　口腔ケアは，誤嚥性肺炎の予防に必須である．誤嚥性肺炎の原因菌として，口腔内細菌である嫌気性菌が多いと考えられるため，口腔ケアでこれらの細菌繁殖をなるべく少なくしておく．口腔ケアを実施することで誤嚥性肺炎の発症率が低下したとの報告もある[11]．口腔ケアは口腔内を清潔に保つということと同時に，口腔内を湿潤に保つことも目的とする．口腔内が乾燥すると，口腔内が汚染されると同時に，嚥下回数が減少し咽頭汚染にも波及する．咽頭内の汚染物を誤嚥すれば，誤嚥性肺炎を呈する可能性が高くなる．口腔ケアによって，口腔運動の向上や口腔周囲筋のリラクゼーションも実施する．

　咳嗽力向上に向けた訓練は，横隔膜，肋間筋などの呼吸筋の随意性を高める．訓練では，瞬時に呼気圧を高めることと，呼気持続の延長を目的とする．同時に，声門閉鎖や開大と呼気流のタイミングを合わせる訓練を実施する．気管内の分泌物を排出する訓練では，ハッフィング法の習得を目指す．排痰などの訓練は，肺理学療法の一部であり，喀痰を促す種々のアプローチを実施していく．また，最近では呼気筋トレーニングが呼気力の向上と同時に安全な摂食につながると報告されており[12]，機能向上訓練を多角的に捉えるとよい．

　嚥下は，随意運動と反射活動によって行われている．しかし，ヒトが食べる行為は単純に嚥下反射のみに留まらない活動である．食物の物性，1口量，温度，使用食器，摂食ペース，摂食への集中など，食物の状況や摂食環境に合わせて摂食行動を変えている．これができるのは，高次脳機能が備わっているからである．記憶障害では，食事を摂ったかどうかわからなくなったり，食器をうまく使えなくなったりする．失認や空間性認知障害では，食物の認識や空間の位置関係が認識できなくなる．遂行機能障害では，ペース配分ができなくなる．このように高次脳機能や認知機能と摂食は密接にかかわっている．本人の食べ方がこれまでの食べ方と異なれば，健常者でも誤嚥する可能性がある．したがって，評価訓練では，認知機能の評価や訓練と同時に，摂食への影響を考慮しつつ摂食訓練を進めていく．さらには，認知症では口腔内に食塊をため込んだり，口を開けたまま摂食したり，咀嚼をせずに飲み込んだりするなどのことを観察することがある．認知機能低下の方では，誤嚥しやすい食べ方となっている場合があり，注意深く観察し，誤嚥しない摂食の提供を心掛ける．

3 栄養評価のポイント

　誤嚥が誤嚥性肺炎になる要素として，誤嚥量，誤嚥物の深達度，誤嚥物の性状や性質，口腔内細菌量，患者の免疫機能があげられる．このうち，患者の免疫機能の低下は易感染宿主状態となり，誤嚥性肺炎を呈しやすくなる．免疫機能の低下は，疾患特異性，化学療法や免疫抑制剤の使用などの治療によって生じる医原性，栄養状態低下

があげられる．また，栄養状態低下は免疫機能低下だけでなく，サルコペニア，フレイルに伴う嚥下運動の低下，咳嗽力などの呼吸筋の筋力低下など摂食嚥下能力低下につながる可能性があり，さらに悪循環をきたす．

誤嚥性肺炎を呈した患者は，まず栄養状態の把握が必要である．この際，血清アルブミン値など血液検査結果のみで判断しないことが重要である．通常の誤嚥性肺炎では炎症反応を示す血液検査値が得られるが，これによって血清アルブミン値は影響される．また，炎症や発熱が持続したことによって脱水状態となっている患者では，血液が濃縮されることで血清アルブミン値が正常範囲となるケースも考えられる．反対に静脈注射などによって水分や抗菌剤を投与した場合，血液が日常の状態ではなく逆に血清アルブミン値が低値となるケースもある．これとは別に，著しいるいそう患者でも血清アルブミン値は正常範囲内であることも経験する．このように，血液検査結果だけで判断せずに，本人の身体計測や皮膚の状態の評価など，フィジカルアセスメントも加える．一丸は，高齢者の栄養状態を簡便かつ客観的にアセスメントするツールとして Mini Nutritional Assessment®–Short Form（MNA®–SF）を紹介している[13]．これらのツール，フィジカルアセスメント，血液検査結果を総合して栄養評価を実施する．フィジカルアセスメントでは，日本人の身体計測基準値（Japanese anthropometric reference data；JARD2001）を用いて評価するとよい．

また，栄養評価は栄養提供量，投与水分量，実際の摂取栄養量や水分量，患者の必要栄養量や水分量も計算し評価する．さらには，選択している栄養摂取方法（食物の物性，摂取量，一口量，摂取方法，摂取姿勢，介助方法など）が患者にとって適切かを評価する．

4　栄養療法

誤嚥性肺炎患者の栄養療法は，複数の点を検討し実行していく．検討項目は，栄養ルートの検討，経腸栄養剤の選択と実施方法の検討，経口摂取食物や摂取方法の検討，必要栄養量や水分量の検討が必要である．すべての項目において，摂食嚥下機能を評価したうえで検討される必要がある．

腸管を使う場合，栄養ルートは経口栄養か経腸栄養のいずれかである．経腸栄養法は，経鼻–胃，経口–胃，食道瘻，胃瘻，腸瘻などがある．また，持続的栄養か間欠的栄養かを決める．非経腸であれば，末梢静脈栄養法か中心静脈栄養法のいずれかを選択する．

摂食嚥下障害患者のなかには，胃食道逆流を認める場合があり，円背，食道機能障害，延髄損傷患者は，そのリスクが高い．姿勢の矯正で対処できる場合は，姿勢を調整し胃食道逆流を防ぐ．姿勢で対処できない場合は，胃食道逆流をしにくい経腸栄養剤を選択する．胃内で固形化する栄養剤や半固形栄養剤もある．

経口摂取の場合は，経口摂取する食品（食物物性）の選択，姿勢，1口量，摂取方法を決定する．経口摂取する食品は，数段階の基準が設けられており，発表されている．2013年に日本摂食嚥下リハビリテーション学会が「嚥下調整食分類2013」を公表し，

151

2021年に「嚥下調整食分類2021」に改訂された（第2章2，pp100～103参照）．その他の基準は，「特別用途食品　えん下困難者用食品許可基準」「ユニバーサルデザインフード」「嚥下食ピラミッド」「National Dysphagia Diet（NDD）」が公表されている．世界基準として，IDDSI（International Dysphagia Diet Standardization Initiative）が基準化されているので参照するとよい．また，水分摂取には必要に応じてリハテクニックととろみ調整食品を選択し使用する．

　必要栄養量などは，厚生労働省の「日本人の食事摂取基準（2020年度版）」を目安に設定する（第2章1，p88，表参照）[14]．　　　　　　　　　　　　　　　　**（柴本　勇）**

文献

1) 日本呼吸器学会：成人肺炎診療ガイドライン2017，2017．
2) 日本呼吸器学会：誤嚥性肺炎．成人院内肺炎診療ガイドライン，2008，pp60-65．
3) 寺本信嗣：嚥下性肺炎：誤嚥リスクと肺炎リスクとの違い．日気管食道会報 **73**（2）：141-143，2022．
4) 洲鎌いち子・他：夜間睡眠中の微量誤嚥が原因と思われる高齢者のびまん性嚥下性細気管支炎の1例．日呼吸会誌 **36**：444-447，1998．
5) 佐藤公則・他：高齢者の睡眠中の嚥下・呼吸動態と嚥下性肺炎―終夜睡眠ポリグラフと嚥下筋電図の同時記録による研究．喉頭 **32**：105-114，2020．
6) 寺本信嗣：誤嚥と嚥下性肺炎，嚥下性肺炎の治療アルゴリズムにはさだまったものがあるのでしょうか？ *JOHNS* **28**：1904-1908，2012．
7) Sekizawa K et al：ACE inhibitor and pneumonia. *Lancet* **352**：1069, 1998.
8) 中村智之，藤島一郎：誤嚥と嚥下性肺炎，誤嚥しても肺炎となる人とならない人がいるのはどうしてですか？ *JOHNS* **28**：1893-1895，2012．
9) 福村直毅・他：重度嚥下障害患者に対する完全側臥位法による嚥下リハビリテーション：完全側臥位法の導入が回復期病棟退院時の嚥下機能とADLに及ぼす効果．総合リハ **40**（10）：1335-1343，2012．
10) 長尾恭史・他：急性期重度嚥下障害患者に対する完全側臥位導入による帰結の変化．総合リハ **48**（6）：567-572，2020．
11) Yoneyama T et al：Oral care and pneumonia. Oral care working group. *Lancet* **354**：515, 1999.
12) Brooks M et al：Expiratory muscle strength training improves swallowing and respiratory outcomes in people with dysphagia：a systematic review. *Int J Speech Lang Pathol* **21**（1）：89-100, 2019.
13) 一丸智美：誤嚥と嚥下性肺炎，誤嚥患者の栄養管理はどのようにすべきでしょうか？ *JOHNS* **28**：1859-1863，2012．
14) 厚生労働省：日本人の食事摂取基準（2020年度版）．

第3章　主な疾患の栄養療法

3 がん

1 病態生理と治療

　がんは，がん遺伝子やがん抑制遺伝子の機能異常により無秩序な細胞分裂を繰り返し増殖する．腫瘍細胞は浸潤と転移を繰り返し，悪液質の状態に陥る．がん悪液質では，栄養療法単独で改善することは困難な著しい筋肉量の減少がみられ，進行性に機能障害をもたらす複合的な栄養不良を認める．病態生理学的には，栄養摂取量の減少と代謝異常によってもたらされるたんぱくおよびエネルギー喪失状態である[1]．がん悪液質に対する薬物治療は困難といわれていたが2021年，食欲を改善し体重を増加させるがん悪液質の治療薬としてアナモレリンがわが国で初めて承認された[2]．

　がんの進行は，がん組織と宿主間の相互反応による炎症性サイトカインの活性化により全身に炎症反応が普及し，体脂肪減少，骨格筋たんぱくの崩壊を伴う代謝亢進を惹起する[3]．摂食中枢の代謝異常により食思不振が生じ，筋組織の選択的なたんぱく分解の促進が発生して骨格筋が高度に萎縮する．またインスリン抵抗性も惹起するため，三大栄養素すべての代謝が異化方向へ変化し貯蔵栄養素も喪失する[4]．

　化学療法施行中には，粘膜障害や嘔気・嘔吐，下痢などの消化器系副作用や血液毒性，その他の副作用が生じる．なかでも消化器粘膜障害は最も頻度が高く，必要たんぱく・エネルギー充足困難の原因となり栄養状態の悪化をきたす[5]．

　治療には，①手術，②化学療法，③放射線療法，④免疫療法，⑤緩和医療などがある．このうち手術，化学・放射線療法は生体侵襲を伴い，健常組織に対しても障害を与える．副作用や精神的なストレスによる食思不振や悪心・嘔吐などにより，容易に栄養不良に陥る可能性がある．

2 機能障害と機能訓練

　がんそのもの，あるいはがん治療により生じた身体障害に対し，機能維持・改善のためのリハの適応が有効なことが明らかとなり「がんのリハビリテーションガイドライン」が作成された．ガイドラインにはがん種ごとに有効なリハがEBM（evidence based medicine）の原則に従い記述されている[6]．そのなかでFialka-Moserらはがんのリハを「がん患者の生活機能と生活の質の改善を目的とする医療ケアであり，がんとその治療による制限を受けたなかで，患者に最大限の身体的・社会的・心理的・職業的活動を実現させること」と定義している[7]．

表1 リハビリテーションの対象となる障害の種類

1. がんそのものによる障害
　①がんの直接的影響
　　脳腫瘍(脳転移)に伴う片麻痺，失語症など
　　脊髄・脊椎腫瘍(脊髄・脊椎転移)に伴う四肢麻痺・対麻痺など
　　骨転移
　　腫瘍の直接浸潤による神経障害(腕神経叢麻痺，腰仙部神経叢麻痺，神経根症)
　　疼痛
　②がんの直接的影響(遠隔効果)
　　悪性腫瘍随伴症候群(小脳性運動失調，筋炎に伴う筋力低下など)
　　がん性末梢神経炎(運動性・感覚性多発性末梢神経炎)
2. 主に治療過程においてもたらされる障害
　①全身性の機能低下，廃用症候群
　　造血器がんの治療後(科学・放射線療法，造血幹細胞移植後)
　②手術
　　頭頸部がん術後の嚥下・構音障害・発声障害
　　頸部リンパ節郭清後の肩甲周囲の運動障害
　　開胸・開腹術後の呼吸器合併症
　　乳がん術後の肩関節拘縮やリンパ浮腫
　　骨・軟部腫瘍術後(患肢温存術後，四肢切断後)
　③化学療法
　　末梢神経障害など
　④放射線療法
　　横断性脊髄炎，腕神経叢麻痺，嚥下障害など

(辻，2003)[8]

表2 がん患者におけるリハビリテーションの中止基準

①血液所見：ヘモグロビン 7.5 g/dl 以下，血小板 50,000/μl 以下，白血球 3,000/μl 以下
②骨皮質の 50%以上の浸潤，骨中心部に向かう骨びらん，大腿骨の 3 cm 以上の病変などを有する長管骨の骨転移所見
③有腔内臓，血管，脊髄の圧迫
④疼痛，呼吸困難，運動制限を伴う胸膜，心嚢，腹膜，後腹膜への浸出液貯留
⑤中枢神経系の機能低下，意識障害，頭蓋内圧亢進
⑥低・高カリウム血症，低ナトリウム血症，低・高カルシウム血症
⑦起立性低血圧，160/100 mmHg 以上の高血圧
⑧ 110/ 分以上の頻脈，心室性不整脈

(辻，2009)[10]

　がん患者は，がんそのものによる障害または治療過程においてもたらされる障害があり，両者ともにリハの対象となる．リハの対象となる障害の種類を**表1**に示す[8]．これらの障害によってセルフケア，移乗・移動能力などの低下をきたし ADL に制限を生じ，QOL の低下をきたす．基本的なリハの方針は他の障害と同様であるが，原疾患の進行に伴う機能障害の増悪，二次的障害，生命予後などに配慮が必要である．また，がんの局在や外科的治療，化学療法は倦怠感と相関するため，リハにおける負荷量を配慮する必要がある[9]．がん患者におけるリハの一般的な中止基準を**表2**に示す[10]．

がんにおけるリハの内容は病期により，予防的，回復的，維持的，緩和的の4段階に分けられる（Dietzの分類）[11].

①**予防的**：がんと診断された後，早期に開始されるもので手術，放射線治療，化学療法の前または後すぐに施行される．機能障害はまだなく，その予防を目的とする．

②**回復的**：がんにより生じた障害，治療されたが残存する障害をもった患者に対し，最大限の機能回復を目的に行う包括的訓練．

③**維持的**：がんが再発，転移をきたすと，障害も重度かつ重複した状態となり，機能障害，能力障害も進行する．このような患者のセルフケア，運動能力を維持・改善させ代償手段にて残存機能をうまく引き出すことによりADLを保つことを目的とする．拘縮，筋萎縮，筋力低下，褥瘡のような廃用予防も含まれる．

④**緩和的**：終末期がん患者に対し要望を尊重しながら身体的，精神的，社会的にQOLの高い生活が送れるように支援する．温熱，低周波治療，姿勢・肢位のポジショニング，呼吸介助，リラクセーション，自助具・補装具の使用により，できる限りのADLの維持，疼痛，呼吸困難，浮腫などの症状緩和や拘縮，褥瘡の予防を図る．QOLを支える重要な要素の一つとなり得る[12].

3 栄養評価のポイント

がん患者の栄養障害は「がん関連性体重減少」と「がん誘発性体重減少」に分類され，病期の進行とともに両者が混在し不可逆性の栄養障害となる．「がん関連性体重減少」は物理的な消化管通過障害や下痢などの消化管機能障害による栄養摂取・消化吸収量低下，絶食期間の長期化に起因する可逆性の病態である．「がん誘発性体重減少」は「がん悪液質」とも表現され，腫瘍による直接的作用，あるいは免疫反応を介しての間接的作用により，体重維持のための栄養維持機構の破綻に起因する不可逆的な病態である．

がん患者の栄養評価は，身体組成や血液・生化学的所見を用いた客観的評価と，栄養状態悪化を早期発見するための主観的評価を組み合わせ，精度の高い栄養評価を行う．

客観的評価として血液中たんぱく成分を用いた栄養評価法に，グラスゴー予後スコア（Glasgow Prognostic Score；GPS)やCRPとアルブミンを単純に比率化したCRP-albmin ratio（CAR)がある．GPSはがん患者の全身性炎症反応を基にした低栄養状態である「がん悪液質」の病態を反映する指標であることが示されている．また血液細胞成分を用いた好中球・リンパ球数比（Neutrophil-lymphocyte ratio；NLR)，血小板・リンパ球数比（Palatelet lymphocyte ratio；PLR)も有用性が示されている[13,14].

主観的評価として定期的な食事摂取についてのカウンセリングや体重測定を行う．体重増加は身体機能改善の患者の主観的な評価に関連し，QOLとも相関するため定期的な体重計測は重要である[15].また，がん患者の栄養評価は，がん診断の時点から，治療過程全体を通じて行い，長期的に評価を行うことで低栄養の発症または悪化を防ぐことが重要である[16].がんが進行すると炎症性サイトカインの放出が増大し，胸水・

腹水貯留，全身浮腫，肺水腫などの病態を伴うがん悪液質に至る．悪液質はがん患者で死亡する50%以上が陥る病態であり，30%の死因となる[17]．悪液質は前悪液質，悪液質，終末期である不可逆的悪液質の3段階に分類される．不可逆的悪液質の段階に陥るとエネルギー消費量は減少するため，栄養投与量を減じる．がん悪液質はGLIM基準の「疾患/炎症」項目に関連するものとして推奨されている[18]．

4 栄養療法

消化管が使用可能であれば，原則として経口・経腸栄養を選択する．がん関連性体重減少は消化管の狭窄やがん告知によるストレス，化学療法の副作用によるため通常の栄養療法により改善が期待されるが，がん誘発性体重減少はがんそのものによる代謝異常が原因のため悪液質に対する栄養療法が必要となる．栄養療法は筋力トレーニングと同時に介入し，少なくとも摂取エネルギーは25〜30/kcal BW/日，1.2 gたんぱく質/kcal BW/日，を摂取することが推奨されている[18]．

食事摂取困難が7日以上，推測エネルギー必要量の60%未満の食事摂取が10日以上継続する場合は，できるだけ早期から栄養補助を開始し，消化管が使用可能であれば経腸的な栄養管理を優先させる[3]．

「終末期がん患者の輸液療法に関するガイドライン2013年版」[19]では，がんが進行し，生命予後1カ月程度で，経口的に水分摂取は可能だが，がん悪液質による食思不振のため栄養摂取が低下している消化管閉塞のない終末期がん患者に対しては，生命予後延長を目的とした輸液を行わない．生命予後が1〜2週間の経口的な水分摂取が著しく減少している消化管閉塞のない終末期がん患者に対しても，生命予後延長を目的とした輸液を行わないことが強く推奨されている．

一方，生命予後1カ月程度で，がん性腹膜炎による消化管閉塞のため経口的に水分摂取ができないPerformance statusが1〜2の終末期患者は，総合的QOL改善を目標とした投与内容とする．投与内容は① 500〜1,000 ml/日の中カロリー輸液（100〜400 kcal/日：窒素0〜4.8 g/日，アミノ酸0〜30 g/日）または，② 1,000〜1,500 ml/日の高カロリー輸液（500〜1,000 kcal：窒素2.4〜7.2 g/日，アミノ酸15〜45 g/日）が推奨されている．しかし生命予後が1〜2週間以内，Performance statusが3〜4の終末期がん患者に対しては，総合的QOL改善を目的として，① 1,000 ml/日を超える維持輸液は行わない，②高カロリー輸液は行わないことが推奨されている．

不可逆的悪液質に陥った場合は栄養投与に反応しない状態と定義されており，積極的栄養療法は行わず，緩和医療を中心に精神的・社会的サポートや倫理的検討を重視していく[19]．

（伊藤淳子）

文献
1) Fearon K et al：Definition and classification of cancer cachexia：an international consensus. *Lancent Oncol* 12：489-495, 2011.
2) Wakabayashi H et al：The regulatory approval of anamorelin for treatment of cachexia in pa-

tients with non-small cell lung cancer, gastric cancer, pancreatic cancer, and colorectal cancer in Japan: facts and numbers. *J Cachexia Sarcopenia Muscle* **12**(1)：14-16, 2021.

3）Arends J et al：ESPEN Guidelines on Enteral Nutrition：Non-surgical oncology. *Clin Nutr* **25**：245-259, 2006.

4）谷口正哲：がん患者のリハビリテーションと栄養．日静脈経腸栄会誌 **30**：937-940，2015.

5）石橋生哉・他：がん治療患者に対する栄養療法―治療完遂をめざした新しい栄養支持療法．外科と代謝・栄 **46**：85-92，2012.

6）日本リハビリテーション医学会，がんのリハビリテーションガイドライン策定委員会編：がんのリハビリテーションガイドライン，金原出版，2013.

7）Fialka-Moser V et al：Cancer rehabilitation：particularly with aspects on physical impairments. *J Rehabili Med* **35**：153-162, 2003.

8）辻 哲也：オーバービュー がん治療におけるリハビリテーションの必要性．臨床リハ **12**：856-862，2003.

9）Kuhnt S et al：Cancer Related Fatigue in Rehabilitation Care. *Rehabilitation Stuttg* **56**：337-343, 2017.

10）辻 哲也：悪性腫瘍(がん)現代リハビリテーション医学，改訂第3版(千野直一編)，金原出版，2009，p195.

11）Dietz JH：Rehabilitation Oncology, John Wiley&Sons, 1981.

12）辻 哲也・他：がんのリハビリテーションと栄養．臨床栄養 **120**：516-517，2012.

13）奥川喜永・他：がん治療と栄養評価．日静脈経腸栄会誌 **32**：829-840，2017.

14）浜口哲也，三木誓雄：がん患者の代謝と栄養．日静脈経腸栄会誌 **30**：911-916，2015.

15）Parmar MP et al：Weight changes correlate with alterations in subjective physical function in advanced cancer patients referred to a specialized nutrition and rehabilitation team. *Support Care Cancer* **21**：2049-2057, 2013.

16）Lach K et al：Nutrition Support for Critically Ill Patients with Cancer. *Nutr Clin Pract* **32**：578-586, 2017.

17）Tisdale MJ：Pathogenesis of cancer cachexiea. *J Support Oncol* **1**：159-168, 2003.

18）Arends J et al；ESMO Guidelines Committee：Cancer cachexia in adult patients：ESMO Clinical Practice Guidelines. *ESMO Open* **6**(3)：100092, 2021.

19）日本緩和医療学会 緩和医療ガイドライン作成委員会：終末期がん患者の輸液療法に関するガイドライン 2013 年版，金原出版，2013.

4 脊髄損傷

1 病態生理と治療

脊髄損傷は，損傷の原因により外因性と内因性に分類される．外因性は外傷などで脊柱に強い力が加えられることにより脊髄実質に損傷を受ける病態である．内因性は脊髄空洞症，急性横断性脊髄炎，脊髄梗塞，脊髄腫瘍などである．脊髄の障害は，脊柱支持性の破綻による一時的な機械的損傷が起こり，次いで脊髄の浮腫や虚血性壊死などの二次的障害が加わる．損傷部位以下の知覚・運動・自律神経の麻痺を呈し，主に損傷の高位，横位レベルで機能予後とADLが決定する．損傷レベル以下の上肢機能が下肢機能に比べて優位に障害されている中心性頸髄損傷などの病態もある．的確な診断，早期治療およびリハの介入が早期社会復帰につながる．神経因性膀胱・褥瘡・深部静脈血栓症・呼吸機能障害・肺炎・無気肺・イレウス・消化管潰瘍・穿孔・嚥下障害・精神障害など多岐にわたる合併症の管理も重要である．受傷早期からの全身管理およびチーム医療が必須である．

麻痺を伴う頸椎損傷のうち，脊髄の圧迫がある症例や不安定性の強い症例は，脊柱の除圧や安定を目的とした手術の適応となる．脊髄損傷の除圧は，欧米では24時間以内の急性期手術に傾きつつある．骨折や脱臼を伴う場合は受傷後24時間以内に手術を行うと神経学的予後がよく，8時間以内であれば，受傷時完全麻痺でも麻痺改善する可能性が高い[1]．非骨傷性頸髄損傷に対しては保存的に治療することが多い．急性期を脱すると合併症を予防・管理しながらリハ中心の治療となるため，専門病院・機関での治療が望ましい．

また，近年再生医療に関する研究報告が進歩しており，神経幹細胞移植をはじめとしたさまざまな治療の有効性が報告されている．わが国でもiPS細胞（人工多機能性幹細胞，induced pluripotent stem cells）や嗅神経鞘細胞，骨髄細胞などを用いた細胞移植法，G-CSF（顆粒球コロニー刺激因子，granulocyte colony-stimulating factor），HGF（肝細胞増殖因子，hepatocyte growth factor）などの薬剤を用いた治療が研究されている[2]．

2 機能障害と機能訓練

麻痺の重症度はアメリカ脊髄障害協会（ASIA）のASIA impairment scale（図）[3]，Zancolliの上肢機能分類，Frankel分類などで評価する．損傷部位以下の運動・感覚

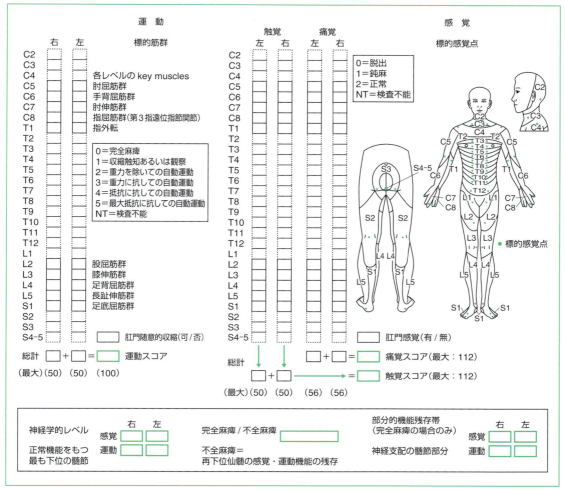

図 ASIA impairment scale

(米本, 2005)[3]

麻痺が完全に遮断されたものを完全損傷, 一部残存しているものを不全麻痺という. 不全麻痺は損傷部位により脊髄中心症候群, ブラウン・セカール症候群, 前脊髄症候群, 脊髄円錐症候群, 横断性脊髄症に分類される(**表**)[4].

リハは急性期, 回復期, 維持期の流れで行われる. 急性期は肺合併症, 深部静脈血栓症, 褥瘡などを予防しながら, 筋力, ROM(他動 ROM 訓練, 自動 ROM 訓練, 自動介助 ROM 訓練), レジスタンストレーニングを行う. 回復期は可能な限りの ADL 獲得のため筋力強化, 起居移乗, 座位訓練などを行う. 維持期は継続した訓練と職業, 社会活動のための環境調整など各個人の必要に応じた動作訓練の援助を行う.

3 栄養評価のポイント

急性期には尿量が増加するため, 喪失分の水分・電解質を補い循環血液量を維持

表　脊髄症候群

症候群	原因	症状と徴候
前脊髄症候群	不均衡に前部脊髄が障害される病変で，一般に前脊髄動脈の閉塞および梗塞により生じる	後索以外のすべての神経路の機能不全傾向．位置覚と振動覚は保たれる
ブラウン・セカール症候群	片側性の脊髄病変で，典型的には貫通外傷による	同側の不全麻痺，触覚，位置覚，振動覚の消失および対側の痛覚の消失[※]
脊髄中心症候群	脊髄中心部，主に中心灰白質および交叉する脊髄視床路を侵す病変．一般に外傷，脊髄空洞症，および脊髄中心部の腫瘍による	不全麻痺が，上肢において下肢および仙骨領域より重度な傾向でみられる．頸上部，肩，体幹上部にケープ様に分布する温痛覚の低下傾向がみられるが，軽い触覚，位置および振動覚は比較的残存される
脊髄円錐症候群	T12 周囲の病変	下肢遠位部麻痺，肛門周囲の感覚消失，勃起不全，閉尿，低緊張性肛門括約筋
横断性脊髄症	1つ以上の髄節レベルにおける病変で脊髄全体に障害を与える	脊髄を介するすべての機能における障害

[※]ときに，片側の一部の脊髄のみ機能障害を受ける場合がある． (Beers et al, 2006)[4]

し[5]，代謝亢進と食思不振による体重減少傾向に注意する．慢性期には活動量低下や筋萎縮，内臓脂肪増加によるサルコペニア肥満が問題となることが多い[6,7]．体重，体脂肪率，腹囲を測定するが，脊髄損傷者に健常人の BMI を用いると体脂肪を過小評価してしまう可能性がある[8,9]．一方，脊髄損傷者は健常人と身体組成が異なるため，一般的な基礎代謝の値を用いて推定エネルギーを算出すると，測定誤差が大きく過大評価する可能性もある[10]．そのため，除脂肪体重[11]や CT を用いた内臓脂肪面積を測定する[8]．内臓脂肪面積が 100 cm^2 以上を内脂肪蓄積とし，栄養療法，運動療法を行う．内臓脂肪面積 100 cm^2 の目安として，腹囲男性 85 cm，女性 90 cm が相当する．脊髄損傷者の脂肪と除脂肪量を評価した近年の文献レビューの報告では，身体組成の評価には DXA 法を用いることが有用とされている．DXA 法は信頼性，妥当性が高く，栄養評価や運動療法の効果判定に用いることで脊髄損傷者の長期的な筋肉量のモニタリングに活用できる[12]．脊髄損傷者の 50％程度が HDL 低値，40％程度が乳酸脱水素酵素(LDH)高値を示し，17〜20％に糖尿病を合併する[8]．心血管疾患による死亡割合は 20％程度であり[13]，空腹時血糖，HbA1c 値，中性脂肪，HDL コレステロールなどを測定する[14]．また，脊髄損傷者は不動，低活動，十分な日光照射がなく，ビタミン D が不足または欠乏することが多い[15,16]．一方，低栄養による損傷治癒の遅延や貧血，褥瘡も問題になるため，血清アルブミン，血清ヘモグロビン，ヘマトクリット値も測定する[17]．高齢者はサルコペニア，認知症に伴う食事動作障害による低栄養に注意する．

4　栄養療法

　消化管に合併症がない場合は，経口摂取が基本となる．頸部固定患者で嚥下障害，経口摂取困難となる場合は経鼻経管栄養を行う．脊髄ショック期に腸管麻痺をきたす場合は，経静脈栄養を行う．エネルギー量の設定は，身長体重からの算出では誤差を

生じるため呼気分析による計測を基にすることが望ましい[18]. 摂取エネルギー量の設定は急性期, 亜急性期, 慢性期により異なる.

急性期は栄養状態の維持, 亜急性期は栄養状態の改善を目的とする. 慢性期で肥満がある場合は基礎代謝エネルギーは四肢麻痺患者では1 kg当たり22 kcal/日, 対麻痺患者では24 kcal/日とし, それに標準体重［身長(m)×身長(m)×22］を乗じた値とする. そこに運動エネルギーを四肢麻痺患者では100〜300 kcal, 対麻痺患者では活動に応じ200〜400 kcalを加える[8]. 一方, 低栄養の場合は, 22〜27 kcal/kgを目標に栄養投与を行う. 褥瘡, 呼吸器疾患, 腸管麻痺, 尿路感染, 胃潰瘍, 膵炎, 貧血などを合併している場合は, 薬剤を用いてこれらの治療を優先して行う. 消化管が使用困難であれば経静脈栄養を行う[17]. 慢性期は低栄養・過栄養に注意し, たんぱく質の摂取を増やし, ビタミン, ミネラル, 水分も十分摂取する[14]. 高齢者および栄養状態の悪い患者においては栄養補助食品を使用することが一般的である[19]. 　　**（伊藤淳子）**

文献

1) 井口浩一・他：脊椎骨折, 脊髄損傷. 関節外科 **36**：360-367, 2017.
2) 堀 桂子・他：脊髄損傷に対する再生医療. 日耳鼻会報 **116**：53-59, 2013.
3) 米本恭三(監修)：最新リハビリテーション医学, 第2版, 医歯薬出版, 2005, p238.
4) Beers MH et al(福島雅典監修)：メルクマニュアル 日本語版, 第18版, 日経BP社, 2006.
5) 佐々木裕介・他：脊髄損傷急性期リハビリテーションのマネージメント. *MB Med Reha* **209**：13-19, 2017.
6) Hatchett PE et al：Body mass index changes over 3 years and effect of obesity on community mobility for persons with chronic spinal cord injury. *J Spinal Cord Med* **39**：421-432, 2016.
7) Pelletier CA et al：Sarcopenic obesity in adalts with spinal cord injury：a cross-sectional study. *Arch Phys Med Rehabili* **97**：1931-1937, 2016.
8) 水口正人：脊損者の栄養管理・指導. 臨床リハ **15**：894-900, 2006.
9) 横山 修：代謝について. *MB Med Reha* **115**：41-51, 2010.
10) 稲山貴代・他：測定方法の違いによる在宅脊髄損傷者の推定エネルギー必要量についての検討. 栄養誌 **71**：59-66, 2013.
11) de Groot S et al：Prospective analysis of the body mass index during and up to 5 years after discharge from inpatient spinal cord injury rehabilitation. *J Rehabili Med* **42**：922-928, 2010.
12) van der Scheer JW et al：Assessment of body composition in spinal cord injury：A scoping review. *PLoS One* **16**(5)：e0251142, 2021.
13) Grigorean VT et al：Cardiac dysfunctions following spinal cord injury. *J Med Life* **2**：133-145, 2009.
14) Khalil RE et al：The Role of Nutrition in Health Status after Spinal Cord Injury. *Aging Dis* **4**：14-22, 2013.
15) Flueck JL, Perret C：Vitamin D deficiency in individuals with a spinal cord injury：a literature review. *Spinal Cord* **55**：428-434, 2017.
16) Lamarche J, Mailhot G：Vitamin D and spinal cord injury：should we care?. *Spinal Cord* **54**：1060-1075, 2016.
17) Dionyssiotis：Malnutrition in Spinal Cord Injury：More Than Nutritional Deficiency. *J Clin Med Res* **4**：227-236, 2012.
18) 加藤真介：米国の急性期頸髄損傷管理ガイドライン. 臨床リハ **13**：238-243, 2004.
19) Wong S et al：Nutritional supplement usage in patients admitted to a spinal cord injury center. *J Spinal Cord Med* **36**：645-651, 2013.

5 大腿骨近位部骨折

1 病態生理と治療

1. 分類

大腿骨近位部骨折は，1)頸部骨折(内側骨折)と，2)転子部骨折(外側骨折)とに分けられる．これらは，解剖学的，血行動態，生体力学的に異なるため，骨癒合率，骨壊死発生率に差があり，手術方法の選択が異なる(図1)．

1) 頸部骨折(内側骨折)

頸部骨折は，転位の程度により，Stage Ⅰ〜Ⅳの4段階に分類したGardenの分類が使用される(図2)[1]．Stage Ⅰ，Ⅱは非転移型ともよばれ，骨接合術が行われる．Stage Ⅲ，Ⅳは転移型ともよばれ，人工物置換術(人工骨頭置換術，人工股関節全置換術など)が行われる．非転位型は骨癒合率が高いのに対し，転位型は骨癒合率が低く，骨頭壊死の頻度が高い．

2) 転子部骨折(外側骨折)

転子部骨折は，Evans分類が一般的に用いられる(図3)[1]．単純X線写真の正面像で内側骨皮質の損傷の程度，整復操作を行った場合の整復位保持の難易度によってType 1(group1〜4)，Type 2に分類される．Type 1のgroup1，2が安定型，Type 1のgroup3，4とType 2が不安定型とよばれる．不安定型骨折では，術後に骨折部の転位を生じやすい．

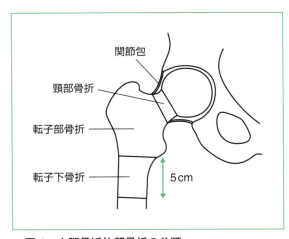

図1 大腿骨近位部骨折の分類

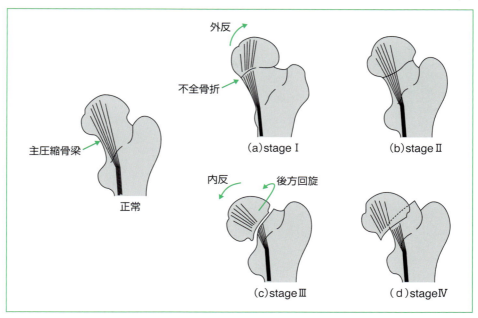

図2　Gardenの分類（頸部骨折の分類）
（日本整形外科学会診療ガイドライン委員会，大腿骨頚部/転子部骨折診療ガイドライン策定委員会，2011)[1]

2．疫学

　発生率は，50歳以下では男女とも人口10万人当たり10件以下で少ない．60歳以上で徐々に発生率が増加し，70歳以降で大幅に増加する．80〜84歳では年に100人に1件，85〜89歳では年に50人に1件，90歳以上では年に30人に1件の割合で発生する[2]．

　近年，大腿骨近位部骨折は増加傾向にあり，年齢階級別の発生率が加齢に伴って上昇している．特に80歳以上の女性ではその上昇が著しい．骨折型別に年代による発生率の推移をみると，女性の転子部骨折で発生率の上昇がみられる[2]．

　骨折の発生リスクは，骨脆弱化と易転倒性によって高まる．生活様式の欧米化や交通機関の発達，労働環境の改善などから，移動や労働に要する身体的負担が軽減している．そのため，身体活動性が低下し骨の脆弱化が進んできている可能性がある．飲酒や睡眠鎮静剤の服用は転倒の危険性を高める．医療の進歩に伴う脆弱な高齢者の増加も，大腿骨近位部骨折発生増加の要因だと推測される[3]．

2　機能障害と機能訓練

　機能障害としては筋力低下，筋萎縮，骨粗鬆症，心機能低下，深部静脈血栓症，摂食嚥下機能低下，疼痛，褥瘡，尿路感染症，呼吸機能低下など，全身性の機能障害を認める可能性がある．活動制限として，歩行などのADL低下を認める．

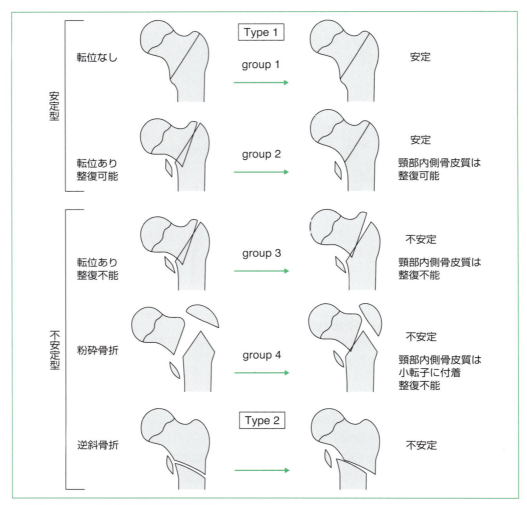

図3　Evans 分類（転子部骨折の分類）
（日本整形外科学会診療ガイドライン委員会，大腿骨頚部/転子部骨折診療ガイドライン策定委員会，2011）[1]

　　機能訓練は，可能なら術前から介入することが望ましい．その目的は，受傷前のADL動作を術後にも再獲得させること，生命予後が悪くならないようにすることである[4]．具体的には，大腿骨近位部骨折の死亡の原因としてあげられる肺炎の予防，深部静脈血栓症（deep vein thrombosis；DVT）の予防，術前の筋力や歩行能力の維持，褥瘡予防，栄養状態の維持などである．理学療法としては，肺炎予防として排痰のためのhuffingや咳嗽などの呼吸練習，DVT予防として足関節底背屈の自動運動，筋力維持・強化練習（非術側），適切な除圧とポジショニングなどのプログラムを展開する．栄養管理も適切に行われるべきで，PTは活動レベルや筋力面から栄養状態・嚥下機能をスクリーニングする．低栄養があれば，機能維持のための自動運動や抗重力位保持，除圧などを行う．栄養状態が良好であれば，除圧などのポジショニングに加えて，非術側のレジスタンストレーニングも行う．

第3章　主な疾患の栄養療法

術後は，可能な限り早期に介入する．術式にもよるが，荷重制限がなければ術翌日から車椅子乗車が，術後2日目から歩行練習が開始される．疼痛を伴うことが多く，移動能力は著しく低下するため，理学療法では疼痛緩和のためのマッサージや安楽肢位の提案も重要なアプローチである．歩行練習では，歩行器を使用して，下肢にかかる体重を免荷しながら楽に歩けることを優先する．

大腿骨近位部骨折は転倒で受傷することが多いため，筋力トレーニングは，転倒予防に重要な下肢の筋力トレーニングを中心に実施する．高齢者や低体力者では，1RM（最大反復回数）の40〜70％，Borgスケールで13（ややきつい）を目安とした低強度〜中等度の筋力トレーニングが推奨される．頻度は，週2〜3回，10回を1セットとして2〜3セットを目標とする[5]．

3 栄養評価のポイント

大腿骨近位部骨折患者は，やせ型で入院時すでに低栄養を呈すことが多い．転倒によって受傷することが多く，転倒は筋力低下により引き起こされるため，加齢によるサルコペニアに加え，筋肉量を維持する栄養が充足できていないことが予測される[6]．

栄養評価は，栄養状態のスクリーニングと，炎症・合併症（貧血，肝機能障害，腎機能障害，心不全など）の有無を評価する．栄養状態は，65歳以上の高齢者を対象としたMNA®-SFでのスクリーニングが簡便である．骨折後で立位が不可能な場合には，身長の推計膝下高による推計（表1）を用いる．体重測定は，車椅子ごと測定可能な体重計を使用するとよい．車椅子に乗車困難な場合は，体重予測法（表2）を用い，近似値を求める．体格指数（BMI）では22を標準体重としている．高齢者の場合は，肥満や過体重のリスクだけでなく，低体重の危険性も考慮する．血液データは，Alb，TP，Ca，WBC，Hb，クレアチニン，尿素窒素，CRPなどを確認する．

Loveらは，大腿骨近位部骨折術後の高齢患者の34％に嚥下障害を認めたと報告している[7]．骨折前からの神経疾患や呼吸器疾患の合併，術後せん妄，年齢，入院前の生活場所が介護施設の場合，嚥下障害が多く，嚥下障害の早期発見が二次的合併症の

表1　起立不可能な場合の身長の推計膝下高による推計

推定身長の計算式
男性(cm)：64.19−(0.04×A)+(2.02×膝下高) 女性(cm)：84.88−(0.24×A)+(1.83×膝下高) 　A：年齢

表2　寝たきり患者の体重予測法

Grantの式
男性＝0.98AC+1.27CC+0.04SSF+0.87KN−62.35 女性＝1.73AC+0.98CC+0.37SSF+1.16KN−81.69 AC：上腕周囲(cm)，SSF：肩甲骨下部皮下脂肪厚(mm) CC：ふくらはぎの周囲(cm)，KN：膝までの高さ(cm)

予防や入院期間の短縮に重要としている．また，目谷らは，新たな大腿骨近位部骨折のために入院し，手術的治療を行った患者を対象に，大腿骨近位部骨折に併発する肺炎の危険因子 について調査した．その結果，肺炎の併発率は14.5％で，血清アルブミン値と精神障害が，独立した危険因子であったと報告した[8]．入院前からの低栄養や嚥下筋のサルコペニアが存在し，骨折による疼痛や手術侵襲による体力消耗が加わることで低栄養が進み，嚥下障害が顕在化すると考えられる．「大腿骨頚部／転子部骨折診療ガイドライン」[1]によると，術後合併症としては肺炎が3.2％と最も多いとされており，嚥下障害に伴う誤嚥性肺炎も周術期合併症として注意が必要である．そのため，食事でのむせがないか，飲み込みづらさはないか，義歯は合っているかなど嚥下機能も評価しておく．精神症状としては，認知症や術後せん妄の有無を評価する．

4 栄養療法

　「リハビリテーション栄養診療ガイドライン2020」の「大腿骨近位部骨折患者におけるリハビリテーション栄養診療ガイドライン」において「リハビリテーションを実施している65歳以上の大腿骨近位部骨折の患者において，死亡率および合併症発症率の低下や日常生活動作（ADL）および筋力の改善を目的として，術後早期からのリハと併用して強化型栄養療法を行うことを弱く推奨する（弱い推奨／エビデンスの確実性：低い）．なお，強化型栄養療法の介入方法として，高エネルギー蛋白質栄養剤の追加による補助栄養療法や，管理栄養士によるカウンセリングや栄養サポートを考慮する」としている．具体的な栄養療法のポイントを以下に示す．

　嚥下機能に応じて，食事の形態を変化させる．食物を軟らかいものに変えただけで，摂食量が増えることがある．また，対応可能な範囲で食材や味の好みを聞いて配膳できるとよい．たとえば，肉より魚を好む，大豆が好き，辛い味付けが苦手などを考慮する．

　栄養障害のスクリーニングにおいて，低栄養のリスクあり・低栄養と評価された患者は，栄養療法の適応である．エネルギー必要量は，基礎代謝エネルギー消費量（BEE）に活動係数とストレス係数を乗じて算出する．

　高齢者は，基礎代謝の減少から肥満になりやすく，脂肪量の増加と除脂肪量の減少からサルコペニア肥満となる．一方，サルコペニアの有無にかかわらず，肥満による身体能力の低下がみられるという報告もあり[9]，高齢者への過剰なエネルギー投与は注意が必要である．健常人では，51歳以上の女性では20歳代に比べ100～200 kcal／日，男性で200～300 kcal／日程度必要エネルギーが減少する．しかし，入院・術後患者は，身体的・精神的にストレス下におかれるため，投与エネルギーを減じる必要はない．創部の状態やリハの進行により，活動範囲の拡大やレジスタンストレーニングの増量による消費エネルギーを加味して，適宜必要なエネルギーを調整していくことも必要である．

　各栄養素で注目するのは，ビタミンDと分岐鎖アミノ酸（BCAA）である[10-13]．ビタミンDは，カルシウムの吸収に必要なため，慢性的にビタミンDが不足すると骨

粗鬆症を招く可能性がある．食事からの摂取，日光浴による皮膚での合成，内服薬やサプリメントなど，食事摂取基準の推奨量または目安量を補給する．高齢者では，筋肉のたんぱく合成を促進させる作用をもつBCAAへの反応が鈍くなるといわれており，特にロイシンに対する感受性が低下する．BCAAは体内でつくり出すことはできないため，食事からの摂取が重要である．術後など，創傷や筋損傷の修復にも有効であるため，サプリメントなどでロイシンを強化配合したBCAAなどを投与する．ビタミンDもBCAAも，それ単独で投与するより，レジスタンストレーニングとの併用でより効果が発揮される．レジスタンストレーニング直後で筋たんぱく合成がより促されるためリハ直後に投与すべきである．

　栄養療法は，1〜2週間単位でモニタリングし，活動係数やストレス係数の変動などに合わせて食事内容を適宜変更していく．

（鮎川恵美）

文献

1) 日本整形外科学会診療ガイドライン委員会，大腿骨頚部／転子部骨折診療ガイドライン策定委員会：大腿骨頚部／転子部骨折診療ガイドライン，改訂第2版，南江堂，2011.
2) Orimo H et al：Hip fracture incidence in Japan：entimates of new patients in 2007 and 20-year trends. *Arch Osteoporos* **4**：71-77, 2009.
3) 日本骨折治療学会ホームページ：http://www.jsfr.jp/index.html
4) 石田健司，川満由紀子：手術前に施行すべきリハビリテーション．*MB Med Reha* **84**：15-21, 2007.
5) 池添冬芽，市橋則明：高齢者の動作獲得に必要な筋力と筋力増強法．PTジャーナル **44**：277-285, 2010.
6) 坂元隆一：骨関節疾患のリハビリテーション栄養．*MB Med Reha* **143**：69-77, 2012.
7) Love AL et al：Oropharyngeal dysphagia in an elderly post-operative hip fracture population：a prospective cohort study. *Age Ageing* **42**：782-785, 2013.
8) 目谷浩通，椿原彰夫：大腿骨近位部骨折の手術前後における肺炎発症の危険因子．*Jpn J Compr Rehabil Sci* **6**：43-49, 2015.
9) Bouchard DR et al：Sarcopenic/Obesity and Physical Capacity in Older Men and Women：Data From the Nutrition as a Determinant of Successful Aging（NuAge）— the Quebec Longitudinal Study. *Obesity* **17**：2082-2088, 2009.
10) 正木秀樹：ビタミンDの作用―骨・カルシウム代謝のほか，細胞分化，筋肉や転倒との関連など．骨粗鬆症治療 **11**：259-262, 2012.
11) 浅香明子，樋口満：3.高齢者の運動と栄養．*Geriat Med* **48**：947-949, 2010.
12) 森下幸治：アミノ酸と筋タンパク分解抑制．臨床スポーツ医 **22**：793-798, 2005.
13) 藤田聡：効果的な筋肥大を目的としたトレーニングと栄養摂取の役割―加齢による影響．*J Clin Phys Ther* **14**：15-20, 2011.

6 下肢切断

1 病態生理と治療[1]

下肢切断の原因は，①末梢血管障害（糖尿病，閉塞性動脈硬化症，悪性関節リウマチ，強皮症など），②外傷，③腫瘍などである．特に近年では，社会の高齢化に伴い，高齢者の末梢血管障害による切断例が増加している．

末梢血管障害では，末梢組織への血流不足により組織の壊疽が進行し切断に至る．外傷では，交通外傷による例が最も多く，整復困難な骨折や下肢の部分断裂，重度な圧排による組織壊死により，創部からの重傷感染や血流障害を呈し切断に至る．腫瘍では，小児の骨肉腫が最も多く，化学療法での患肢温存治療が困難な場合には腫瘍の全摘出の目的で切断に至る例が多い．

末梢血管障害例では，切断後の創治癒が長期間にわたる場合や，感染症を合併する場合があり，難治例ではさらに高位での切断を要する場合もある．また，両側切断例も少なくない．膠原病による末梢血管障害による切断例は稀ではあるが，全身管理が重要である．

糖尿病では，3大合併症（腎症・末梢神経障害・網膜症）の有無と程度を評価する．重症合併症を有する場合には，特に治療プランとリハプランに注意する．また，糖尿病患者の下腿切断後の生命予後が数年とされている[2]ことから，切断を回避することも重要であり，特に糖尿病患者のフットケアには配慮する．フットケアは，末梢神経障害を有する糖尿病患者にとって血糖コントロールと同様にライフワークとすべき事項である．深爪をしないことや靴下着用の徹底，自分と他者とでの視診，清潔を保つことなどが大切である．切断後の断端も同様で，義足との摩擦や断端形状の変化などで断端末や膝蓋腱部，脛骨粗面などに傷ができることがあるため，断端の観察は常に行う．万が一傷ができてしまった場合には，大小や疼痛の有無にかかわらず，かかりつけ医や皮膚科専門医を受診することを強く勧める．

高齢化が進む今日では，糖尿病患者自身のコンプライアンスが必要であるとともに，セルフケアと多職種が連携した疾病予防が重要である．

2 機能障害と機能訓練

機能障害として，筋萎縮，疼痛，筋力低下，体力低下，関節拘縮を認める．切断後の全身状態や断端の状況によっては，歩行や余暇活動の制限を認める．特に悪性腫瘍

末期や糖尿病重症例，悪性関節リウマチによる多肢切断例ではADL低下を認めやすい．

切断術後には，義足適応の有無を多方面から評価する．たとえば，年齢，全身状態，精神状態，断端の長さや形状，非切断肢の機能，患者や家族のニーズ，家屋状況など，さまざまな要素から適応を検討する．末梢血管障害による下腿切断後の5年後死亡率は約60～70％[3]といわれ，高齢者の下腿切断後の生命予後は3～4年[2]とされる．義足歩行獲得を目標とするか否かは，生命予後も考慮すべき要素である．

義足の適応がある場合，機能訓練は，断端成熟と義足歩行獲得を目的に術後早期から開始する．ただし，重篤な合併症がある場合には，二次的合併症予防と離床を当面の目標とする．断端は，ROMの維持と，浮腫を軽減して義足に適合しやすい形状を獲得するため，弾性包帯を用いたsoft dressingを速やかに開始する．非術肢の筋力増強や立位バランス練習に加え，痛みに応じた切断肢のレジスタンストレーニングと義足歩行練習，体力増強練習を行う．

義足の適応がない場合，車椅子でのADL拡大が目標となるため，起居動作や移乗を含めた基本動作練習が中心となる．特に立位・移乗の自立度はADLの自立度に影響しやすいため，環境設定を含めて，立位・移乗練習は重要となる．

糖尿病例では，腎症に対する透析患者も多く易疲労を呈しやすいことから，低負荷から開始し，徐々に負荷量を漸増するよう配慮する．透析後の運動が困難な場合は，透析日以外に運動を設定するなど，その時間帯や頻度にも配慮が必要である．

3　栄養評価のポイント

切断患者の栄養評価に重要なのは，切断部分の体重を補正して体格指数［BMI＝(体重(kg)／〔身長(m)〕^{2}］や基礎代謝エネルギー消費量を計算することである[1]．

実体重＝現体重(kg)×［1＋体重補正(%)÷100］

として計算される．

体重補正は，大腿・下腿切断の場合，それぞれ大腿骨・脛骨の中央を基準としているため，断端の長さにより近位の補正値(大腿切断11.8%，膝離断7.1%，下腿切断5.3%，足関節離断1.8%)を使用[4]する．

たとえば，下腿切断で断端長が18cm(中断端)，現体重が56kgの場合，実体重は56×(1＋5.3÷100)で約59kgとなる．この実体重を基に体格指数や基礎代謝量(BEE)，全エネルギー消費量(TEE)を算出する．

栄養状態の指標には，体重補正を要するBMIのほか，上腕周囲長の測定が推奨されるため，体重や下肢周径とともに計測する．

身体計測に加え，血液生化学データからアルブミンや中性脂肪，白血球数，トランスサイレチンなどから栄養状態，肝機能，腎機能，炎症や貧血の有無などを評価する．また，糖尿病患者では血糖値，HbA1c，投薬状況なども合わせて評価する．

高齢患者では，嚥下障害と心不全合併の有無をスクリーニングすべきであり，嚥下機能や体重の日差変動(増加し続けている場合は注意)，BNP(脳性ナトリウム利尿ペプチド)なども評価する．

4 栄養療法

術後の全身状態が著しく悪い場合を除き，経口摂取が基本である．切断患者に考慮すべきは，前述のように体重補正を行うことと，切断レベルが高位になるに従って同じ活動に対するエネルギー消費量が増加することである．正常歩行を 3 METs とすると下腿切断歩行では 3.3〜4.2 METs，大腿切断歩行では 4.9〜6 METs のエネルギーを消費する[5]．摂取量の目安は，非切断例では身体活動量によって標準体重 1 kg 当たり 25〜35 kcal に設定することから，切断例では 30〜40 kcal に設定する．レジスタンストレーニングにビタミン D の投与を併用することで，筋肉量や筋力増加に有効という報告がある[6]．そのため，食事に加えて，筋たんぱく合成の促進を期待してビタミン D や BCAA などを含む栄養補助食品の摂取を積極的にすすめる．摂取のタイミングは，運動前・直後・3 時間後で比較すると，直後が最も効果的である[7]．そのため，切断後の低栄養患者はリハ直後の栄養補助食品摂取までを理学療法プログラムと考える．

末梢血管障害を有する患者の多くは，切断前から運動耐容能が低いことが多く，さらに高齢者の切断例が増加してきている．これは，加齢と切断による活動性の低下を否めず，一次的なサルコペニアに加え二次的なサルコペニアも引き起こすことを示す．術後疼痛や貧血は，食思低下を招き，サルコペニアを引き起こす要因となる．通常，下肢切断者が義足歩行を獲得するためには，切断者自身の身体機能と義足の構成，それらを適合させる理学療法の 3 要素が最適な状態で満たされることが重要である．これらの要件が 1 つでも欠けると義足歩行の獲得は困難とされる[2]．術後の適切な栄養管理は，二次的なサルコペニアを予防し，効果的な理学療法の展開を可能にする．よって，術後の栄養管理は重要であり，患者の ADL や QOL に関与することはいうまでもない．

義足歩行練習やレジスタンストレーニングなど，理学療法の進行により活動量の増大が見込まれる．そのため，体重や上腕周径，生化学データ，可能なら窒素バランスを 2〜4 週間ごとにモニタリングし，正に保つ補正を繰り返して全身状態と活動量に応じたプランに変更していくことが必要である．

（鮎川恵美）

文献

1) 若林秀隆：リハビリテーション栄養ハンドブック，医歯薬出版，2010.
2) 畠中泰司，島津尚子：高齢下肢切断の現状と課題．PT ジャーナル **46**：1059-1064，2012.
3) 岡安 健：高齢大腿切断の理学療法の現状と課題．PT ジャーナル **46**：1065-1072，2012.
4) Merritt R：The A.S.P.E.N. Nutrition Support Practice Manual, 2nd ed, A.S.P.E.N., 2005.
5) 百﨑 良：下腿切断のリハビリテーション栄養．*MB Med Reha* **143**：89-92，2012.
6) Mallinson JE, Murton AJ：Mechanisms responsible for disuse muscle atrophy：potential role of protein provision and exercise as countermeasures. *Nutrition* **29**：22-28, 2013.
7) Levenhagen DK et al：Postexercise nutrient intake timing in humans is critical to recovery of leg glucose and protein homeostasis. *Am J Physiol Endocrinol Metab* **280**：982-993, 2001.

第3章 主な疾患の栄養療法

7 関節リウマチ

1 病態生理と治療

　関節リウマチ(rheumatoid arthritis；RA)は多発性の関節炎を主症状とする炎症性自己免疫疾患である．RA は慢性炎症性疾患であり，関節の変形，痛み，腫脹，動揺性，機能障害を引き起こし，身体機能，ADL，QOL を著しく低下させる．RA の病態は，関節滑膜の炎症に続く軟骨破壊，骨破壊である．関節滑膜に抗原提示細胞と T 細胞が浸潤し，B 細胞が遊走して滑膜細胞が増殖・重層化する．炎症滑膜は TNF−α や IL−1，IL−6 などの炎症性サイトカインを産生し，次第に軟骨破壊，骨吸収・破壊が進行する．関節症状に加え，慢性炎症に伴う動脈硬化の進展やアミロイドーシスによる腎不全，消化管障害が続発することもある．

　RA の治療は生物学的薬剤の導入とともに大きくパラダイムシフトし，関節破壊の進行抑制が現実的な目標となった．RA の薬物治療における第一選択薬のメトトレキサート(MTX)や bDMARD を中心として，関節破壊を抑制することで身体機能および QOL を長期間保つことを目標とする．目標に基づいた RA 治療(Treat to Target；T2T)を実践することで臨床的寛解あるいは低疾患活動性を達成し，維持する(**図**)[1]．従来は発症後徐々に関節破壊が進行すると考えられていたが，X 線検査では読影できない骨関節破壊は発症早期から始まっており，早期発見・早期治療が重要であることがわかってきた．特に RA 治療の反応性に大きな影響を及ぼす window of opportunity を十分に考慮し，骨関節破壊が生じる前から治療を開始する必要がある．これらの背景から，2010 年に米国リウマチ学会(ACR) / 欧州リウマチ学会(EULAR)が新分類基準を発表し，早期診断に基づく薬物治療の早期開始を強く推奨している(**表1**)[2]．種々の保存的治療に対してコントロールが不十分で，寛解期間が少なく，関節破壊による自発痛や運動時痛が ADL や QOL を著しく低下させる場合は外科的治療を考慮する．

2 機能障害と機能訓練

　RA の疾患活動性や治療反応性によって四肢の関節破壊の程度は異なる．経過のなかで関節支持機構の低下や関節拘縮が生じる．疼痛や全身倦怠感などが影響して身体活動量が低下し，筋力低下や骨格筋量減少を呈し，身体機能低下，心肺機能低下，ADL 低下へとつながる．

　運動療法などのリハは，筋力および身体機能，心肺機能，ADL 能力を維持するた

171

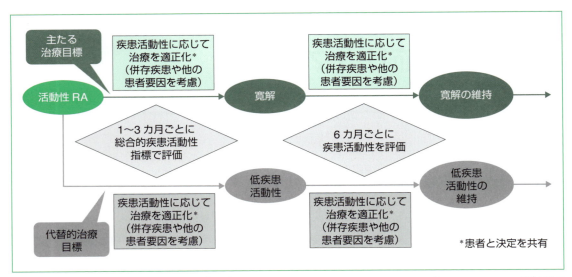

図　アップデートされた T2T アルゴリズム　　　　　　　　　　　　　(Smolen et al. 2016)[1]を改変

表1　ACR/EULAR 2010 年関節リウマチの新分類基準

対象患者	
1)少なくとも 1 関節以上に明らかな臨床的滑膜炎（関節炎症）	
2)滑膜炎をより妥当に説明できる他の疾患がない	

RA の分類基準		スコア
A. 罹患関節数		
1 カ所	大関節（肩・肘・股・膝・足）	0
2〜10 カ所	大関節（肩・肘・股・膝・足）	1
1〜3 カ所	小関節（PIP・MP・2〜5MTP・手関節）	2
4〜10 カ所	小関節（PIP・MP・2〜5MTP・手関節）	3
11 カ所	（1 カ所以上の小関節を含む）	5
B. 血清学的検査		
リウマトイド因子および抗 CCP 抗体とも（−）		0
リウマトイド因子または抗 CCP 抗体のいずれかが陽性（低値：正常上限の 3 倍以内）		2
リウマトイド因子または抗 CCP 抗体のいずれかが陽性（高値：正常上限の 3 倍以上）		3
C. 急性期反応物質		
CRP 正常かつ赤沈正常		0
CRP または赤沈のいずれかが異常		1
D. 髄膜症状の持続期間		
6 週未満		0
6 週以上		1

A 〜 D の合計スコアが 6/10 点以上で RA と診断される．

(Aletaha et al. 2010)[2]を改変

めに効果的である．疾患活動性に配慮し工夫して運動療法プログラムを組むことで，関節破壊の進行や痛みの増強，疾患活動性を増悪することなく運動療法を実施できる．疾患活動性は DAS（Disease activity score）28 や ACR/EULAR の関節リウマチの新寛解基準（**表 2**）[3]を使用して疾患活動性を評価する．採血の検査値も参考にする（**表 3**）．

第3章　主な疾患の栄養療法

表2　ACR/EULAR 2011年関節リウマチの新寛解基準

	臨床試験における寛解の定義	日常診療における寛解の定義
Boolean型定義	以下の4項目がすべて≦1 • 圧痛関節数（TJC） • 腫脹関節数（SJC） • CRP（mg/dL） • 患者全般VAS評価（PtGA）	以下の3項目がすべて≦1 • 圧痛関節数（TJC） • 腫脹関節数（SJC） • 患者全般VAS評価（PtGA）
疾患活動性による定義	Simplified disease activity index（SDAI）≦3.3	Clinical disease activity index（CDAI）≦2.8

SDAI＝TJC＋SJC＋患者全般VAS評価（PtGA）＋医師全般VAS評価（PhGA）＋CRP
CDAI＝TJC＋SJC＋患者全般VAS評価（PtGA）＋医師全般VAS評価（PhGA）
TJC；tender joints count, SJC；swollen joints count, PtGA；patient global assessments,
PhGA；physician/observer global assessment.

(Felson et al. 2011)[3]を改変

疾患活動性に加え，全身倦怠感や発熱，貧血，食欲不振などの全身症状を評価したうえでプログラムを立案する．
　疾患活動性が高い場合は，安静による関節保護を最優先し，関節に過度な負荷を強いるプログラムは禁忌である．疾患活動期は，愛護的な関節可動域運動で関節拘縮を予防し，等尺性収縮を主体とした筋力トレーニングを行う．重量物の持ち運びを避けることや関節に負担がかからない効率的な起居動作を習得するなどの生活指導に加え，ベッドや椅子の高さを調整するなどの環境整備も必要である．疾患活動性が低い時期は等尺性収縮に加え，疼痛なく行えるのであれば，等張性収縮や等速性収縮も症状に応じて考慮する．全身状態に応じて歩行練習などのADL練習も行う．

表3　確認しておくべき血液検査

一般血液検査	炎症マーカー
1. 白血球数	1. CRP
2. 血小板数増加	2. 赤血球沈降速度
3. ヘモグロビン	3. MMP-3
生化学検査	**免疫血清学的検査・抗体検査**
1. グロブリン	1. ACPA・RF
2. AST・ALT値	2. 抗核抗体
3. BUN・Cr	3. 補体・免疫複合体
4. eGFR	4. 抗ガラクトース欠損 　 IgG抗体

3　栄養評価のポイント

　RAは慢性炎症性疾患であり，悪液質の原因となる疾患である．悪液質の定義は「基礎疾患に関連する複雑な代謝症候群であり，筋肉の喪失に特徴づけられる．脂肪は喪失することもしないこともある．悪液質の顕著な臨床的特徴は，成人では体重減少（水分管理を除く），小児の成長障害（内分泌疾患を除く）である．食欲不振，炎症，インスリン抵抗性，筋たんぱく崩壊の増加が関連している．悪液質は，飢餓，加齢による筋肉量の減少，うつ，吸収不良，甲状腺機能亢進症とは区別される」とされている．RAの場合，長期のステロイド使用や生物学的薬剤の使用により食欲が亢進することと疾患活動性が改善することで体重が増加することがある．一方で，筋たんぱく崩壊は亢進していることが多い．したがって，体重や骨格筋量を定期的に評価し，その変

173

化の原因を確認する.

　RA患者はフレイルやサルコペニアを合併することが多い．特にRA患者は発症早期から骨格筋量減少と脂肪量の増加が併存したサルコペニア肥満を呈することがある．また，生命予後は薬物治療の進歩とともに改善しているため，フレイルやサルコペニアを念頭に置いた評価をする．定期的な筋力，骨格筋量，身体機能〔歩行速度，椅子立ち上がりテスト，Short Physical Performance Battery（SPPB）など〕を評価する．

　治療効果や効果判定の際にQOLの評価を行う．QOL評価には患者立脚型QOL評価が広く使用されており，SF-36やEQ-5Dが代表的である．RAの疾患特異的評価としては，HAQに加え，HAQをコンパクトにして臨床的に使用しやすくしたMHAQやAIMS2が代表的である．

4　栄養療法

　悪液質に対しては，RAの治療を最優先する．前述した生物学的薬剤を中心に疾患活動性をコントロールすることが最も重要である．また，治療経過に伴い2型糖尿病発症のリスクもあるため，血糖値に配慮した栄養管理が必要である．

　栄養療法ではn-3系脂肪酸〔EPA（エイコサペンタエン酸），DHA（ドコサヘキサエン酸）〕の抗炎症作用が注目されている．EPAとDHAはともに抗炎症作用があり，RAに関連する免疫的側面にも影響を及ぼすことが知られている．RAに対するn-3系脂肪酸の摂取は炎症反応を低下させ，朝のこわばりの持続時間の減少や関節の圧痛や腫脹の数の減少，関節痛の軽減，握力増加，非ステロイド性抗炎症薬の使用量の減少効果が報告されている[4]．このように，RAの栄養管理は低栄養と肥満の管理と並行してn-3系脂肪酸の摂取を考慮する．筋量減少と脂肪量増加を示すサルコペニア肥満の場合は，筋肉量が減少しないようたんぱく質の摂取と並行して，有酸素運動とレジスタンストレーニングを適切に処方する．

（井上達朗）

文献

1) Smolen JS et al：Treating rheumatoid arthritis to target：2014 update of the recommendations of an international task force. *Ann Rheum Dis* **75**：3-15, 2016.

2) Aletaha D et al：2010 Rheumatoid arthritis classification criteria：An American College of Rheumatology/European League Against Rheumatism collaborative initiative. *Arthritis Rheum* **62**：2569-2581, 2010.

3) Felson DT et al：American college of rheumatology/European league against rheumatism provisional definition of remission in rheumatoid arthritis for clinical trials. *Arthritis Rheum* **63**：573-586, 2011.

4) Calder PC：Session 3：Joint Nutrition Society and Irish Nutrition and Dietetic Institute Symposium on "Nutrition and autoimmune disease" PUFA, inflammatory processes and rheumatoid arthritis. *Proc Nutr Soc* **67**：409-418, 2008.

第3章 主な疾患の栄養療法

8 慢性閉塞性肺疾患

1 病態生理と治療

慢性閉塞性肺疾患(chronic obstructive pulmonary disease；COPD)とは，タバコ煙を主とする有害物質を長期に吸入曝露することで生じた肺の炎症性疾患である．呼吸機能検査で正常に復することのない気流閉塞を示す．気流閉塞は進行性で末梢気道病変と気腫性病変がさまざまな割合で複合的に作用することにより起こる．臨床的には徐々に生じる労作時の息切れと慢性の咳・痰を特徴とする．COPDを構成する疾患に肺気腫，慢性気管支炎が含まれる．

世界各国のCOPDの有病率調査では10%前後とする報告が多い．一方，わが国の住民調査による大規模なCOPD疫学調査であるNICE study(Nippon COPD Epidemiology Study)の結果では，日本人のCOPDの有病率は8.6%であり，40歳以上では約530万人，70歳以上では約210万人が罹患しているとされた．しかし，2017年の厚生労働省患者調査では病院でCOPDと診断された患者数は約22万人であり[1]，相当数がCOPDであることに気づいていない，または正しく判断されていないことになる．また，2020年のCOPDによる死亡は男性では10位であった[2]．

COPD自体が肺以外にも全身性の影響をもたらすことから，近年ではCOPDは全身性疾患ととらえられている(表1)．全身性炎症に対して抗炎症作用を有するグレリンの3週間投与と呼吸リハによって安定期のCOPD患者の6分間歩行距離，QOL，呼吸困難感は改善することが報告されている[3]．病態の進行とともに呼吸に要する安静時エネルギー消費量(resting energy expenditure；REE)が増大し，代謝が亢進する一方で，食欲低下や腹部膨満感のため食事摂取量が少なく，栄養障害と体重減少を

表1 COPDの全身への影響

- 全身性炎症：炎症性サイトカインの上昇，CRPの上昇
- 栄養障害：脂肪量，除脂肪量の減少
- 骨格筋機能障害：筋肉量・筋力の低下
- 心・血管疾患：心筋梗塞，狭心症，脳血管障害
- 骨粗鬆症：脊椎圧迫骨折
- 抑うつ
- 糖尿病
- 睡眠障害
- 貧血

表2 病期分類

	病期	定義
Ⅰ期	軽度の気流閉塞	%FEV$_1$≧80%
Ⅱ期	中等度の気流閉塞	50%≦%FEV$_1$<80%
Ⅲ期	高度の気流閉塞	30%≦%FEV$_1$<50%
Ⅳ期	極めて高度の気流閉塞	%FEV$_1$<30%

気管支拡張薬投与後の1秒率(FEV$_1$/FVC)70%未満が必須条件.
(日本呼吸器学会COPDガイドライン第5版作成委員会, 2018)[6]

認める.わが国では約70%のCOPD患者に体重減少が認められる.

体重減少のある患者は有意に生存率は低く,肥満患者の死亡リスクが低くなる肥満パラドックスを認める.一方,中等度以上の肥満(BMI>29.5)はBMI 22～25の患者と比べ予後が悪いとの報告もある[4].

COPDでは嚥下障害を認めることも少なくなく,その原因には呼吸と嚥下反射のタイミングの障害,胃食道逆流,食道入口部開大不全,認知機能障害,嚥下筋の萎縮などがある[5].

COPDにおいては高齢者が多く(加齢),活動性が低く(活動),栄養摂取不良(栄養),慢性的な炎症性サイトカインの上昇(疾患)などがあり,それらが原因とみられるサルコペニアを生じている割合が高く,運動療法と栄養管理の双方からのアプローチが重要となる.

診断は気管支拡張薬投与後のスパイロメトリーを用いた呼吸機能検査にて行い,1秒率(1秒量/努力性肺活量:FEV$_1$/FVC)が70%未満である.病期分類は**表2**[6]に示すとおり,FEV$_1$の値に基づいて定める.

治療は安定期と急性期で異なり,安定期の管理はワクチン接種,薬物療法,運動療法,酸素療法などに加え,栄養指導までのすべてを統括した包括的リハとなり,重症度を総合的に判断したうえで,治療法を段階的に増強していく(**図**)[6].入院時に低栄養が認められる場合は,さまざまな職種で構成される栄養サポートチーム(NST)の介入が望ましい.

急性期(急性増悪時)ではABCアプローチ(抗菌薬:Antibiotics,気管支拡張薬:Bronchodilators,ステロイド:Corticosteroids)による薬物療法,呼吸管理が主体となる.

2 機能障害と機能訓練

機能障害として,呼吸機能低下,胸郭可動性低下などの呼吸に限局したものだけではなく,嚥下筋を含めた全身の筋萎縮,筋力低下,運動耐容能の低下,嚥下障害など多様な機能障害を認める.活動制限として息切れによる動作制限から全般的なADL低下を認める.これらの低下は健康に関連した生活の質(health-related quality of life;HRQOL)の低下と深く関連する.

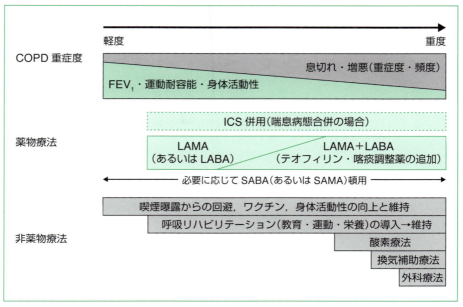

図　安定期 COPD の重症度に応じた管理

- COPD の重症度は FEV_1 の低下程度（病期）のみならず運動耐容能や身体活動性の障害程度，さらに息切れの強度や増悪の頻度と重症度を加算し総合的に判断する．
- 通常，COPD が重症化するにしたがい FEV_1・運動耐容能・身体活動性が低下し，息切れの増加，増悪の頻回化を認めるが FEV_1 と他の因子の程度に乖離がみられる場合は，心疾患などの併存症の存在に注意を要する．
- 治療は，薬物療法と非薬物療法を行う．薬物療法では，単剤で不十分な場合は，LAMA，LABA 併用（LAMA/LABA 配合薬の使用も可）とする．
- 喘息病態の合併が考えられる場合は ICS を併用するが，LABA/ICS 配合薬も可．

（日本呼吸器学会 COPD ガイドライン第 5 版作成委員会，2018）[6]

運動療法を含む呼吸リハは，息切れ，運動耐容能，QOL の改善に対し，エビデンスを有し推奨されている[6]．COPD の病態が不安定なときは除脂肪量（骨格筋量，lean body mass；LBM）を維持，増加を目標とした低負荷の運動療法を行う．具体的には呼吸筋のリラクセーション，胸郭可動域訓練，呼吸訓練（口すぼめ呼吸と横隔膜呼吸）などのコンディショニング主体の呼吸理学療法，ADL 訓練などである．

病態安定に伴い下肢筋力を中心としたレジスタンストレーニングや歩行，自転車エルゴメータなどの全身持久力トレーニングを行う．摂食嚥下障害を認める場合は嚥下訓練も行う．

3　栄養評価のポイント

COPD において栄養状態は症状，障害，予後の重要な決定因子であり，やせが問題となる．基本的には身体計測を行い，体重減少，食事摂取量低下を認める．内臓たんぱくでは血清アルブミンの減少例は少ないが，血清トランスサイレチン，レチノール結合たんぱくなどの rapid turnover protein（RTP）は減少する．血漿アミノ酸分析

表3　推奨される栄養評価項目

● **必須の評価項目**
・体重（%IBW，BMI）
・食習慣
・食事摂取時の臨床症状の有無
● **行うことが望ましい評価項目**
・食事調査（栄養摂取量の解析）
・簡易栄養状態評価表（MNA®-SF）
・%上腕囲（%AC）
・%上腕三頭筋部皮下脂肪厚（%TSF）
・%上腕筋囲（%AMC：AMC＝AC－π×TSF）
・体成分分析（LBM，FM など）
・血清アルブミン
・握力
● **可能であれば行う評価項目**
・安静時エネルギー消費量（REE）
・Rapid turnover protein（RTP）
・血漿アミノ酸分析（BCAA/AAA）
・呼吸筋力
・免疫能

IBW：80≦%IBW＜90：軽度低下，70≦%IBW＜80：中等度低下，
　　　%IBW＜70：高度低下
BMI：低体重＜18.5，標準体重 18.5〜24.9，体重過多 25.0〜29.9
（日本呼吸器学会 COPD ガイドライン第 5 版作成委員会，2018）[6]

では，分岐鎖アミノ酸（BCAA）の減少による BCAA/ 芳香族アミノ酸（AAA）比の低下を認める．特に体重減少率は病態の進行，増悪を示す重要な所見となる．
　COPD では飢餓と悪液質を認めることが多い．COPD 診断と治療のためのガイドライン[6]により推奨される栄養評価項目を**表3**[6]に示す．

4　栄養療法

　コクランレビューでは，栄養療法介入により体重，皮下脂肪厚，呼吸筋，6 分間歩行距離，HRQOL に改善がみられる[7]．%標準体重（%ideal body weight；%IBW）の90%未満の体重減少および進行性の体重減少が認められれば栄養補給を検討する．特に，中等度以上の体重減少患者（%IBW＜80%）は栄養補給療法の絶対的適応とする．総エネルギー摂取量の目標を実測 REE または予測 REE（Harris-Benedict の式より求めた基礎代謝量）の 1.5〜1.7 倍とした高たんぱく質を摂取する．エネルギー組成や個別栄養素の含有率などにおいて個々に特徴をもった栄養剤のなかから，各患者の病態に適したものを選択する．換気能力，抗炎症作用，アミノ酸組成などが選択基準として想定される．呼吸リハとして運動療法を実施する場合，栄養補給も同時に行う．
　摂取した栄養分をエネルギーとして利用するときには，酸素が消費され，二酸化炭素が発生する．このとき，酸素 1 に対して発生した二酸化炭素の量を「呼吸商」で表す．

第3章　主な疾患の栄養療法

COPDでは呼吸で二酸化炭素を排出する機能が低下しているため，呼吸商が低い脂質を摂るとよい．呼吸商は体内でどの呼吸基質が利用されているのかを推定するための指標である．

$$呼吸商 = \frac{放出された二酸化炭素の体積(モル比)}{吸収された酸素の体積(モル比)}$$ で求められる．

たとえばグルコース(糖質)が代謝される場合，$C_6H_{12}O_6 + 6O_2 + 6H_2O \rightarrow 6CO_2 + 12H_2O$　となり，呼吸商の式より $\dfrac{CO_2 : 6}{O_2 : 6} = 1$ となる．呼吸商は糖質で1.0，脂質で0.7，たんぱく質で0.8であり，COPDの場合は二酸化炭素の放出の少ない脂質を中心とした栄養補給を考える．

摂食時の工夫としては，腹部膨満感に対しては分食を勧める．ガスを発生しやすい食品は，食欲が低下し横隔膜の運動を制限するので避ける．BCAAを多く含む食品を摂取し筋たんぱくの維持を図る．

(津戸佐季子)

文献

1) 厚生労働省：平成29年(2017)患者調査：http://www.mhlw.go.jp/toukei/saikin/hw/kanja/17/dl/05.pdf
2) 厚生労働省：令和2年(2020)人口動態統計月報年計(概数)の概況：http://www.mhlw.go.jp/toukei/saikin/hw/jinkou/geppo/nengai20/index.html.
3) Miki K et al：Ghrelin treatment of cachectic patients with chronic obstructive pulmonary disease：a multicenter, randomized, double-blind, placebo-controlled trial. *Plos One* 7：e35708, 2012.
4) Lainscak M et al：Body mass index and prognosis in patients hospitalized with acute exacerbation of chronic obstructive pulmonary disease. *J Cachexia Sarcopenia Muscle* 2：pp81-86, 2011.
5) 若林秀隆：COPD患者への摂食・嚥下リハビリテーションの進め方．*Expert Nurse* 25：22-26, 2009.
6) 日本呼吸器学会COPDガイドライン第5版作成委員会：COPD(慢性閉塞性肺疾患)診断と治療のためのガイドライン第5版，メディカルレビュー社，2018，p96.
7) Ferreira IM et al：Nutritional supplementation for stable chronic obstructive pulmonary disease. *Cochrane Database Syst Rev*：CD000998, 2012.

9 慢性心不全

1 病態生理と治療

　心不全とは心筋障害により，心臓のポンプ機能が低下し，末梢主要臓器の酸素需要量に見合うだけの血液を絶対的あるいは相対的に拍出できない状態である．慢性心不全(chronic heart failure；CHF)とは，慢性の心筋障害により心臓のポンプ機能が低下して，肺や体静脈系にうっ血をきたし，日常生活に障害を生じた病態である．

　近年では，交感神経系やレニン・アンジオテンシン・アルドステロン(RAA)系に代表される神経内分泌系因子が複雑に関係しあった一つの症候群ととらえる．これらによりたんぱく分解が促進され，骨格筋萎縮などを認める心臓悪液質をきたす．

　症状は労作時の呼吸困難，息切れ，尿量減少，四肢の浮腫，肝腫大などがある．致死的不整脈が高頻度にみられ，突然死の頻度も高い．CHFはすべての心疾患の終末的な病態であり，その生命予後は悪い．特に低栄養や心臓悪液質の場合，生命予後が悪い．CHFではBMIが高いほど生命予後がよい肥満パラドックスを認める．

　原因疾患には，高血圧症，虚血性心疾患，弁膜症，心筋炎，不整脈，先天性心疾患などがある．また慢性腎疾患や貧血，糖尿病，慢性肺疾患などの疾患を合併している患者も少なくない．心不全の有病率は年々増加しており，また加齢とともに増加している．高齢者が再入院を繰り返すことが最も多い疾患の一つである．少なくとも今後30年間にわたって心不全患者が毎年0.6％ずつ増えていくと推定される[1]．

　心不全の診断には症状や身体所見に加え，心電図，胸部X線写真，採血などを行う．重症度はNYHA(New York Heart Association)心機能分類で表す(**表1**)．

　最近では左室駆出率(left ventricular ejection fraction；LVEF)40％以上のEFが保たれた心不全をheart failure with preserved ejection fraction (HFpEF)，EFが低下した心不全をheart failure with reduced ejection fraction (HFrEF)とよび，現在ではHFpEFが増加しており，高齢，女性，高血圧，心房細動の合併が特徴である．

　治療は，大きく一般管理と薬物治療に分けられる．一般管理では毎日の体重測定，

表1　NYHA 心機能分類

Ⅰ度	心疾患はあるが，通常の身体活動では症状なし
Ⅱ度	普通の身体活動で，疲労・呼吸困難などが出現．通常の身体活動がある程度制限される
Ⅲ度	普通以下の身体活動で愁訴出現．通常の身体活動が高度に制限される
Ⅳ度	安静時にも呼吸困難を示す

図1 心不全の重症度からみた薬物治療指針

食塩・水分制限などを行う．薬物治療の詳細は**図1**に示す．重症心不全で薬物療法が無効な場合は，補助循環や心臓移植を選択する．

2 機能障害と機能訓練

機能障害として心機能の低下による息切れ，易疲労，筋萎縮，筋力低下を認める．活動制限として運動耐容能の低下から歩行やADL低下，QOLの低下を認める．

急性増悪時には，運動は禁忌である．安定期に（少なくとも過去1週間において心不全徴候の増悪がない）中等度以上のうっ血徴候がないCHFでは，適度な運動は運動耐容能を改善させ，ADL，QOLの向上につながる．コクランレビューにおいても軽症〜中等症心不全患者において運動は総死亡リスクを高めず，心不全関連の入院を減じる可能性がある[2]．「心血管疾患におけるリハビリテーションに関するガイドライン（2021年改訂版）」[3]より，運動療法は基本的に運動処方に従って行う（**表2**）．軽症例では監視下でpeak $\dot{V}O_2$の60〜80％相当，または高強度インターバルトレーニング（HIIT）など，より高強度の処方も考慮する．

ただし栄養状態が不良な場合，運動がさらなる機能低下をきたす恐れがあるため，BMIが18.5以下のCHF患者においては運動療法より栄養療法を優先する[4]．

山田[5]は虚弱の有無によりリハ介入ゴールを立案する考え方を提唱している（**図2**）．これはCHF患者像を，病態が進行し心機能低下に加え，末梢骨格筋量の低下が著しい，いわゆる"虚弱性"を呈する患者と，そのような状態にまで至っていない患者とに大別し，虚弱性をきたした患者では日常生活の自立をゴールとし，それ以外の患者は十分な薬物治療下での病態の進行の抑制を目的としている．虚弱に該当する患者は，たんぱく異化亢進状態であるため，まずは十分な栄養補給を行い，運動は筋たんぱく同化作用を誘導するレジスタンストレーニングを行うことが重要である．

表2　慢性心不全患者に対する運動プログラム

構成

運動前のウォームアップと運動後のクールダウンを含み，有酸素運動とレジスタンス運動から構成される運動プログラム

有酸素運動

心肺運動負荷試験の結果に基づき有酸素運動の頻度，強度，持続時間，様式を処方し，実施する．

- 様式：歩行，自転車エルゴメータ，トレッドミルなど
- 頻度：週3〜5回（重症例では週3回程度）
- 強度：最高酸素摂取量の40〜60%，心拍予備能の30〜50%，最高心拍数の50〜70%，または嫌気性代謝閾値の心拍数
  - → 2〜3カ月以上心不全の増悪がなく安定していて，上記の強度の運動療法を安全に実施できる低リスク患者においては，監視下で，より高強度の処方も考慮する（例：最高酸素摂取量の60〜80%相当，または高強度インターバルトレーニングなど）
- 持続時間：5〜10分×1日2回程度から開始し，20〜30分/日へ徐々に増加させる．心不全の増悪に注意する．

心肺運動負荷試験が実施できない場合

- 強度：Borg指数11〜13，心拍数が安静座位時＋20〜30/min程度でかつ運動時の心拍数が120/min以下
- 様式，頻度，持続時間は心肺運動負荷試験の結果に基づいて運動処方する場合と同じ

レジスタンストレーニング

- 様式：ゴムバンド，足首や手首への重錘，ダンベル，フリーウェイト，ウェイトマシンなど
- 頻度：2〜3回/週
- 強度：低強度から中強度
  上肢運動は1RMの30〜40%，下肢運動では50〜60%，1セット10〜15回反復できる負荷量で，Borg指数13以下
- 持続時間：10〜15回を1〜3セット

運動負荷量が過大であることを示唆する指標

- 体液量貯留を疑う3日間（直ちに対応）および7日間（監視強化）で2kg以上の体重増加
- 運動強度の漸増にもかかわらず収縮期血圧が20mmHg以上低下し，末梢冷感などの末梢循環不良の症状や徴候を伴う
- 同一運動強度での胸部自覚症状の増悪
- 同一運動強度での10/min以上の心拍数上昇または2段階以上のBorg指数の上昇
- 経皮的動脈血酸素飽和度が90%未満へ低下，または安静時から5%以上の低下
- 心電図上，新たな不整脈の出現や1mm以上のST低下

注意事項

- 原則として開始初期は監視型，安定期では監視型と非監視型（在宅運動療法）との併用とする．
- 経過中は常に自覚症状，体重，血中BNPまたはNT−proBNPの変化に留意する．
- 定期的に症候限界性運動負荷試験などを実施して運動耐容能を評価し，運動処方を見直す．
- 運動に影響する併存疾患（整形疾患，末梢動脈疾患，脳血管・神経疾患，肺疾患，腎疾患，精神疾患など）の新規出現の有無，治療内容の変更の有無を確認する．

RM（repetition maximum）：最大反復回数

（日本循環器学会/日本心臓リハビリテーション学会合同ガイドライン，2021）[3]

3 栄養評価のポイント

　　栄養評価では体重や身体測定が基本だが，浮腫や脱水がみられる場合，体重での評価は注意を要する．アルブミン値は栄養不良，炎症，悪液質の結果，低アルブミン血

第3章 主な疾患の栄養療法

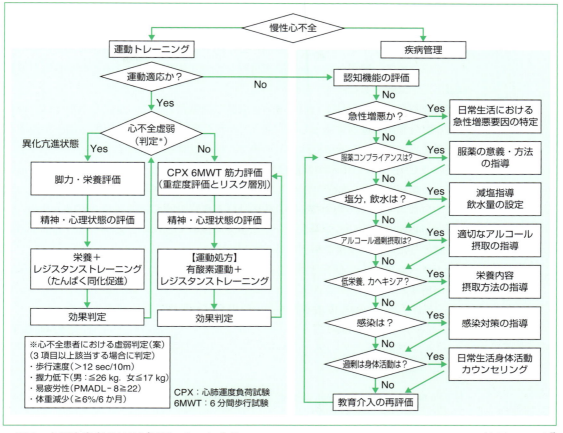

図2　心不全患者のリハビリテーション介入　　　　　　　　　　　　　　　　　　　　　　　　　　　　(山田, 2014)[5]

症をきたしていることがあるので，栄養指標としてよりも予後指標として重要である．

Kamiyaら[6]は599名の心疾患患者において，上腕周囲長(AC)は下腿周囲長(CC)に比べて優れた予後予測であることを示した．それによりACは心不全の独立した予後予測因子といえる．

微量元素の評価も大切で，特にビタミンB_1の不足は心不全の悪化をきたす[7]．これは利尿薬による治療では，水溶性の栄養素の排泄が亢進しているためである．他にも葉酸，ビタミンB_{12}，鉄などの欠乏は貧血や，さらなる心不全の悪化につながる．ビタミンDは炎症性サイトカインの産生を抑制し，心不全の進展を予防する．

4　栄養療法

心不全患者の栄養状態は予後予測因子であり，その評価は重要である．しかしながら心不全患者の栄養管理は確立していないのが現状である．そこで2018年10月には日本心不全学会により「心不全患者における栄養評価・管理に関するステートメント」が作成され，これまでに得られている知見をもとに現段階でのエキスパートコンセン

サスの集約が行われた.

それによると慢性心不全の栄養療法においては，栄養状態を保ち，身体活動能力の維持・改善を図りながら，心不全の増悪を予防し予後の改善を目指すことが目標となる．そのために，適正なエネルギーを摂取しつつ，体液貯留の誘因となる食塩摂取量の適正化が重要である.

軽症心不全では塩分は1日当たり6g未満の減塩食とする．重症心不全では，より厳格な塩分制限を検討するとしている[8]．ただし高齢者では過度の塩分制限が食欲を低下させ，栄養不良となる危険もあるので，味つけは適宜調整する.

軽症のCHFでは自由水の排泄は損なわれておらず，水分制限は不要である．重症心不全で希釈性低Na血症をきたしている場合には水分制限が必要である．やせの患者は十分なエネルギー（30〜35 kcal/kg/日）と良質のたんぱく質（1.3〜1.5 g/kg/日）の補充が必要である．この場合，一度に多くは摂取できないことが多く，心不全の増悪を避けるためにも少量を頻回に分けて摂取する.

サルコペニアのある心不全に対しては運動療法のみでは十分ではなく，適切な栄養管理が重要といわれているが，エビデンスとしては乏しく，現時点ではテストステロン[9]，グレリン[10]の補充療法や漢方薬の使用などが予後改善に期待されている.

（津戸佐季子）

文献

1) Okura Y et al：Impending epidemic：future projection of heart failure in Japan to the year 2055. *Circ J* **72**：489−491, 2008.
2) Davies EJ et al：Exercise based rehabilitation for heart failure. *Cochrane Database Syst Rev*（4）：CD003331, 2010.
3) 日本循環器学会／日本心臓リハビリテーション学会合同ガイドライン：心血管疾患におけるリハビリテーションに関するガイドライン（2021年改訂版）.
4) 飯田有輝・他：慢性心不全における栄養管理と運動療法の関わり．PTジャーナル **41**：471−478，2007.
5) 山田純生：急性心筋梗塞，慢性心不全のリハビリテーション．診断と治療 **102**（3）：367−376, 2014.
6) Kamiya K et al：Prognostic Usefulness of Arm and Calf Circumference in Patient≧65 Years of Age With Cardiovascular Disease. *Am J Cardiol* **119**：186−191, 2017.
7) 中屋 豊：心不全．栄養塾 症例で学ぶクリニカルパール（大村健二編），医学書院，2010，pp 162−166.
8) 日本心不全学会ガイドライン委員会：心不全患者における栄養評価・管理に関するステートメント，2018：http://www.asas.or.jp/jhfs/pdf/statement20181012.pdf
9) Caminiti G et al：Effect of long−acting testosterone treatment on functional exercise capacity,skeletal muscle performance,insuline resistance,and baroreflex sensitivity in elderly patients with chronic heart failure a double−blind, placebo−controlled,randomized study. *J Am Coll Cardiol* **54**：919−927, 2009.
10) Nagaya N et al：Ghrelin improves left ventricular dysfunction and cardiac cachexia in heart failure. *Curr Opin Pharmacol* **3**：146−151, 2003.

第3章 主な疾患の栄養療法

10 廃用症候群

1 病態生理と治療

　廃用症候群(disuse syndrome, hospital-associated deconditioning)とは，疾患などのために活動性や運動量の低下した安静状態が続くことで全身の臓器に生じる二次的障害の総称である．人工呼吸器管理や集中治療室管理を要する重症疾患，多発外傷，急性感染症，手術後，熱傷など高度の侵襲を生じる疾患が，廃用症候群の原因となることが多い．予備能の少ない高齢者や障害者では，軽度の侵襲や短期間の安静でも廃用症候群を認めやすい．

　全身の機能障害としてよく認めるのは筋萎縮，骨粗鬆症，関節拘縮など筋骨格系の障害である．その他，循環器，呼吸器，消化器，神経系など各臓器の機能障害も認める．診療報酬では，外科手術または肺炎などの治療時の安静があり，治療開始時において FIM (functional independence measure，機能的自立度評価表) 115 点以下(満点は 126 点)もしくは Barthel Index 85 点以下(満点は 100 点)の状態のことを廃用症候群としている．

　重症疾患の治療後に，廃用性筋萎縮単独とは考えにくい四肢筋力低下を認めることがある．このような病態を ICUAW (intensive care unit-acquired weakness，ICU 関連筋力低下)とよぶ．ICUAW の原因には，多臓器不全，ベッド上安静，高血糖，ステロイド，神経筋阻害剤，鎮静剤などがある．ICUAW の診断基準を**表 1**に示す[1]．廃用症候群と診断される患者の一部は，ICUAW である．ICUAW 以外の廃用症候群でも，廃用性筋萎縮以外に加齢，疾患，低栄養による筋萎縮を認めることが多い．

　治療は，原疾患の治療とともに，不要な安静や禁食を避けることである．また原疾

表 1　ICUAW の診断基準

以下のうち①，②，③もしくは④，⑤を認めた場合
①筋力低下は重症疾患後に発症
②筋力低下は全身(近位筋と遠位筋の両方)，左右対称，弛緩性で，脳神経は正常(顔のゆがみはない)
③ 24 時間超の間隔をあけた 2 回以上の評価で，MRC (medical research council，徒手筋力テストと同様に 0〜5 点の 6 段階で筋力を評価)で評価した筋力の合計点(両側の肩関節外転，肘関節屈曲，手関節伸展，股関節屈曲，膝関節伸展，足関節背屈をそれぞれ評価して合計点を算出し 60 点満点)が 48 点未満
④人工呼吸器管理
⑤筋力低下の原因として重症疾患に関連しない疾患が除外

(Stevens et al, 2009)[1]

表2　人工呼吸器管理開始時の PT・OT 実施の禁忌基準例

A. 平均動脈圧 65 mmHg 未満
B. 心拍数 40 回/分未満もしくは 130 回/分以上
C. 呼吸数 5 回/分未満もしくは 40 回/分以上
D. 酸素飽和度 88%未満
E. 頭蓋内圧上昇
F. 急性の消化管出血
G. 急性の医療処置実施中
H. 最近 30 分間以上の鎮静を要する興奮
I. 気道確保が不確実

(Pohlman et al, 2010)[2]

患の治療中から早期離床，早期経口摂取を行う．

2 機能障害と機能訓練

　全身の機能障害として，筋萎縮，骨粗鬆症，関節拘縮，心機能低下，起立性低血圧，深部静脈血栓症，摂食嚥下障害，褥瘡，便秘，尿路感染症，抑うつ状態，高次脳機能障害などを認める．活動制限として，ADL 全般に低下を認めることがある．

　機能訓練として重症疾患の治療中であっても，早期離床と二次的合併症予防目的の早期リハを行う．人工呼吸器管理開始時の PT・OT 実施の禁忌基準例を**表2**に示す[2]．人工呼吸器管理中でも可能であれば，座位だけでなく立位・短距離歩行訓練まで実施する．

　侵襲が異化期の場合には，機能維持を目標に関節可動域訓練，座位訓練，呼吸訓練，立位・歩行訓練，ADL 訓練などを行う．筋肉量増加を目的としたレジスタンストレーニングや，持久性改善を目的とした持久性トレーニングは行わない．摂食嚥下障害を合併する場合には，摂食機能療法を行う．

　侵襲が同化期もしくは炎症を認めない場合には，機能改善を目標とした積極的な機能訓練を行う．筋肉量増加を目的としたレジスタンストレーニングや，持久性改善を目的とした持久性トレーニングも含めて行い，機能訓練の質，量ともに徐々に増やす．

3 栄養評価のポイント

　廃用症候群の約 50〜90％に低栄養を認める．廃用症候群の程度が重いほど低栄養を認めやすく，低栄養の廃用症候群患者では，リハの機能予後が悪い．そのため，すべての廃用症候群患者に栄養評価が必要である．廃用症候群の低栄養の原因として最も多いのは侵襲であり，悪液質や飢餓を認めることも少なくない．

　身体計測では原疾患による炎症と低栄養のため，低体重，体重減少，筋肉量低下，筋力低下を認めることが多い．一方，検査値では原疾患による炎症と低栄養のため，ヘモグロビン，アルブミン，総リンパ球数が低値で，CRP が高値のことが多い．廃用症候群では，全身のサルコペニアだけでなくサルコペニアの摂食嚥下障害を認める

第3章　主な疾患の栄養療法

ことがある．この場合，サルコペニア以外の原因による摂食嚥下障害と比較して，摂食嚥下機能は改善しにくい[3]．

4 栄養療法

　侵襲が異化期の場合には栄養状態維持を，侵襲が同化期もしくは炎症を認めない場合には栄養改善を目標とする．投与経路は原則として経口摂取である．しかし，原疾患やサルコペニアの摂食嚥下障害で経口摂取困難の場合には，経管栄養もしくは静脈栄養を行う．

　侵襲が異化期の場合，エネルギー摂取量が少なすぎても多すぎても筋肉量が減少する可能性がある．そのため，エネルギー量は体重1kg当たり15～30kcal/日程度を目安とする．一方，たんぱく質摂取を制限する必要はなく，体重1kg当たり1～1.2g/日程度を目安とする．

　侵襲が同化期もしくは炎症を認めない場合，筋肉量増加と機能訓練によるエネルギー消費量を考慮した栄養管理が必要である．エネルギー量は体重1kg当たり30～40kcal/日程度を目安とする．ただし，るいそうの場合には40kcal/日以上のエネルギー量を必要とすることがある．たんぱく質摂取は体重1kg当たり1～2g/日を目安とする．

　「リハ栄養診療ガイドライン2020年版」には，急性疾患(廃用症候群)が含まれている[4]．リハを実施している急性疾患患者に強化型栄養療法を行うべきか？ というクリニカルクエスチョンに対して，以下のように強化型栄養療法を推奨している．「リハを実施している急性疾患患者に対して強化型栄養療法を行うことを提案する．ただし，自主的リハに加え強化型リハプログラムの併用が望ましい(弱い推奨/エビデンスの確実性：非常に低い)」．

(若林秀隆)

文献

1) Stevens RD et al：A framework for diagnosing and classifying intensive care unit-acquired weakness. *Crit Care Med* **37**：S299-308, 2009.
2) Pohlman MC et al：Feasibility of physical and occupational therapy beginning from initiation of mechanical ventilation. *Crit Care Med* **38**：2089-2094, 2010.
3) Wakabayashi H et al：The prevalence and prognosis of sarcopenic dysphagia in patients who require dysphagia rehabilitation. *J Nutr Health Aging* **23**：84-88, 2019.
4) Nishioka S et al：Clinical practice guidelines for rehabilitation nutrition in cerebrovascular disease, hip fracture, cancer, and acute illness：2020 update. *Clin Nutr ESPEN* **43**：90-103, 2021.

11 褥瘡

1 病態生理と治療

1) 定義

褥瘡とは，「身体に加わった外力は骨と皮膚表層の間の軟部組織の血流を低下，あるいは停止させる．この状況が一定時間持続されると組織は不可逆的な阻血性障害に陥り褥瘡となる」と定義される（日本褥瘡学会）．つまり体重が集中する骨の部分で皮膚や皮下脂肪，筋肉などの組織が持続的に圧迫され，血流が低下することで組織が壊死する虚血性の外傷である．また MDRPU（医療関連機器圧迫創傷）は医療関連機器による圧迫で生じる皮膚ないし下床の組織損傷であり，厳密には従来の褥瘡と区別されるが，ともに圧迫損傷であり広い意味では褥瘡の範疇に属する[1]とされている．褥瘡患者の 2/3 は 70 歳以上で，2016 年の 70 歳以上では総人口の 19.2%[2]，2021 年では 22.8% となり[3]，今後褥瘡患者が増加することが懸念される．

2) 深達度による分類

褥瘡はその損傷の深達度により，皮膚壊死が真皮までにとどまる I 度と II 度の「浅い褥瘡（持続する発赤，真皮までの潰瘍，びらん，水疱」と，真皮を越える III 度と IV 度の「深い褥瘡（皮下組織，筋肉，骨に達する潰瘍）」に分類される（図）[4]．浅い褥瘡はほとんどの場合，新たな表皮が再生することで治癒できる．深い褥瘡は壊死に陥った深部組織が再生することはなく，壊死組織が取り除かれた創面に肉芽組織が形成され，さらにそれが瘢痕組織化することで治癒に至る．

3) 評価

日本褥瘡学会作成の DESIGN-R を使用することが多いが，2020 年に DESIGN-R®2020（表1）に改定された．変更点として深さの項目に「深部損傷褥瘡（DTI）疑い」が，炎症・感染の項目に「臨界的定着疑い」が新たに追加された．基本的に従来と同様に，褥瘡の深さ，滲出液，大きさ，炎症・感染，肉芽組織，壊死組織，ポケットの 7 項目を判定し，褥瘡の経過評価を行う．褥瘡の発生から治癒まで用いられる．合計 0〜66 点の範囲で採点し，総点が大きいほどその創の重症度が高いと判断する[5]．重症ほど侵襲が強く．エネルギー消費量が増加することが多い．

4) 好発部位

皮下脂肪組織が少なく，生理的に骨が突出している後頭部，肩甲部，肘頭部，仙骨部，腸骨部，大転子部，坐骨部，踵部などである．低栄養状態でやせているほど骨突出部などで褥瘡が生じやすい．

第3章　主な疾患の栄養療法

	DESIGN-R 深さ（2008）	NPUAP 分類（2007 改訂版）
	d0 皮膚損傷・発赤なし	
		DTI 疑い 圧力および / または剪（せん）断力によって生じる皮下軟部組織の損傷に起因する，限局性の紫または栗色の皮膚変色または血疱．
	d1 持続する発赤	**ステージ I** 通常骨突出部位に限局する消褪しない発赤を伴う，損傷のない皮膚．暗色部位の明白な消褪は起こらず，その色は周囲の皮膚と異なることがある．
	d2 真皮までの損傷	**ステージ II** スラフ（黄色，黄褐色，灰色または茶色）を伴わない，赤色または薄赤色の創底をもつ，浅い開放潰瘍として現れる真皮の部分欠損．破れていない，または開放した / 破裂した血清で満たされた水疱として現れることがある．
	D3 皮下組織までの損傷	**ステージ III** 全層組織欠損．皮下脂肪は確認できるが，骨，腱，筋肉は露出していないことがある．スラフが存在することがあるが，組織欠損の深度が分からなくなるほどではない．ポケットや瘻孔が存在することがある．
	D4 皮下組織を越える損傷	**ステージ IV** 骨，腱，筋肉の露出を伴う全層組織欠損．黄色または黒色壊死が創底に存在することがある．ポケットや瘻孔を伴うことが多い．
	D5 関節腔・体腔に至る損傷	
	U 深さ判定が不能な場合	**判定不能** 創底で，潰瘍の底面がスラフおよび / またはエスカー（黄褐色，茶色，または黒色）で覆われている全層組織欠損．

図　褥瘡の深達度分類の比較　　　　　　　　　　　　　　　　　（日本褥瘡学会，2009）[4]

5）発生機序

①阻血性障害，②再灌流障害，③リンパ系機能障害，④細胞・組織の機械的変形が複合的に関与するものと考えられる．①は嫌気性代謝の亢進により組織内に乳酸が蓄積され，組織 pH が低下すること，②は阻血後の血流再開に伴い単なる阻血よりも強い組織障害を生じること，③はリンパ灌流のうっ帯に伴い老廃物や自己分解性酵素が蓄積すること，④は外力の直接作用により，細胞のアポトーシス，細胞外マトリックスの配向性が変化することである．

また，褥瘡は皮膚局所要因のみでなく，多様な局所的（加齢による皮膚変化，摩擦・ずれ，失禁，湿潤，局所の皮膚疾患），全身的（低栄養，やせ，加齢・基礎疾患，薬剤投与），社会的な二次的要因（介護のマンパワー不足，経済力不足，情報不足など）が関与すると考えられる．

6）創傷治癒過程

①受傷／炎症期，②滲出期，③肉芽形成期，④収縮・成熟期，⑤再発予防期としてとらえる．①受傷／炎症期は褥瘡が発症し壊死組織がある，または炎症を伴っている時期，②滲出期は滲出液が多く，栄養素の漏出が多い時期，③肉芽形成期は炎症もお

表1　DESIGN-R®2020 褥瘡経過評価用

カルテ番号（　　　　　　　　　　　）
患者氏名　（　　　　　　　　　　　）

					月日	/	/	/	/	/	/

Depth*1　深さ　創内の一番深い部分で評価し，改善に伴い創底が浅くなった場合，これと相応の深さとして評価する											
d	0	皮膚損傷・発赤なし	D	3	皮下組織までの損傷						
				4	皮下組織を超える損傷						
	1	持続する発赤		5	関節腔，体腔に至る損傷						
				DTI	深部損傷褥瘡(DTI)疑い*2						
	2	真皮までの損傷		U	壊死組織で覆われ深さの判定が不能						

Exudate　滲出液											
e	0	なし	E	6	多量：1日2回以上のドレッシング交換を要する						
	1	少量：毎日のドレッシング交換を要しない									
	3	中等量：1日1回のドレッシング交換を要する									

Size　大きさ　皮膚損傷範囲を測定：[長径(cm)×短径*3(cm)] *4											
s	0	皮膚損傷なし	S	15	100以上						
	3	4未満									
	6	4以上　16未満									
	8	16以上　36未満									
	9	36以上　64未満									
	12	64以上　100未満									

Inflammation / Infection　炎症/感染											
i	0	局所の炎症徴候なし	I	3C*5	臨界的定着疑い(創面にぬめりがあり，滲出液が多い．肉芽があれば，浮腫性で脆弱など)						
	1	局所の炎症徴候あり(創周囲の発赤・腫脹・熱感・疼痛)		3*5	局所の明らかな感染徴候あり(炎症徴候，膿，悪臭など)						
				9	全身的影響あり(発熱など)						

Granulation　肉芽組織											
g	0	創が治癒した場合，創の浅い場合，深部損傷褥瘡(DTI)疑いの場合	G	4	良性肉芽が創面の10%以上50%未満を占める						
	1	良性肉芽が創面の90%以上を占める		5	良性肉芽が創面の10%未満を占める						
	3	良性肉芽が創面の50%以上90%未満を占める		6	良性肉芽が全く形成されていない						

Necrotic tissue　壊死組織　混在している場合は全体的に多い病態をもって評価する											
n	0	壊死組織なし	N	3	柔らかい壊死組織あり						
				6	硬く厚い密着した壊死組織あり						

Pocket　ポケット　毎回同じ体位で，ポケット全周(潰瘍面も含め)[長径(cm)×短径*3(cm)]から潰瘍の大きさを差し引いたもの											
p	0	ポケットなし	P	6	4未満						
				9	4以上16未満						
				12	16以上36未満						
				24	36以上						

部位　[仙骨部，坐骨部，大転子部，踵骨部，その他(　　　　　　　　　　　)]　　合計*1

＊1　深さ(Depth：d/D)の点数は合計には加えない
＊2　深部損傷褥瘡(DTI)疑いは，視診・触診，補助データ(発生経緯，血液検査，画像診断等)から判断する
＊3　"短径"とは"長径と直交する最大径"である
＊4　持続する発赤の場合も皮膚損傷に準じて評価する
＊5　「3C」あるいは「3」のいずれかを記載する．いずれの場合も点数は3点とする

(日本褥瘡学会，2020)[5]

第3章　主な疾患の栄養療法

表2　ブレーデンスケール

項目	1	2	3	4
知覚の認知	全く知覚なし	重度の障害あり	軽度の障害あり	障害なし
湿潤	常に湿っている	たいてい湿っている	時々湿っている	めったに湿っていない
活動性	臥床	座位可能	時々歩行可能	歩行可能
可動性	全く体動なし	非常に限られている	やや限られる	自由に体動する
栄養状態	不良	やや不良	良好	非常に良好
摩擦とずれ	問題あり	潜在的に問題あり	問題なし	

それぞれのスコアの合計点：褥瘡発生危険点　大きい病院14点以下，小さい施設17点以下．

さまり滲出液も減り肉芽が形成される時期，④収縮・成熟期は肉芽が収縮し創が閉じる直前の状態，⑤再発予防期は褥瘡が治癒し，脆弱な皮膚状態が1〜2年続く時期である．

7）褥瘡ケア

基本は予防で，褥瘡発生の危険予測をすることが必要である．褥瘡のリスクアセスメントには，ブレーデンスケール（**表2**），OHスケールなどを使用することが多い．ブレーデンスケールは知覚の認知，湿潤，活動性，可動性，栄養状態，摩擦とずれの6項目からなり，最低6点から最高23点で，大きい病院で14点以下，小さい施設で17点以下を褥瘡発生危険点の目安とする．点数が低いほど褥瘡発生の危険性が高くなる．

8）治療

局所療法とともに除・減圧（支持面の調整と体位変換，体圧分散用具の使用），リハ，栄養管理の併用が重要となる．

2　機能障害と機能訓練

褥瘡としての機能障害は，ICF（国際生活機能分類）では「皮膚の保護機能」の障害である．つまり物理的，化学的，生物学的脅威から，身体を保護するための皮膚の機能障害である．しかし，その機能障害から感染や栄養障害を起こす危険性がある．さらに悪化すると敗血症で死亡することもある．褥瘡を有する患者は生活の不活発化が多く，そのため筋力低下，関節拘縮，感覚障害，膀胱直腸障害，認知機能低下などを伴っている場合が多い．それに伴い活動制限では，寝返り・起き上がりなどの基本動作，移乗・移動などのADL低下を認めることが多い．参加制約では，褥瘡処置のための経済的・時間的負担が増し，外出や旅行が制限されるなど，介護負担も大きくなる．

褥瘡予防には除圧能力が重要である．体動が困難だと局所にかかる体圧を高めることにつながり，褥瘡発生の要因となり，関節拘縮にもつながる．そのため褥瘡予防の機能訓練では，臥位では寝返り訓練，座位では上肢を使用してのプッシュアップ，左右坐骨への重心移動を伴う座位バランス訓練を行い，局所にかかる圧を分散させる能力を習得させる．関節拘縮があると褥瘡の発生や増悪の原因となるため，拘縮軽減のために関節可動域訓練を行う．褥瘡患者や体動が困難，姿勢が保てない患者には，体圧分散用具の使用，ポジショニング（ベッド上での体位交換は2時間以内での間隔で

行う，ベッド上での30度側臥位，90度仰臥位のポジショニングをとることが勧められている[6])，車椅子の選択やクッションの調整・指導と関節可動域訓練を行う．関節可動域訓練を行う際は，褥瘡部位の皮膚のずれや圧迫，それに伴う皮下組織の圧縮力・引張力・剪断力に注意する．褥瘡縮小のために電気刺激療法などの物理療法も勧められている[6-9]．

3 ▸ 栄養評価のポイント

　低栄養は褥瘡発生の重要な危険因子であり，ベッド上での寝たきりや皮膚の蒸れ，骨突出などよりも最大の褥瘡のリスク因子である[10]．深い褥瘡の発生にも低栄養が強く関連している[11]との報告がある．また低栄養は褥瘡治癒の妨げにも関与しており，褥瘡の予防や治療には適切な栄養管理が重要である．

　褥瘡発生前の栄養評価として，身長，体重，BMI，上腕周囲長(AC)，上腕三頭筋皮下脂肪厚(TSF)，体重減少率などの身体計測，血清アルブミン値(炎症，脱水がない場合)，血清総たんぱく，血糖，CRPなどの検査値，食事摂取量や消化器症状の把握，主観的包括的栄養評価(SGA)や高齢者には簡易栄養状態評価表(MNA®)，MNA®-Short Form (SF)[6]などの評価を行う．血清アルブミン値3.0 g/dl未満，血液ヘモグロビン値11.0 g/dl未満，血清コレステロール160 mg/dl未満，1カ月に5％以上，3カ月で7.5％以上の体重減少率，食事摂取量が50％以下では褥瘡の発生危険要因となる．評価から患者の疾患を考慮したうえで，エネルギーやたんぱく質を投与する．

　褥瘡発生後の栄養評価として，身体計測(体重，BMI，体重減少率，AC，TSFなど)や血清アルブミン，CRP，窒素バランスなどの検査値，皮膚状態などの評価が基本となる．それ以外に呼吸数，誤嚥歴，投薬内容，低栄養のタイプや微量栄養素欠乏を類推した栄養評価も行う．栄養療法介入後も再評価を行い，体重変化(浮腫，脱水がなければ体重増加量)，全身状態，創の状態などのモニタリングを行い，適宜栄養投与量を増減させる．また，治癒過程に影響する微量栄養素の欠乏に注意する[12,13]．

4 ▸ 栄養療法

　低栄養患者の褥瘡予防には，エネルギー量，たんぱく質，水分の必要量を計算して適切な栄養補給を行う．通常の食事だけでは十分な栄養摂取ができない低栄養患者に対して疾患を考慮したうえで，高エネルギー，高たんぱく質のサプリメントによる補給を行うことが勧められている[6]．褥瘡発生リスクのある患者には，必要エネルギー量30〜35 kcal/kg/日，たんぱく質1.2〜1.5/g/kg/日程度を提供する．

　褥瘡を有する場合，通常よりも安静時エネルギー消費量は亢進していることが多く，褥瘡治療として高エネルギー・高たんぱく質の栄養補給が行われている．栄養補給の有効性について「褥瘡予防・管理ガイドライン 第5版」では「褥瘡のサイズ」「血清アルブミン」「体重・BMI」「クレアチニン」をアウトカムとしたシステマティックレビューを行っている．褥瘡サイズは有意に縮小，体重維持可能なエネルギーの投与／摂

第3章　主な疾患の栄養療法

取とたんぱく質量の増加で褥瘡サイズが縮小する可能性，たんぱく質エネルギー比率24％までは腎機能に悪影響を及ぼさないことなどが示されたことから，褥瘡の治療に高エネルギー・高たんぱく質の栄養補給を提案している．また同ガイドラインでは栄養必要量として，褥瘡治療のためにはエネルギー投与量30 kcal/kg/ 日以上，たんぱく質1.0 g/kg/ 日以上が必要としている．なお「NPIAP(NPUAP)/EPUAP/PPPIAガイドライン」ではエネルギー投与量30 〜 35 kcal/kg/ 日，たんぱく質は疾患を考慮したうえで1.25 〜 1.5 g/kg/ 日を推奨量としている[6]．

　褥瘡の深達度から必要エネルギー量を算出する際は，ステージⅠ〜Ⅱの浅い褥瘡の場合は1日エネルギー消費量を計算して，それに見合ったエネルギー量を投与する．低栄養の場合は30〜35 kcal/kg/ 日，たんぱく質1.0〜1.5 g/kg/ 日を提供する．ステージⅢ〜Ⅳの深い褥瘡の場合はBEE×活動係数1.1×ストレス係数1.3〜1.5の範囲での必要エネルギーが褥瘡治癒に有用[14]との報告もあり，35〜40 kcal/kg/ 日，たんぱく質は1.5〜2.0 g/kg/ 日を提供する．

　治癒過程に応じて必要な栄養素があり，モニタリングを行いながら投与を行っていく．受傷／炎症期以降はエネルギー，たんぱく質，滲出期以降は鉄，銅，ビタミンC，E，肉芽形成期からは亜鉛，収縮・成熟期はカルシウムとビタミンAを追加する[12,13]．条件付必須アミノ酸であるアルギニンの補給は細胞増殖の促進やコラーゲンの合成・沈着，血流改善など損傷治癒過程のすべてにおいて有効である．また，脱水，体温上昇，嘔吐，多量の発汗，下痢または創から多量の滲出液が認められる患者には，水分を追加して提供する．L−カルノシン，n−3系脂肪酸，コラーゲン加水分解物などの栄養素も疾患を考慮して補給することが勧められている[6]．　　　　　　　（山岸　誠）

文献

1) 日本褥瘡学会：ベストプラクティス　医療関連機器圧迫損傷の予防と管理，照林社，2016.
2) 総務省：統計トピックス No.97．統計からみた我が国の高齢者(65 歳以上)：http://www.stat.go.jp/data/topics/pdf/topics97.pdf
3) 総務省．統計トピックス No.129．統計からみた我が国の高齢者(65 歳以上)：https://www.stat.go.jp/data/topics/pdf/topics129.pdf
4) 日本褥瘡学会：褥瘡予防・管理ガイドライン，第3版，照林社，2009.
5) 日本褥瘡学会：褥瘡状態評価スケール 改訂DESIN−R®2020 コンセンサス・ドキュメント，照林社，2020.
6) 日本褥瘡学会：褥瘡予防・管理ガイドライン，第5版，照林社，2022.
7) 岩本英輔：褥瘡に対するTENSの効果．PTジャーナル 50：283−289，2016.
8) 吉川義之：褥瘡ケアで理学療法士だからできること．理学療法学 144：47−51，2017.
9) 岩本英輔・他：褥瘡の通常治療・ケアと経皮的電気刺激療法の併用が創部面積に及ぼす効果．PTジャーナル 48：894−899,2014.
10) Iizaka S et al：The impact of malnutrition and nutrition−related factors on the development and severity of pressure ulcers in older patients receiving home care. *Clin Nutr* **29**：47−53, 2010.
11) 飯坂真司：褥瘡領域の栄養研究の最新トピックス．臨床栄養 124：793−799，2014.
12) 褥瘡のガイドラインと臨床での実践．ナーシング 29：45−48，2009.
13) 鈴木 文：褥瘡と栄養．昭和学士会誌 74：120−127，2014.
14) Ohura T et al：Evaluation of effects of nutrition intervention on healing of pressure ulcers and nutritional states (randomized controlled trial). *Wound Rep Reg* **19**：330−336, 2011.

第4章

栄養関連事項

1 NST の実際

1 NST の目的

NST（nutrition support team）は，1960年代にアメリカで生まれた栄養療法を主とした医療チームのことであり，わが国では1990年代から徐々に広がっていった．2006年4月の診療報酬改定に伴い，栄養管理実施加算が新設された．この加算が求めるものは，全科型のNST活動であり，全国の医療施設がNSTを積極的に設立するきっかけとなった．

栄養療法は，すべての治療の基礎になり，栄養状態が悪ければ治癒も遅くなる．不適切な栄養療法は生命の予後を悪化させることもある．つまり，NSTは栄養障害にある患者や栄養管理を実施しなければ栄養障害の状態になることが予想される患者に対し，患者の生活の質の向上や原疾患の治癒を促進したり感染症などの合併症を予防したりすることを目的として，栄養管理にかかわる専門的知識をもった多職種から成るチーム（栄養サポートチーム）である．NSTの構成職種は常勤の医師，看護師，薬剤師，管理栄養士から成り，そのうちいずれか一人は専従であれば診療報酬により栄養サポート加算を算定することができる[1]．なお，前述の職種以外に歯科医師，歯科衛生士，臨床検査技師，理学療法士，作業療法士，社会福祉士，言語聴覚士が参加していることが望ましい．

NSTにおいて，誤嚥のリスクを有する患者に対して言語聴覚士が嚥下評価を行うことは誤嚥性肺炎を防ぐためや，栄養ルートを選択・決定するために大変重要である．言語聴覚士は，①摂食嚥下機能の評価，②摂食嚥下機能回復のための基礎的訓練，③口腔，咽喉頭器官の機能回復，④認知機能の評価および訓練，⑤言語訓練の役割を担う．

また，栄養管理と並行して理学療法士が行う日常生活能力の改善の訓練や全身の運動能力を高める訓練は，経口摂取を進めるうえでも重要である．理学療法士は，早期離床，早期自立，早期退院のための基本的な動作を確立するために訓練および呼吸理学療法を実施し，ADLの向上を支援する役割を担っている．施設によっては理学療法士が身体計測などを実施する場合もある．作業療法士は，食事環境を整備し，食事用具の活用・考案を行う．

NSTは職種の壁を越えたチーム医療であり（**図1**），患者に対して栄養状態の評価・判定を行い，適正な栄養補給を実施し，さらに経緯を確認しながら栄養状態を改善することを目的に組織されている．**図2**にNSTの栄養支援の進め方を示す．

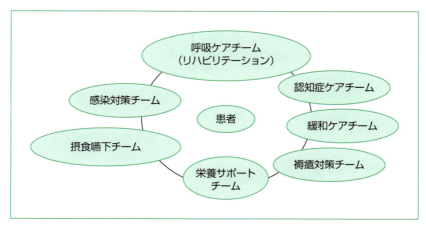

図1　NSTと他チームとの連携

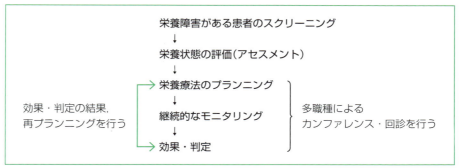

図2　NSTの栄養支援の流れ

2　NSTにおける各職種の役割

　NST活動が始まった当初は，医師，管理栄養士，看護師，薬剤師が中心となっていたが，近年ではそれら職種に加え，臨床検査技師，言語聴覚士(ST)，理学療法士(PT)，作業療法士(OT)も構成メンバーになり活動している．特にリハスタッフであるST，PT，OTは栄養とリハをつなげる重要な役割を果たしている．NST介入患者は高齢者が多く，原疾患に加えて摂食嚥下障害，褥瘡，呼吸器障害などで，適切な栄養補給が行われなければさまざまな機能が低下していく[4]．病状の悪化予防や早期回復のために，今やNSTへのリハスタッフの参加は欠かせない．特に，管理栄養士とリハスタッフの連携は栄養を利用したリハ効果の向上のためには大切である．以下にそれぞれの役割を示す．

1. 言語聴覚士(ST)

　主に摂食嚥下機能の評価，摂食嚥下訓練の適応評価と立案，摂食嚥下機能維持・改善のための訓練，口腔や咽喉頭器官の機能改善，認知機能の評価と訓練などがある．

2. 理学療法士（PT）

機能回復訓練や呼吸理学療法，リハ栄養では栄養状態評価のための身体計測を行う．

3. 作業療法士（OT）

ADL 能力の評価と訓練，座位姿勢保持のためのポジショニングの指導（車椅子やクッションなどの選択），食事介助法，食具の工夫や提案などを行う．

3 栄養評価の指標

患者の栄養状態が良好か不良かを判断するために数種類の栄養指標を用いて判定する．実際に使用されている栄養評価の指標を下記に示す．

①視診・触診（皮下脂肪，筋肉の喪失，浮腫，腹水）

②食事摂取量の調査（摂取エネルギー量，たんぱく質・脂質・糖質の摂取量，基礎代謝エネルギー量）

③身体計測（体重，身長，％標準体重，体重変化率，上腕三頭筋部皮下脂肪厚（TSF），上腕周囲長（AC），上腕筋周囲長（AMC），握力）

④尿検査（クレアチニン，クレアチニン身長係数，尿素窒素，窒素バランス，3-メチルヒスチジン，ヒドロキシプロリン）

⑤血液検査

⑥免疫能（総リンパ球数，皮膚遅延型過敏反応，免疫グロブリン）

⑦除脂肪体重

評価項目の身体計測と血液検査について詳しく述べる．

1. 身体計測

身体計測では体重，身長，上腕三頭筋部皮下脂肪厚（TSF），上腕周囲長（AC），上腕筋周囲長（AMC），握力などを測定する．それらの値から患者の貯蔵エネルギー量や身体機能を推測することができる．身体計測値は JARD2001（日本人の新身体計測基準値）に示されている[2]（第 1 章 5，p69，表 4 参照）．以下に身体計測の主な指標を説明する．

1）BMI（body mass index）

身長と体重を使って次の計算式より体格指数を求めることができる．

$$BMI＝体重(kg) / 身長(m)^2$$

BMI＜18.5	痩せ
18.5≦BMI＜25	正常
25≦BMI	肥満

BMI が 22 のときに理想体重（IBW；ideal body weight）となる．

最近では，高齢者によるフレイルが問題となっている．日本人の食事摂取基準（2020年版）によれば，特に 65 歳以上では，総死亡率が最も低かった BMI と実態との乖離

第4章　栄養関連事項

表　栄養評価に用いられる血清たんぱく質

	アルブミン	トランスフェリン	トランスサイレチン
半減期	17〜23日	8〜10日	2〜3日
基準値	3.5〜5.0 g/dl	200〜400 mg/dl	16〜40 mg/dl
栄養障害			
軽度	3.0〜3.5 g/dl	150〜200 mg/dl	10〜15 mg/dl
中等度	2.0〜3.0 g/dl	100〜150 mg/dl	5〜10 mg/dl
重度	2.0 g/dl 以下	100 mg/dl 以下	5 mg/dl 以下

ヘモグロビン(Hb)	全血	男性：13.0〜16.0 g/dl
		女性：12.0〜15.0 g/dl
リンパ球数	全血	36.5%（26〜46.6%）
尿素窒素(BUN)	血清	9〜21 mg/dl
クレアチニン	血清	男性：0.6〜1.2 mg/dl
		女性：0.4〜0.9 mg/dl
CRP 定量	血清	成人 0.3 mg/dl 以下
総コレステロール(TC)	血清	130〜220 mg/dl

（武田・他，2021）[3]を改変

がみられるため，虚弱の予防および生活習慣病の予防の両者に配慮することが必要であることを踏まえ，当面の目標とする BMI の範囲を 21.5〜24.9 kg/m^2 とされた[6]．

2）理想体重比(%IBW)

%IBW（%）＝現体重（kg）÷理想体重（kg）×100

80〜90%	軽度栄養障害
70〜79%	中等度栄養障害
0〜69%	高度栄養障害

3）体重減少率

（平常時の体重（kg）−現体重（kg））÷平常時の体重（kg）×100

1〜2%/ 週，5%/ 月，7.5%/3 カ月，10%/6 カ月は有意な体重減少ととらえる．

4）上腕三頭筋部皮下脂肪厚(TSF)，上腕周囲長(AC)，上腕筋周囲長(AMC)

これらは利き手でない方で測定する．

2．血液検査

栄養状態の指標として血液検査を用いる必要がある．病態や栄養状態を把握するためにもさまざまな検査を組み合わせて判断する(**表**)[3]．

1）血清アルブミン(ALB)

血清たんぱく質の 60% を占め，栄養指標に使われることが多い．一般的に血清アルブミン濃度が 3.5 g/dl 以下であれば栄養障害があるとみなす．しかし，半減期が 21 日と長いことから短期の栄養指標には向いていない．また，脱水があると高値になりやすく，疾患(肝硬変・ネフローゼ症候群など)・熱傷・外傷などがある場合や炎

199

症（CRP 高値）がある場合には低値となるため，栄養状態以外の要因にも影響され得ることを理解しておく．

2）RTP

血清アルブミンより血中半減期が短く，栄養状態に応じてすばやく変化するたんぱくを RTP（rapid turnover protein）とよび，トランスサイレチン，レチノール結合たんぱく，トランスフェリンの 3 つがある．短期間における鋭敏な栄養指標として有用であり，なかでもトランスサイレチンは急性期の内臓たんぱくを把握する指標としては感度がよい．

3）C 反応性たんぱく（CRP）

炎症などの急性期に変化する急性相反応たんぱくであり，アルブミンなどの栄養評価のたんぱくを測定する際に同時に測定する．CRP が上昇しているときはアルブミン，トランスサイレチン，レチノール結合たんぱくの合成は低下し，アルブミン値が栄養の指標となり得ない．しかし，CRP が改善するとトランスサイレチンなどは上昇し始め，遅れてアルブミン値も改善する．CRP が改善してもアルブミン値が改善しない場合は栄養不足と考えられる．

4）ヘモグロビン（Hb）

低栄養状態であると血清アルブミンと同様，ヘモグロビン値も低下する．ただし，出血や造血能の影響（貧血）により低値となる場合もある．

5）リンパ球数[5]

免疫機能を反映するため，リンパ球数も栄養指標として用いられる．外科領域の患者で術前の低栄養評価が術後の合併症発生率の低減や予後の改善に有用であり，その指標として予後栄養指数（PNI）が提唱されている．その数式に血清アルブミンとともにリンパ球数が用いられる．

$$PNI = 10 \times Alb(g/dl) + 0.005 \times リンパ球数(mm^3)$$

$$PNI \leqq 40：切除吻合禁忌，40 < PNI：切除吻合可能$$

6）血清尿素窒素（BUN）とクレアチニン（Cre）

BUN，クレアチニンともに腎機能の指標として用いられる．BUN が低値の場合，たんぱく摂取量が不足していることを示す．クレアチニンは筋肉中に含まれており，筋肉量の減少をみるために用いられる場合もある．クレアチニン身長係数（①）は理想体重の標準クレアチニン排泄量（②）に対する 24 時間クレアチニン尿排泄量の比のことであり，これが 60 より小さいと高度の低栄養状態と判定する．また，クレアチニンは腎機能が低下すると上昇し，BUN・クレアチニン比が 20 以上のとき，脱水・消化管出血・たんぱく質の分解の亢進・たんぱく質の摂取過剰が考えられる．一方，10 以下のとき，たんぱく質の摂取の低下，利尿を考慮する．

$$①クレアチニン身長係数 = 100 \times \frac{24 時間クレアチニン排泄量}{標準クレアチニン排泄量}$$

$$②標準クレアチニン排泄量 = 理想体重 \times クレアチニン係数^*$$

＊男性：23 mg/ 理想体重（kg）　女性：18 mg/ 理想体重（kg）

7）総コレステロール（TC）

一般的に高コレステロール血症など，生活習慣病における検査の指標として用いられることが多いが，消化器疾患や吸収障害等があれば低値になるため，栄養状態の指標にも用いられる． **（栢下淳子，谷 律子）**

文献
1) 社会保険研究所：看護関連施設基準・食事療養等の実際 平成24年4月版, 2012.
2) 日本栄養アセスメント研究会 身体計測基準値検討委員会：日本人の新身体計測基準値（JARD2001）, メディカルレビュー社, 2002.
3) 武田英二, 竹谷 豊(編)：臨床病態栄養学, 第4版, 文光堂, 2021.
4) 日本静脈経腸栄養学会(編)：静脈経腸栄養ガイドライン, 第3版, 照林社, 2013.
5) 小野寺時夫・他：Stage Ⅳ Ⅴ(Ⅴは大腸癌)消化器癌の非治癒切除 姑息手術に対するTPNの適応と限界. 日外会誌 **85**：1001-1005, 1984.
6) 伊藤貞嘉, 佐々木敏(監修)：日本人の食事摂取基準(2020年版), 第一出版, 2020.

2 アルコールの影響

1 代謝

　口から入ったアルコール（エタノール）に胃から20%，小腸から80%が吸収され，その大部分が肝臓で処理される．アルコールの代謝には主に2つの酵素が関与する．最初にアルコール代謝に関与する酵素は，胃と肝臓内のミトコンドリアに局在するアルコール脱水素酵素（アルコールデヒドロゲナーゼ，alcohol dehydrogenase；ADH）である．ADHによりアルコールはアセトアルデヒドに代謝される．アセトアルデヒドの量が多くなると顔が赤くなったり，頭痛や吐き気を催したりする．これをアルコールフラッシュ反応という．アセトアルデヒドを分解する酵素は，肝臓内のアルデヒド脱水素酵素（ALDH）であり，アセトアルデヒドを酢酸に代謝する．酢酸は水と二酸化炭素に分解され，汗や尿，呼気中に含まれて体外へ排出される（**図1**）．アルコール脱水素酵素や肝臓内の2型アルデヒド脱水素酵素は，還元反応としてNAD^+（ニコチンアミノアデニンジヌクレオチド）を$NADH_2^+$とし，エタノールからアセトアルデヒドへ，またアセトアルデヒドから酢酸へ代謝する．アルコール脱水素酵素の処理能力を超えたアルコールには滑面小胞体に存在するミクロゾームエタノール酸化系（microsomal ethanol-oxidizing system；MEOS）が働き，アルコールを分解する（**図2**）[1]．

　もう一つのアルコールの代謝酵素は，小胞体であるペルオキシソームに存在するカタラーゼである．カタラーゼは過酸化水素の存在下で作用するため，アルコール代謝での作用は少ない．空腹時にアルコールを摂取すると，胃を素早く通過し小腸に流れ込むため，吸収が速くなる．食物が胃に入ると，胃の幽門括約筋が閉じ，胃内で消化を行う．このため，食事をしながらアルコールを摂取すると，胃のアルコール脱水素酵素がアルコールを分解する[2]．

2 疾患との関連

　疫学調査では，1981年にイギリスのMarmot博士により「適量のお酒は体によい」との報告が発表された．調査結果では，毎日適量飲酒する人は，全く飲まない人や時々飲む人に比べて，心筋梗塞などの冠動脈疾患による死亡率が低い傾向にある[3,4]．一方，毎日大量飲酒する人では，冠動脈疾患による死亡率が極端に高くなっている．この数値をグラフに表すと"J"の字になるため，これを「Jカーブ効果」とよんでいる．ただし，アルコール代謝には個人差があることに留意する必要がある．

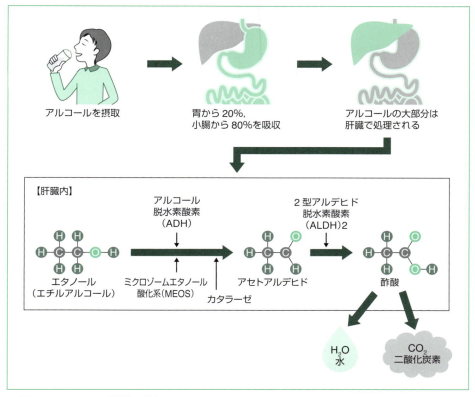

図1　アルコール代謝の仕組み
酢酸は肝臓から筋肉や心臓に移動してさらに分解され，最終的には二酸化炭素と水になる．この間に1gのアルコールから，約7 kcalのエネルギーが産出される．

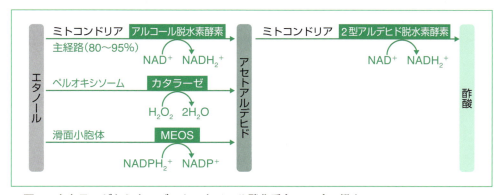

図2　カタラーゼとミクロゾームエタノール酸化系（MEOS）の働き
代謝の内訳はADH経路が80〜95％（うち肝臓が約80％，胃が20％），MEOS経路が5〜20％程度，カタラーゼ経路はその残りである．
(田川，2003)[1]

1．神経系疾患との関連

　食事摂取量不足や偏った食事内容によるビタミン類の欠乏，電解質異常などによって，障害が発生すると考えられている．

ADH が働く際には，ニコチン酸を消費する．一方，MEOS はビタミン B_1 を消費する．

1）中枢神経の障害

・**アルコール性健忘症候群（コルサコフ症候群）**：アルコール代謝によりビタミン B_1 が消費され，ビタミン B_1 の欠乏によって中枢神経が障害され起こる[5]．

2）末梢神経の障害

・**アルコール性多発神経炎**：足の先のビリビリ・ジンジンなどの異常感覚や痛み，手足の筋肉の脱力，深部反射消失を認める．アルコール代謝によりビタミン B_1 とニコチン酸が消費され，その欠乏によって起こる．

・**アルコール筋炎（ミオパチー）**：アルコール飲酒者に認められる筋肉の障害である．原因は，ビタミン B_1 不足による乳酸増加，嘔吐や下痢による低カリウム血症，横紋筋融解とされている．

血中アルコール濃度が 1％を超えるような飲み方は，テストステロンの分泌量を減少させる．筋肉分解作用のあるコルチゾルの分泌量が増えることも，原因の一端と考えられる．アルコール血中濃度の計算式は以下のとおりである．

$$血中アルコール濃度（\%）=\frac{飲酒量（ml）×アルコール度数（\%）}{833×体重（kg）}$$

2. 肝疾患との関連

アルコール常飲者ではカタラーゼや MEOS が亢進し，エタノールからアセトアルデヒドへの代謝が促進され，アセトアルデヒドが蓄積しやすい．空腹のまま大量飲酒をすると，アルコール脱水素酵素に必要な $NADH_2^+$ が NAD^+ に再酸化されにくくなり，アセトアルデヒドが蓄積されやすく肝障害の原因にもなる．アルコールによる脂肪肝の機序は以下のとおりである．

①アルコール代謝が亢進することにより脂肪酸分解障害が起こる（アルコールからの酢酸合成が増すことで $NADH_2^+$ が増加し，TCA 回路が抑制され，アセチル–CoA が蓄積し，β–酸化が障害されるため）．

②アルコール代謝により，補酵素（NAD^+，アセチル–CoA）が使用されると，脂肪酸代謝に必要な補酵素が不足し，脂肪酸分解が抑制される．また，アルコール分解により酢酸が生成されることで，中性脂肪のグリセロールの素材である α–グリセリン酸が増加し，中性脂肪の合成が亢進する．

③アルコール代謝由来だけでなく，飲酒時の食事由来（外因性）の脂肪酸から合成されたトリグリセリドも，脂肪酸分解障害のため代謝されずに肝細胞内に蓄積する．

④習慣的な飲酒により偏食が起こり，必須脂肪酸，ビタミン B_6（ピリドキシン），パントテン酸が欠乏する（ピリドキシンとパントテン酸は脂肪酸の代謝においても補酵素となっているため，脂肪酸の β 酸化経路も阻害され脂質沈着へと傾き脂肪肝が進む）．

アルコール性肝障害（脂肪肝や肝硬変など）をきたすような飲酒家は，ビタミン B_1，ニコチン酸，葉酸などのビタミン類が欠乏しやすい．また，アルコールは亜鉛の吸収

第4章 栄養関連事項

を阻害するため，低亜鉛血症になりやすく，亜鉛はアンモニアの分解の補酵素であるため高アンモニア血症もきたしやすくなる．近年，肝疾患における低亜鉛血症がサルコペニアと関連があることも報告された[6]．

飲酒量の多い人が，健康診断の際に特に注意しておきたいのが，γ-GTP の数値である．γ-GTP は肝臓のなかにある酵素の一種で，肝細胞が飲酒により障害されると血液中に流れ出て数値が上昇する．

3. 消化器疾患との関連

・**アルコール性急性膵炎**

・**アルコール性慢性膵炎→糖尿病**：糖尿病の人が「原則禁酒」とされる理由は以下のとおりである．

①アルコールは 7 kcal/g を有する高エネルギーな物質のため．

②アルコール代謝に伴う代謝経路の変化により糖新生（グリコーゲン以外から糖を産生する）が抑制されるため，肝臓からのブドウ糖放出を抑えられ低血糖になりやすい．

③血糖降下薬やインスリンで治療している人では低血糖の恐れがある．

④食欲を増進させることで食事の指示エネルギー量を守れなくなる恐れがある（アルコールは胃の出口幽門部の粘膜を刺激し，胃液の分泌を促進するガストリンの分泌を増加させる．また，アルコールが胃から吸収されるとき，直接的に胃の壁細胞に働きかけ，胃液の分泌をコントロールしている迷走神経が刺激され，胃液分泌が増加し食欲増進となる）．

⑤エネルギーや塩分の多い食品の摂取過剰となりやすい．

⑥中性脂肪が高くなりやすい（アルコール分解により，酢酸が生成され，中性脂肪の合成が亢進するため）．

⑦肝臓機能障害を招きやすい．

・**アルコール性食道炎・胃炎**：アルコールにより胃酸分泌が増加し，また胃の幽門部も刺激されることで胃食道逆流が起き，胃酸が食道と胃を刺激する．

・**食道静脈瘤の破裂**：肝疾患が進み肝硬変になると，門脈圧が上昇し食道に静脈瘤が生じる．静脈瘤が破裂する原因は次のとおりである．アルコールは胃の内容物の食道への逆流を防ぐための下部食道括約筋（LES 圧）を緩め，食道の蠕動運動を低下させて胃酸の逆流を引き起こす．また，嘔吐を繰り返すことでも食道に圧が加わり，食道下部から胃の噴門部の静脈瘤が破れ出血する．

4. 循環器疾患との関連

適量の飲酒は循環器疾患に保護的に働く．その目安は米国や日本の主な高血圧管理のガイドラインにも示されている（**表1**）．過度の飲酒は逆に循環器疾患のリスク因子になる．

5. アルコール関連認知症

他の認知症と違い可逆性の側面があり，発症年齢が比較的若いのが特徴である．

表 1　米国や日本の主な高血圧管理のガイドライン（指針）

	JNC-7	JSH2009
飲酒	エタノール量で 男性　30 m*l*/日以下 女性　低体重者　15 m*l*/日以下	エタノール量で 男性　20〜30 m*l*/日以下 女性　10〜20 m*l*/日以下
喫煙	禁煙	禁煙

JNC-7：米国合同委員会第 7 次報告（2003 年）.
JSH2009：日本高血圧学会高血圧治療ガイドライン（2009 年）.
*エタノール量：たとえばビール中瓶 1 本（500 m*l*）ではアルコール濃度 5%としてエタノールは 25 m*l*（500 m*l*×0.05＝25 m*l*）.

・**コルサコフ認知症**：ウェルニッケ脳症の慢性期で，前行性健忘，見当識障害，作話を特徴とする代表的なアルコール関連認知症である．ウェルニッケ脳症は，アルコール依存症患者の代表的な脳症である[7]．アルコール依存症患者は，①食事を摂らず飲酒のみで栄養失調になる，②下痢を起こしビタミン B_1 の吸収不良となる，③アルコールがビタミン B_1 活性化を抑制する，④アルコール分解にビタミン B_1 が使われる，など B_1 欠乏を招きやすい．ビタミン B_1 は糖代謝に必須で，特に脳内では糖質のみがエネルギーに変換されるため，ビタミン B_1 欠乏により脳内での糖－エネルギー代謝が破綻し，脳症を引き起こす[8,9]．

6.　サルコペニア，フレイルとの関連

　アルコール依存症患者は，前述したように低栄養をきたしやすく，飲酒することで活動量も少ないため，筋肉量の低下が起こりやすい．栄養失調によるカルシウム・ビタミン D 不足からの骨粗鬆症が重なると容易に骨折し，さらに外出困難となり，サルコペニア，フレイルの負のスパイラルに陥りやすい．多量飲酒が心身ともにサルコペニア，フレイルを促進させる．高齢者では飲酒関連の健康問題が約 15%に起こるといわれており，多量飲酒であればよりフレイルを進める原因となる[10]．

　また，アルコール摂取自体が筋肉損傷を招き[11]，心筋への影響も報告されている[12,13]．

3　含有量

　厚生労働省は「健康日本 21」のなかで，「節度ある適度な飲酒」を「通常のアルコール代謝能を有する日本人においては，1 日平均純アルコールで 20 g 程度」と定義している．これは，約 60 kg の成人が 3 時間で分解でき，体重 50 kg の場合は約 4 時間で分解できる量である．**表 2** に各飲料の 20 g のアルコール含有量を示す[14]．

　アルコールは肝臓で代謝されるため，肝臓で代謝する医薬品の作用に影響を及ぼす．ドリンク剤にはアルコールを含有するものもあるため，同様に医薬品の作用に影響する可能性がある．

　酒のエネルギーには，アルコールに由来するものと，糖質に由来するものの両方が含まれる．適量とされる純アルコール約 20 g のエネルギーは，140 kcal に相当する．本来，糖質は大切なエネルギー源であるが，摂り過ぎると肥満や生活習慣病の原因に

第 4 章　栄養関連事項

表 2　各飲料のアルコール含有量（20 g）

種類	量 (ml)	エネルギー (kcal)	アルコール度数 (%)	適量の目安
ビール	500	200	5	500 ml 缶
発泡酒	500	220	5	500 ml 缶
ワイン	210	147	11.4	グラス 2 杯弱
焼酎	100	140	25	約 0.5 合
梅酒	180	360	14	グラス 2 杯弱
日本酒	150	170	16.5	1 合弱
ウイスキー	60	160	40	シングル 2 杯

もなる．糖質はビールには 100 ml 当たり 3.0 g 程度，日本酒には 5.0 g，梅酒には
17.6 g，赤ワインには 1.5 g 程度含んでいる．蒸溜酒であるウイスキーや焼酎などは，
糖質を含んでいない．

（長尾晶子）

文献

1) 田川邦夫：からだの働きからみる代謝の栄養学，タカラバイオ，2003.
2) Murray RK et al（上代淑人，清水孝雄監訳）：イラストレイテッド ハーパー・生化学，原著 28 版，丸善，2011.
3) Marmot MG et al：Alcohol and mortality：a U-shaped curve. *Lancet* **1**（8220 Pt 1）：580-583, 1991.
4) 公益社団法人アルコール健康医学協会ホームページ：http://www.arukenkyo.or.jp/
5) Braun S：Buzz：The Science and Lore of Alcohol and Caffeine, Penguin Books, 1997.
6) Nishikawa H et al：Serum Zinc Concentration and Sarcopenia：A Close Linkage in Chronic Liver Diseases. *J Clin Med* **8**（3）：336, 2019.
7) 厚生労働省ホームページ：http://www.mhlw.go.jp/kokoro/speciality/detail_alcohol.html
8) Gupta S, Warner J：Alcohol-related dementia：a 21st-century silent epidemic? *Br J Psychiatry* **193**（5）：351-353, 2008.
9) Victor M et al：The Wernicke-Korsakoff Syndrome and Related Neurologic Disorders Due to Alcoholism and Malnutrition 2nd Edition. *J Neurol Neurosurg Psychiatry* **52**（10）：1217-1218, 1989.
10) 松井敏史：質疑応答 精神神経科 アルコール認知症について．医事新報 **4505**：78-80, 2010.
11) Rubin E et al：Muscle damage produced by chronic alcohol consumption. *Am J Pathol* **83**（3）：499-516, 1976.
12) Preedy VR et al：Oxidants, antioxidants and alcohol：implications for skeletal and cardiac muscle. *Front Biosci* **4**：e58-66, 1999.
13) Urbano-Márquez A et al：Effects of alcohol on skeletal and cardiac muscle. *Muscle Nerve* **30**（6）：689-707, 2004.
14) アルコール保健指導マニュアル研究会：健康日本 21　推進のためのアルコール保健指導マニュアル，社会保険研究所，2003.

3 タバコによる影響

　世界保健機構(WHO)によると，現在，世界でタバコが原因で死亡する人の数は，年間約 500 万人と推計している．現在の喫煙傾向が継続すると，2030 年代には，毎年 1,000 万人がタバコを原因として死亡することが予測されている．

　わが国では，2002 年の健康増進法の制定を皮切りに，受動喫煙防止のための禁煙化が進んできている．2005 年は 24.2％であった喫煙率は 2021 年には 16.7％と有意に減少している(**図 1**)[1,2]．

1 タバコに含まれる有害物質

　タバコ煙には，さまざまな化学物質が含まれている．その種類は 4,000 種類以上に及び，わかっているだけでも約 200 種類の有害物質があるといわれている．これらの

図 1　現在習慣的に喫煙している者の割合の年次推移(2005〜2019)
※現在習慣的に喫煙している者：これまでに，タバコを習慣的に吸っていたことがある者〔合計 100 本以上または 6 カ月以上タバコを吸っている(吸っていた)者〕のうち，「この 1 カ月間に毎日またはときどきタバコを吸っている」と回答した者．

(厚生労働省, 2019)[1]

図2　タバコ煙の有害物質　　　　　　　　　　　　　　（小西，2006）[3]

物質のうち，特にヒトへの有害性が問題になるのは，ニコチン，一酸化炭素，タール，活性酸素の4種類である（**図2**）[3]．また，近年では，燃焼以外の方法で使用する製造タバコ（電気加熱式タバコなど）が販売されている．このような製造タバコの健康への影響については，現時点では知見が十分ではないが，ニコチンやタールなどの有害物質は一般タバコと同様に含まれており，健康への影響が懸念される．

2　タバコによる代謝の変化

1．糖代謝

タバコに多く含まれているニコチンは，インスリンの分泌および作用を低下させる．その結果，血糖値の上昇をもたらし，糖尿病のリスクを高めている．実際に，2型糖尿病の発症リスクは，非喫煙者と比較して，喫煙者は1日20本未満の喫煙者で1.22倍，1日40本以上の喫煙者では1.73倍と報告されている[4]．

2．脂質代謝

ニコチンは，交感神経を刺激させる作用がある．交感神経が刺激されると，心臓は血圧をあげ，心拍数を高めるなど活動を活発にして心臓に負担をかけたり，中性脂肪の原料となる血液中の遊離脂肪酸を増やしたりする作用がある．加えて，タバコを吸うと血中のLDL-コレステロールが酸化されて粥状動脈硬化が進行することや，HDL-コレステロールの濃度を低下させることが知られている．

3．ビタミンの代謝

1）ビタミンC

喫煙していると最も不足する栄養素の一つがビタミンCである．ニコチンが体内に入ると，それを体外に放出するために活性酸素が発生する．活性酸素は，DNA，たんぱく質，脂質膜などを酸化し，過酸化脂質などさまざまな酸化物質を生じる．DNAが酸化されると，がん遺伝子やがん抑制遺伝子の変異を生じ，発がんの引き金

となる．その活性酸素を減らすために抗酸化作用をもつビタミン C が使われる．喫煙者では，非喫煙者に比べてビタミン C の必要量が約 35 mg 高いと報告されている[5]．喫煙者が非喫煙者と同量のビタミン C の体内貯蔵量を保つためには，少なくとも 135 mg 以上のビタミン C を摂取する必要がある（「日本人の食事摂取基準（2020 年度版）」による成人のビタミン C 推奨量は 100 mg/ 日）．喫煙者および受動喫煙者はビタミン C の積極的摂取を心がける必要がある．特に水溶性ビタミンであるビタミン C は体内に蓄積できないので，毎日数回に分けて摂取することが効果的である．ビタミン C は熱に弱く，水に溶けやすいので，ビタミン C を多く含む野菜や果物を生で摂取することで補いやすい．ビタミン C が不足すると，活性酸素除去能力低下，免疫力の低下，壊血病や貧血，傷口の治癒力の低下，肌の老化の原因となるため注意が必要である．

2）ビタミン E

ビタミン E は脂溶性ビタミンであり，抗酸化作用が強い．喫煙者，受動喫煙者はビタミン C と合わせて摂取が望ましい．

3　タバコと疾患の関係

長期にわたって喫煙していると，肺がんをはじめとするがん，動脈硬化などが原因で起こる虚血性心疾患（狭心症，心筋梗塞），慢性閉塞性肺疾患に及ぼす影響は大きく，喫煙関連三大疾患とよばれている．その他にも，メタボリックシンドロームの要因である高血圧，糖尿病，脂質異常症のすべての発症にかかわる．

1．がん

喫煙は，発がんの原因のなかで予防可能な原因の一つである．わが国の研究ではがん死亡のうち，男性で 39％，女性で 5％は喫煙が原因であると考えられている[6]．喫煙者がいなければ，わが国全体で毎年 9 万人ががんに罹患しなくてもよいと推測されている．特に喫煙との関係が最も知られている肺がんでは，非喫煙者と比較し男性で 4.5 倍，女性で 2.3 倍，1 日 35 本以上を喫煙する場合では，男性 8.4 倍，女性 3.1 倍の死亡リスクがある．その他にも口腔がん，咽頭がん，喉頭がんなどのタバコの煙が直接作用する部位から，胃がんや肝臓がん，子宮頸がんなどの直接タバコの煙が作用しない場所まで，広範囲でタバコとの因果関係が証明されている（図 3）[7]．いずれのがんも，喫煙本数が多く，喫煙期間が長く，若年から喫煙するほどリスクが高い．

2．虚血性心疾患

タバコから一酸化炭素が発生する．肺から取り込まれた酸素は，血液中のヘモグロビンと結びついて全身に運ばれるが，一酸化炭素はヘモグロビンとの結合が強いため，酸素不足が生じる．また，喫煙により動脈硬化が促進され，血管を収縮させることにより虚血性心疾患が起こる．喫煙者は非喫煙者に比べ，虚血性心疾患や脳卒中の死亡の危険性が 1 日 1 箱以内の喫煙であっても 1.5 倍高くなる[8]．

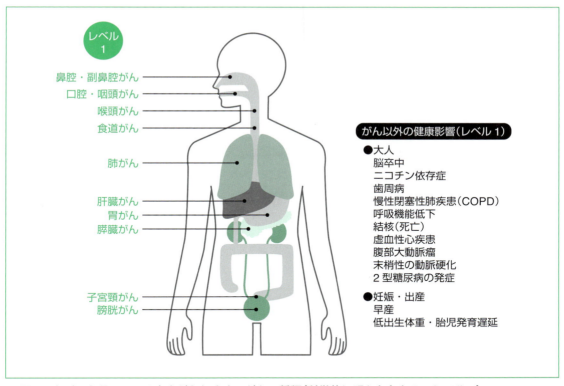

図3　タバコを吸っている本人がなりやすいがんの種類（科学的に明らかなもの：レベル1）
（独立行政法人国立がん研究センターがん対策情報センター）[7]

3. 慢性閉塞性肺疾患

　慢性閉塞性肺疾患（COPD）は，別名「タバコ病」「肺の生活習慣病」とよばれている．タバコ煙を主とする有害物質を長期間にわたって吸い込んだことにより生ずる肺疾患であり，呼吸機能検査で気流閉塞を示す．40歳以上の日本人の約530万人が罹患していると推定されており，喫煙者の15〜20％が罹患すると考えられている．WHOの統計ではCOPDの死亡順位は第3位であり，2019年には1年に全世界で約330万人が死亡したとしている[9]．世界的にも死亡数が多いCOPDではあるが，喫煙率の減少とともにCOPDによる死亡率が減少したと報告もあり[10]，早めの禁煙による治療が重要である．

4　タバコと低栄養

　COPDなどの呼吸器疾患を発症すると，呼吸するだけでも体力を消耗し，食事により胃が膨らむと息苦しさが増すなど，低栄養状態のリスクが高い．また，近年では喫煙と歯周病との関連が報告されており，喫煙者は非喫煙者と比較し，歯周病の罹患率が高く，経時的にも歯周炎がより進行していくことが明らかとなっている[11]．歯周

炎が進行していくと，咀嚼能力が低下したり，口腔内に痛みを伴ったりすることで，食物摂取量が低下し，低栄養に陥りやすい．このように，タバコ煙が直接作用する部位は，食物摂取に大きくかかわる部位であり，この部位に疾病を伴うと，食物摂取量が低下し，低栄養状態に陥りやすいため，注意が必要である．

　その他，近年では違った面から低栄養の原因が考えられている．海外の研究では，発展途上国においてタバコが栄養失調の原因であるとの報告がなされた．この報告ではタバコ代のうち，70％が食費を削ることにより工面されている[12]．喫煙者のいる家庭では，受動喫煙により出産時から低体重児のリスク，健康障害のリスクがあり，それに加えて低収入家計では低栄養のリスクも考慮に入れる必要がある．**（園井みか）**

文献

1) 厚生労働省：令和元年国民健康・栄養調査結果の概要，p192，2019.

2) 厚生労働省の最新たばこ情報　https://www.health-net.or.jp

3) 小西明美：医療従事者のための禁煙外来・禁煙教育サポートブック，メディカ出版，2006，p8.

4) Uchimoto S et al：Impact of cigarette smoking on the incidence of Type 2 diabetes mellitus in middle — aged Japanese men：the Osaka Health Survey. *Diabet Med* **16**：951-955, 1999.

5) Kallner AB：On the requirements of ascorbic acid in man：steady — state turnover andbody pool in smokers. *Am J Clin Nut* **34**：1347-1355, 1981.

6) Katanoda K et al：Population Attributable Fraction of Mortality Associated with Tobacco Smoking in Japan：A Pooled Analysis of Three Large-scale Cohort Studies. *J Epidemiol* **18**(6)：251-264, 2008.

7) 独立行政法人国立がん研究センターがん対策情報センター：がん情報サービス：http://ganjo-ho.jp/public/pre_scr/cause-prevention/smoking/tobacco02.html

8) Ueshima H et al：Cigarette Smoking as a Risk Factor for Stroke Death in Japan：NIPPON DATA80. *Stroke* **35**：1836-1841, 2004.

9) World Health Organization：The top 10 causes of death：https://www.who.int/news-room/fact-sheets/detail/the-top-10-causes-of-death

10) José BPS et al：Mortality and disability from tobacco-related diseases in Brazil, 1990 to 2015. *Rev Bras Epidemiol* **20**(Suppl 01)：75-89, 2017

11) 特定非営利活動法人日本歯周病学会　禁煙推進委員会監修：喫煙の歯周組織に対する影響．日歯周誌 **53**(1)：40-49，2011

12) Block SA, Webb P：Up in Smoke：Tabacco Use, Expenditure on Food, and Child Malnutrition in Developing Countries. *Econ Dev Cult Change* **58**：1-23, 2009.

索　引

和　文

あ

亜鉛 55, 193, 205
悪液質 67, 88, 89, 153, 173
握力 70
アディポサイトカイン 131
アディポネクチン 131
アナモレリン 153
アミノ酸 28, 29, 86
アルギニン 193
アルコール 44, 202
アルコール性急性膵炎 205
アルブミン 33
アンギオテンシンⅡ受容体拮抗薬 133
安静時代謝量 42

い

異化期 186
異化相 75
異化反応 74
胃食道逆流 151
一次性サルコペニア 116
胃瘻 21, 22, 143
インスリン 41
インスリン抵抗性 41, 75, 133
咽頭期 92
院内肺炎 145

う

ウエスト周囲径 129
運動器 124
運動器疾患 125
運動療法 136

え

栄養アセスメント 79
栄養介入 79
栄養強化 14
栄養ケアプロセス 78
栄養ケアマネジメント 78
栄養障害 8
栄養診断 78, 79
栄養スクリーニング 14, 80
栄養摂取量不足 67
栄養素 58
栄養投与経路 20
栄養不良 65, 67, 68, 86
栄養モニタリングと評価 79
栄養療法 89
壊疽 168
エネルギー消費量 23, 58
エネルギー制限 136
嚥下障害 141, 165, 169, 176
嚥下造影検査 97
嚥下代償法 100, 101
嚥下調整食 99
嚥下内視鏡検査 97
炎症 3, 67, 151
炎症性サイトカイン 107, 171

お

オーラルフレイル 112

か

咳嗽力 150
外側骨折 162
改訂 J-CHS 基準 107, 108
改訂水飲みテスト 98
化学性肺炎 146
化学療法 153
下肢切断 168
活動係数 24
ガラクトース 39
カリウム 52
カルシウム 50, 51, 53
カルボキシペプチダーゼ 28

が

がん 153, 210
肝グリコーゲン 61
看護師 197
肝疾患 204
間接訓練 100
関節拘縮 171
間接的訓練 149
関節リウマチ 171
感染症 90

き

飢餓 67, 86, 88, 89
器質的障害 92
偽性球麻痺 93
義足 169
基礎代謝エネルギー量 57
基礎代謝基準値［日本人の食事摂取基準（2020 年版）］ 23
基礎代謝量 23, 24, 42
機能的障害 92
キモトリプシン 28
吸収 35, 39
虚血性心疾患 210
キロミクロン 36
筋萎縮 185
筋グリコーゲン 60, 61
筋肉 59
筋肉量 69
筋力低下 125

く

くも膜下出血 140
グリコーゲン 41, 60
グリセミックインデックス 43
グリセロール 33
グルコース 39
クレアチニン 200

け

経管栄養 20, 21, 22
経口摂取 20
経静脈栄養 20, 22
経腸栄養 142

213

頸椎損傷 ·········158	脂質 ·········33, 61	聖隷式嚥下質問紙 ·········97
頸部骨折 ·········162	脂質異常症 ·········129, 134	脊髄症候群 ·········160
血清アルブミン ·········4, 199	市中肺炎 ·········145	脊髄損傷 ·········158
血清尿素窒素 ·········200	湿性嗄声 ·········149	摂食嚥下障害 ·········92
血糖値 ·········41	脂肪酸 ·········34	摂食姿勢 ·········149
ケトン体 ·········86	社会的フレイル ·········111	全エネルギー消費量 ·········57
減塩食 ·········184	主観的包括的評価方法 ·········72	先行期 ·········92
健康寿命 ·········2	準備期 ·········92	
言語聴覚士 ·········196	消化 ·········35, 39	**そ**
顕性誤嚥 ·········145	脂溶性ビタミン ·········37, 45	総コレステロール ·········201
減量 ·········135	食塩 ·········52	速筋繊維 ·········116
	食思不振 ·········153	
こ	食事誘発性熱産生 ·········23	**た**
口腔期 ·········92	食事療法 ·········135	体幹角度 ·········149
口腔ケア ·········99, 150	褥瘡 ·········188	体脂肪量 ·········69
口腔内細菌 ·········146	食道期 ·········92	代謝 ·········29, 35, 39
高血圧 ·········52, 129, 132	食物繊維 ·········39, 43	体重変化率 ·········68
高血糖 ·········129	ショ糖 ·········40	大腿骨近位部骨折 ·········5, 12, 162
高比重リポたんぱく質 ·········36	腎機能 ·········31	唾液 ·········145
高齢社会 ·········2	人工呼吸器関連肺炎 ·········146	立ち上がりテスト ·········125
誤嚥 ·········145	侵襲 ·········72, 86, 88, 89	タバコ ·········208
誤嚥性肺炎 ·········103, 145	身体活動 ·········26, 27	多量ミネラル ·········50
呼吸商 ·········179	身体活動レベル ·········24, 25	胆汁酸 ·········35
呼吸リハ ·········177	身体所見 ·········96	炭水化物 ·········38
呼吸練習 ·········164	身体的フレイル ·········105	たんぱく質 ·········28, 59
国際生活機能分類 ·········6, 8, 10	心不全 ·········169, 180	たんぱく質合成能力 ·········3
国立健康・栄養研究所の式		たんぱく質節約効果 ·········42
(Ganpule の式) ·········24	**す**	
コルサコフ認知症 ·········206	水分・Na バランス ·········74	**ち**
コレステロール ·········34	水分制限 ·········181	窒素バランス ·········67, 74, 135
	水分必要量 ·········62	窒素平衡 ·········29, 31
さ	水溶性食物繊維 ·········44	中鎖脂肪酸 ·········14, 34
サイトカイン ·········131, 153	水溶性ビタミン ·········45	中心静脈栄養 ·········22, 143
作業療法士 ·········196	スクロース ·········40	中性脂肪 ·········33
サルコペニア ·········32, 41, 115, 121,	ステロイドホルモン ·········34	超低比重リポたんぱく質 ·········36
125, 174, 186	ストレス係数 ·········24	直接訓練 ·········100
サルコペニアの摂食嚥下障害診断	スポーツ栄養 ·········6	
フローチャート ·········95		**て**
サルコペニア肥満 ·········120	**せ**	低 GI 食 ·········135
	声質 ·········149	低栄養 ·········33, 68, 86, 87, 141, 192
し	静的栄養指標 ·········72	低栄養分類 ·········66
持久性トレーニング ·········62, 63	成分栄養剤 ·········21	低比重リポたんぱく質 ·········36
糸球体濾過量 ·········32	生命予後 ·········3	鉄 ·········53

転子部骨折 ……………………162
転倒 …………………………165
転倒リスク ………………124
でんぷん ……………………40

と

同化期 ………………………186
同化相 ………………………75
糖質 …………………38, 39, 60
動的栄養指標 ………………72
糖尿病 ………………………133
動脈硬化 ………………38, 129
トランスサイレチン値 ………4
トランスフェリン ……………76
トリアシルグリセロール ……34
トリグリセリド ………………34
トリプシン ……………………28
とろみ調整食品 ………………21

な

ナイアシン ……………………45
内臓脂肪型肥満 ……………131
内側骨折 ……………………162
ナトリウム ……………………52

に

ニコチン ……………………209
ニコチン酸 …………………204
二次性サルコペニア ………116
日本人の食事摂取基準(2020 年
版) ……………………88, 110
日本摂食嚥下リハビリテーション
学会嚥下調整食分類 2021 ……101
乳糖 …………………………40
尿毒症 ………………………31
認知的フレイル ……………111

の

脳血管障害 …………………140
脳梗塞 ………………………140
脳出血 ………………………140
脳卒中 ………………5, 12, 140

は

肺炎 …………………………166
廃用症候群 ……………5, 185
廃用性筋萎縮 ………………90
バランス能力低下 …………125
半消化態栄養剤 ……………21
パントテン酸 …………………47
反復唾液嚥下テスト ………98

ひ

ビオチン ……………………47
皮下脂肪型肥満 ……………131
ビタミン ……………44, 46, 61
ビタミン A ……………………48
ビタミン B$_1$ ………45, 183, 204
ビタミン B$_{12}$ ………………48
ビタミン B$_2$ ………………45
ビタミン B$_6$ …………………47
ビタミン C ……………49, 209
ビタミン D ……48, 51, 110, 122,
166, 170, 206
ビタミン E ……………48, 210
ビタミン K ……………48, 127
必須アミノ酸 ………………29
非ヘム鉄 ……………………54
肥満 …………………127, 131
びまん性嚥下性細気管支炎 …146
微量ミネラル …………50, 53
品質管理 ……………………82

ふ

不顕性誤嚥 …………………145
不溶性食物繊維 ……………44
フルクトース …………………39
プレアルブミン値 ……………4
フレイル ………6, 105, 106
フレイル・インデックス ……108
フレイルサイクル …………109
ブレーデンスケール ………191
プレフレイル ………………106
分岐鎖アミノ酸 ……15, 29, 59

へ

平均寿命 ………………………2
ペプシン ……………………28
ヘモグロビン ………………200
変形性関節症 ………………125

ほ

飽和脂肪酸 …………………37

ま

マグネシウム ……………53, 70
末梢血管障害 ………………168
末梢静脈栄養 …………22, 142
慢性炎症 ……………………173
慢性心不全 …………………180
慢性閉塞性肺疾患 …175, 211

み

ミネラル ……………………49

め

メタボリックシンドローム ……129
メトトレキサート …………171
免疫栄養法 …………………73

や

薬剤師 ………………………197

ゆ

遊離脂肪酸 …………………130

よ

葉酸 …………………………48

ら

ラクトース ……………………40

り

理学療法士 …………………196
リハビリテーション …………5
リハビリテーション栄養 …6, 10
リハビリテーション栄養ケアプロ
セス ……………………6, 7

リハビリテーション栄養マネジメント ……13
リポたんぱく質 ……36
リポたんぱくリパーゼ ……36
リン ……53, 70
臨床検査技師 ……197
リンパ管 ……35
リンパ球数 ……200

れ

レジスタンストレーニング
 ……62, 63
レチノール結合たんぱく ……76

ろ

ロイシン ……122
ロコトレ ……128
ロコモ ……124
ロコモ25 ……125, 126
ロコモーショントレーニング
 ……128
ロコモティブシンドローム ……124, 125
ロバスト ……106

数　字

2ステップテスト ……125

ギリシャ文字

γ-GTP ……205

記号類

%IBW ……199

欧　文

ACE阻害薬 ……133

ALB ……199
ARB ……133
ASIA impairment scale ……158, 159
AWGS基準 ……117
BCAA ……15, 29, 30, 59, 166, 170, 178
BIA ……69, 119
BMI ……198
BUN ……200
CHF ……180
CKD ……32
CM ……36
COPD ……175, 211
CQI ……82
Cre ……200
CRP ……67, 200
CT ……69
C反応性たんぱく ……67
DESIGN-R ……188
DHA ……174
DXA ……69, 119, 160
EAT-10 ……97
EPA ……174
ERAS ……76
Evans分類 ……164
EWGSOP基準 ……117
FFA ……130
FILS ……97, 98
FOIS ……97, 99
Gardenの分類 ……163
Geriatric Nutritional Risk Index
 ……10
GFR ……32
GI ……43
GLIM ……3, 95, 156
GLIM criteria ……65, 66
GLIM基準 ……120
GNRI ……10
GPS ……155
Harris-Benedictの式 ……23, 88

HDL ……36
HDLコレステロール ……36
ICF ……6, 8, 10
ICUAW ……185
IGF-1 ……107
JARD2001 ……151
LDL ……36
LDLコレステロール ……36
METs ……25, 57
MNA® ……80, 192
MNA®-SF ……65, 80, 151
MUST ……65, 80
n-3系脂肪酸 ……37
n-6系脂肪酸 ……37
NCP ……78
NLR ……155
non-protein calorie/nitrogen
 ……90
NPC/N ……90
NRS ……73
NRS 2002 ……80
NST ……14, 196
NYHA心機能分類 ……180
PAI-1 ……130
PAL ……24
PLR ……155
refeeding症候群 ……70, 71
RTP ……200
SARC-F ……118
SGA ……72, 80, 192
SMART ……81
TEE ……57
TNF-α ……130
TSF ……69
typeII繊維 ……116
VE ……97
VF ……97
VLDL ……36

【編著者略歴】
栢下 淳
（かやした じゅん）

1988年　徳島大学医学部栄養学科卒業
1990年　徳島大学大学院栄養学研究科修士課程修了
1999年　博士（栄養学）
2005年　県立広島大学人間文化学部健康科学科准教授
2009年　県立広島大学人間文化学部健康科学科教授
　　　　県立広島大学大学院総合芸術研究科教授兼任
　　　　現在に至る
E-mail：kayashita@gmail.com

若林秀隆
（わかばやし ひでたか）

1995年　横浜市立大学医学部卒業
1995年　日本赤十字社医療センター内科研修医
1997年　横浜市立大学医学部附属病院リハビリテーション科
1998年　横浜市総合リハビリテーションセンターリハビリテーション科
2000年　横浜市立脳血管医療センターリハビリテーション科
2003年　済生会横浜市南部病院リハビリテーション科医長
2008年　横浜市立大学附属市民総合医療センターリハビリテーション科助教
2016年　東京慈恵会医科大学大学院医学研究科臨床疫学研究部修了
2017年　横浜市立大学附属市民総合医療センターリハビリテーション科講師
2019年　同准教授
2020年　東京女子医科大学病院リハビリテーション科教授
　　　　現在に至る
E-mail：noventurenoglory@gmail.com

リハビリテーションに役立つ栄養学の基礎　第3版　ISBN978-4-263-26667-0

2014年 1月10日　第1版第1刷発行
2017年 1月10日　第1版第4刷発行
2018年 3月20日　第2版第1刷発行
2022年 1月25日　第2版第6刷発行
2023年 1月10日　第3版第1刷発行

編著者　栢　下　　　淳
　　　　若　林　秀　隆
発行者　白　石　泰　夫

発行所　医歯薬出版株式会社

〒113-8612 東京都文京区本駒込1-7-10
TEL. (03)5395-7628（編集）・7616（販売）
FAX. (03)5395-7609（編集）・8563（販売）
https://www.ishiyaku.co.jp/
郵便振替番号　00190-5-13816

乱丁，落丁の際はお取り替えいたします　　印刷・教文堂／製本・愛千製本所
© Ishiyaku Publishers, Inc., 2014, 2023. Printed in Japan

本書の複製権・翻訳権・翻案権・上映権・譲渡権・貸与権・公衆送信権（送信可能化権を含む）・口述権は，医歯薬出版（株）が保有します．
本書を無断で複製する行為（コピー，スキャン，デジタルデータ化など）は，「私的使用のための複製」などの著作権法上の限られた例外を除き禁じられています．また私的使用に該当する場合であっても，請負業者等の第三者に依頼し上記の行為を行うことは違法となります．

JCOPY ＜出版者著作権管理機構　委託出版物＞
本書をコピーやスキャン等により複製される場合は，そのつど事前に出版者著作権管理機構（電話 03-5244-5088，FAX 03-5244-5089，e-mail：info@jcopy.or.jp）の許諾を得てください．